S0-BXW-594

The Wisdom Of
The Excellent CEO
In China

我们真正战胜竞争对手的重要因素是管理与服务，并不完全是人才、技术与资金，上述三要素没有管理形不成力量，没有服务达不到目标。至少近两三年，华为生死存亡的问题是管理与服务的进步问题。

——任正非

任正非如是说

中国最杰出CEO的管理智慧

程东升　朱月容 / 著

浙江人民出版社
ZHEJIANG PEOPLE' S PUBLISHING HOUSE

序

中国企业国际化密码

温天纳

中国企业的跨国并购和投资是本人重点研究的领域，在这个过程中，本人积极参与中国企业“走出去”。华为是中国企业的典范，也是国际企业针对中国崛起的一个重要研究案例。

中国企业的国际化并非一件容易的事情，也并非单纯指从事进出口业务。一家企业国际化是否成功，主要从以下几点判断：第一，这家企业的品牌是否具备了一定的国际影响力；第二，这家企业在所处行业是否占有了一定的全球市场；第三，这家企业是否在相对长的时间内持续赢利。

对照上述标准，华为的成功之处就很明显了——这家创立 20 年的中国本土企业，已经在通信设备制造领域成为了思科、朗讯等全球顶尖企业的强有力的竞争对手，其品牌影响力早已穿越浩瀚的大西洋、太平洋、印度洋，震慑全球电信市场；在某些领域，华为的产品已经占据了绝对优势的市场份额；近 10 年来，华为的持续赢利能力为其迅猛发展提供了充足资本。

作为华为总裁，任正非先生的管理哲学与华为的成功密不可分。军旅出身的任正非先生对企业管理有着天生的成熟，对商业机会的把握有着天生的敏感，对中国古典哲学的思考高屋建瓴，运用于企业管理中得心应手，一手将华为从小带大，由弱到强，将一个名不见经传的小公司培养成为一家有着巨大发展潜力的国际企业。

中国企业的前景是从位于产业链最下游的劳动密集型企业，向位于产业链上游的技术、资本密集型企业转型。而华为就是这个转型过程中比较成功的代表之一。

对于中国大多数企业来说，它们并不缺乏理想、决心和对商业模式的创新精神，缺乏的是对商业机会的把握能力，对企业运行规律的认知能力，以及对企业运营节奏的掌控能力。

华为的成功不可能简单复制，但任正非先生关于企业经营管理的思考、实践，可以启发更多有志于将企业做成国际级的企业家。

西方企业的管理层和股东通常是分开的两拨人，这些企业一般拥有专业、进取的管理层，他们追求提升公司业绩，在激烈竞争的环境中满足股东对赢利增长的期望，而股东对企业管理层的期望就是"Value"（价值）的实现。华为"反传统"的一大特点就是，这家企业的股东与管理层似乎是一体的（华为实行的是全员持股），这是对西方经典管理方式的成功颠覆。

中国企业的国际化进程才刚刚开始，需要学习的地方还非常多。除了天时、地利、人和的契机之外，企业还必须采用先进的管理方式、生产设备，充分发挥资本市场的优势和先进的管理思想去突破原有的空间。为此，企业需要吸纳具有国际视野的人才和运用先进的产业运作模式，洋为中用。对于中国企业来说，这显然是一个严峻的考验。因此，很多中国企业热衷于学习国外企业的经验，因为那些世界500强跨国公司的经验就能让自己的企业走出困境，一跃成为一家成功的公司。

吸取一些西方大企业的先进管理经验是必要的，但是，身在中国的华为公司，身处深圳的华为总裁任正非先生，更值得中国的企业家学习，毕竟，华为是中国本土企业，任正非是中国本土企业家，他们的经验最符合中国企业实际，最能代表中国企业家。

程东升先生的这本《任正非如是说》系统地总结、归纳了任正非先生对于企业经营管理的思考，将任正非先生在众多文章、讲话中体现出的管理智慧提炼出来，有机组织，形成了一本系统、完整地学习任正非经营管理的书籍，想必一定会让众多企业家眼前一亮。

作为中国企业界一颗耀眼的国际化明星，读《任正非如是说》就如同探询中国企业在国际市场驰骋的密码。我希望读者们通过学习任正非先生的思想，能更容易地把握企业的成功之道。

（作者系资深金融专家、中国人民大学荣誉讲座教授、交银国际控股创始董事总经理、国有有色金属集团独立非执行董事、香港证券专业学会专业委员）

目 录

CONTENTS

第一章　华为总会有冬天

——任正非论华为的危机意识

华为总会有冬天，准备好棉衣，比不准备要好。

——任正非

据华为官方数据显示：2005年，华为实现合同销售额82亿美元。2006年，华为实现合同销售额110亿美元，同比增长34%，其中65%的销售额来自国际市场。

2006年年中，华为的市场捷报频传、新员工不断加入，华为上下洋溢着喜庆的气氛。根据华为财务部的统计，无论是国内外营销、海内外用户，还是产品体系，在诸如人均移动电话费、人均差旅费、人均办公、低值易耗品等方面都出现了大幅度增长。此时，很多人认为，这是华为的好时光。

现在是不是华为的好时光呢？是不是如夏花般灿烂的好时节呢？绝对不是。在电信行业热热闹闹、风风光光的背后，是残酷、冰冷的现实。

如何让生命不断延续，是人类的追求和梦想。企业也有生命，如何让企业成为百年老店、基业长青，活得长一些，活得久一些，是所有管理者的使命。

生命受自然规律的制约，动物有动物的生存法则，你吃我，我吃你，只要我吃了你，就会活下去，而一旦被你吃，就会死亡。这看起来似乎不够公平，缺少温情，但这恰恰是不以人的意志为转移的客观规律，是一种自然法则，没有"公平不公平"之言。狮子如果能追上羚羊，它就生存，如果它跑不过羚羊，只能饿死。羚羊如果抱怨不公平，那青草——羚羊的"早餐"该向谁抱怨？羚羊还能跑，青草连逃跑的机会都没有！如果羚羊只懂得抱怨，只会让自己死得更快，因为有限的生机在抱怨中丧失。羚羊要想活下去，只有平时加强训练，提高奔跑的速度，让自己跑得更快，即使跑不过狮子，也要比其他羚羊跑得快，只有这样才能得以生存。正是隐藏在"不公平"现象后的规则，才让生物不断进化，才有生命的丰富多彩。

正如任正非所预知的那样，"电信业正在变穷"。根据咨询公司2006年的报告，全球电信设备市场虽然保持着增长，但电信设备的价格呈快速下滑的趋势。从2004年到2005年，GSM-BSS和CDMA-BSS用户价格平均每年下滑44%和43%，宽带接入下降速度稍缓，平均每年下滑29%。这样的价格下滑速度意味着2003年年底售价为100美元的GSM-BSS到2005年年底只能卖31美元！

即便已是如此低的设备价格，运营商本身的日子也很难过。电信运营业的毛利率在快速下滑，电信业正变得越来越穷，陷入汽车业走过的老路（汽车业的平均利润从1960年的17%下降至目前的5%）。

企业的生存与动物的生存有着相似的规则，它和达尔文的进化论一样简单、奇妙。企业竞争是残酷的，有些企业在“襁褓”中夭折，很多企业“英年早逝”，只有极少数企业能基业长青。这就是企业面临的生存现实，是血淋淋的事实，不因我们的个人意愿而改变。

∽∽∽　　∽∽∽　　∽∽∽

做生意也不要抱怨所谓的公平与不公平，正如羚羊只能不断奔跑而不能抱怨一样，企业也需要不断练好内功，为了生存，我们需要超越对手；为了生存，我们还需要联合“对手”，虚心学习“对手”的长处。这一切的行为，是服务于生存的需要，而不是其他。只有锁定靶心，才能避免迷失方向，这个靶心就是企业的生存。去掉某些华丽的面纱，看清楚企业的生存环境，实质上也与动物界差不多，内在的规律与本来的面目，或许不够清晰，或许缺少一些温情，但却是真理。

任正非作为一个忧患意识与危机意识极强的企业家，在公认的“好时光”里，警示员工：

我们用了10余年时间，终于在2005年实现销售收入首次突破50亿美元，但这与通信巨头的差距仍然很大。最近不到一年时间里，业界发生几次大兼并：爱立信兼并马可尼、阿尔卡特与朗讯合并、诺基亚与西门子合并，这使得已经缩小的差距一下子又被拉大了。我们刚指望喘息一下，直一直腰板，拍打拍打身上的泥土，没想到又要开始更加漫长的艰苦跋涉……

居安思危，不是危言耸听

《左传·襄公》中说道：“居安思危，思则有备，有备无患。”激烈的市场竞争不相信眼泪，也不会怜悯和同情弱者，市场竞争的游戏规则是优胜劣汰，强者为“王”，弱者为“寇”。企业要发展就一定要有“居安思危，未雨绸缪”的危机意识。

一个企业是否具有危机意识，关系着它应对环境变化的行动力，也维系着企业的成长与创新。一个企业如果满足于过去的成就，就容易忽略竞争环境的变化，因而丧失危机意识。缺乏危机意识的企业，其变革的意愿就越小、创新的动力就越弱，也就越容易在竞争的洪流中遭受挫折。

比尔·盖茨紧迫的危机感是“微软离破产永远只有18个月”。

安迪·格鲁夫内省后的感触是“只有偏执狂才能生存”。他坚信做企业是“惶者生存”。

张瑞敏感觉“每天的心情都是如履薄冰，如临深渊”。

柳传志坦言“你一打盹，对手的机会就来了”。

李建熙则发出了“三星离破产永远只有一步之遥”的呐喊。

在市场竞争激烈的现代社会，企业家心中强烈的危机感是无可名状的。

任正非，这个表现出“惊人的企业家才能”，并与比尔·盖茨同列美国《时代周刊》2005年度“全球100名最具影响力人物榜”的中国人，他同样在华为事业蒸蒸日上之际预见了“华为的冬天”。

华为成立于1988年，当时，通信产业正处于逐渐替代PC产业、成为全球经济新的龙头产业的阶段。华为面临有利的市场环境，一方面，中国通信市场正处于高速发展时期；另一方面，已占据中国市场的国际巨头，如朗讯、爱立信、西门子，都是实力异常强大的跨国公司。

> 今天的华为与20年前确实不一样了，华为今天所处的环境和面临的形势也不一样了。

随着通信行业逐渐向微利的传统行业转型，华为曾经拥有的天时地利将不复存在。

2001年春天，任正非在华为科级以上干部大会上作了《2001年十大管理工作要点》的重要讲话，其标题为《华为的冬天》。任正非在此文中指出，繁荣的背后是萧条，华为在春天与夏天时要想着冬天的问题。

> 公司所有员工是否考虑过，如果有一天，公司销售额下滑、利润下滑甚至破产，我们怎么办？我们公司的太平时间太长了，在和平时期升的官

太多了，这也许就是我们的灾难。泰坦尼克号也是在一片欢呼声中出海的。而且我相信，这一天一定会到来。面对这样的未来，我们怎样来处理，我们是不是思考过。我们好多员工盲目自豪、盲目乐观，如果想过的人太少，也许就快来临了。

危机意识建立的基础应该是企业的领导核心，作为企业的领军人物，给自己或企业管理层增加危机感是有必要的。如果企业领导层不树立紧迫的危机意识，员工就不会感受到改革的压力。华为在2000年销售额达220亿元，利润为29亿元，位居全国电子百强首位。此时的任正非则大谈危机和失败，在任正非看来：

这是居安思危，不是危言耸听。

同样是在2001年，任正非在出访和考察日本回国后写了一篇题为《北国之春》的文章。他以优美的文字表达了自己的感受："在樱花盛开、春光明媚的时节，我们踏上了日本的国土。此次东瀛之行，我们不是来感受异国春天的气息、欣赏漫山遍野的樱花，而是为了来学习如何度过冬天的经验。"作为《华为的冬天》的姊妹篇，它表现出任正非对企业发展的深度忧患。《北国之春》中写到：

这10年间，日本经受了战后最严寒和最漫长的冬天。正因为现在的所见所闻，是建立在这么长时间的低增长时期的基础上，这使我感受尤深。日本绝大多数企业，近8年没有增加过工资，但社会治安仍然比北欧好，真是让人赞叹。日本一旦重新起飞，这样的基础一定会让它一飞冲天。

华为若连续遭遇两个冬天，就不知道华为人是否还会平静、沉着应对、克服困难，期盼春天。

任正非的《华为的冬天》和《北国之春》无处不浸透着对企业和员工的担忧，其优美的语句转化为老总与员工"一起度过冬天"的动力。任正非的这两篇文章，都是给企业内部干部职工的讲话，体现着一位企业老总对企业面临危机的坦然态度，表达了一位企业老总呼吁员工与自己共同准备度过"冬天"的苦心。

2007年9月，任正非再次警示华为人：

活下去，仍然是我们唯一的目标。有些人认为，华为已经那么大规模了，在很多领域都有了相当的实力，“活下去”不再是一个问题；还有些人认为，可以暂时歇口气，甚至认为不需要艰苦奋斗了。事实上，过去两年中通信业发生了企业之间的兼并，国内一些明星企业由于不适应“气候”的变化而苦苦挣扎或一夜之间轰然倒下……这些例子警示我们——活下去，仍然是华为唯一的追求，我们不能有片刻的放松。

公司能一步步走到今天，是靠公司高层管理团队和全体员工的共同付出和艰苦奋斗。如果说，那时候的艰苦奋斗是为了能在通信业站住脚跟。那看看今天IT业日新月异的发展，以及世界巨头进步的速度，我们仍不能有一刻的松懈。我们一天不进步，就可能出局。我们要向“狮子”学习，学习与借鉴别人的做法，还要想着如何与“狮子”共渡难关，甚至向“羚羊”学习如何跑步。

任正非认为，企业有生命，也有成长规律。在不同的阶段会遇到不同的问题，一帆风顺只能是一种愿望，风雨坎坷是一种宿命。企业的成长其实是危机产生与消除危机、渐进循环的过程，而所谓的企业发展阶段其实也就是危机阶段性变化的循环。在现实中既有100年的“年轻”企业，也有10年的“官僚化老公司”。无论三星的再造还是IBM的转型，都是通过种种措施焕发新的生机。无论多大的公司，无论在哪个阶段，管理者都要清醒地认识到生存是唯一的理由。任正非强调，对华为来说，道理也一样。每个管理者都要不断挑战自己，少一些抱怨，多一些努力，与公司一起奋斗着活下去。

准备棉衣

华为老喊狼来了，喊多了，大家有些不信了。但狼真的会来。

面对如此严酷的环境，我们的队伍却越来越新，多种意识和声音混杂在我们的团队中，分散了我们的注意力；我们的规模也越来越庞大，管理难度和跨度大大增加，当年的小分队运作方式已不再适应我们现今的队列操作……

我们该如何应对华为的冬天？

在这种情况下，华为要一直活下去，华为员工就更要继续保持艰苦奋斗的作风，通过高绩效的工作给华为注入活力。

> 首先，要不断更新、不断提高自身业务能力和管理能力，要保持清醒的头脑。熟悉行业的变化，在行业的变化中敏锐地捕捉生存的空间和机会，对外要紧盯市场不放，对内要勤于说服和推动公司内部各层的支持以达到目标。其次，要通过组织培训和实战来提高团队的整体作战能力。最后，要提高整体团队的战斗力。这种战斗力是指综合作战能力，包括良好的业务能力以及顽强的工作作风。

任正非意识到，企业破产是永恒不变的自然规律。他所能做的，就是竭力延缓这个时刻的到来。为此，他宁愿长期活在一种焦虑中，并且希望身边的人同他一起分享。任正非通过极富感染力的讲话来传达危机意识，协调华为人之间的关系，增强所有华为人之间的亲和力，提高华为企业精神的凝聚力，从而有效地消除企业内耗。

> 我们要广泛开展对危机的讨论，讨论华为有什么危机，你的部门有什么危机，你的科室有什么危机，你的流程有什么危机。还能改进吗？还能再改进吗？还能提高人均效益吗？如果讨论清楚了，那我们可能就不会死，就延续了我们的生命。
>
> 谁有棉衣，谁就活下来。

正是有了准备过冬的棉衣，华为的员工才心甘情愿地卖力工作，与他们的总裁任正非一起迎接温暖的春天。

> 我们通过集体降薪来支撑公司；我们通过忘我工作来弥补因为年轻而造成的过错；我们舍家别妻、奔赴海外、开疆拓土，为公司过冬添棉袄。公司上下同心同德、卧薪尝胆，我们挺到了今天。

屡战屡败，屡败屡战

1999年之前，华为在国际市场的角逐中基本上只见投标，不见中标，乏善可陈，但华为人深知，这是进入国际市场必须交的学费。

2004年，华为实现全球销售额462亿元人民币，比2003年增长45.7%。其中，国际销售额达22.8亿美元，比2003年翻了一番，占总销售额的41%。2004年上半年，华为全球销售额已突破330亿元人民币，海外销售额达24.7

亿美元，占总销售额的62%。2006年上半年，华为完成合同销售额52亿美元，其中，国际市场占65%，同比增长36%。业内人士认为，这主要得益于华为在俄罗斯、巴西、巴基斯坦等新兴市场的强劲增长。2005年，华为海外销售额首次超过国内销售额，成为华为进军海外市场的一个拐点。此后，华为把外销占70%的目标定在2008年，据目前发展情况来看，华为实现这个目标几乎已成定局。在国际化的征程中，这个被称为“土狼”的企业已经成为一个令西方电信巨头从此对中国企业刮目相看的国际化公司。

在国际巨头们不得不对来自中国的华为多加小心之时，任正非仍保持着危机意识，并且始终将他的危机意识传达到公司上下。

在中国做一个企业，其竞争对手是全球各发达国家的世界级巨头，他们有几十年甚至100多年的积累，有欧美数百年以来发展形成的工业基础和产业环境，有世界发达国家的商业底蕴和雄厚的人力资源、社会基础，有世界一流的专业技术人才和研发体系，有雄厚的资金和全球著名的品牌，有深厚的市场地位和客户基础，有世界级的管理体系和运营经验，有覆盖全球客户的庞大的营销和服务网络。

> 面对这样的竞争格局，面对如此的技术及市场壁垒，我们没有任何经验可以借鉴。

“华为的红旗还能举多久?”这是任正非始终在向自己和员工提出的问题。华为的国际化才刚刚开始，面对国际竞争对手多年的经验，华为这样的中国企业仍然显得稚嫩，尤其管理层是稚嫩的。

> 华为没有一个人曾经干过大型的高科技公司，从开发到市场，从生产到财务，全都是外行，是一边摸索一边前进、磕磕碰碰走过来的。企业高层管理者大量的精力用于员工培训，而非决策研究。

员工们也是稚嫩的，以至于任正非慨叹华为“浪费”了太多钱用在员工培训上，要到若干年后才能看到苹果成熟。

> 我们远不如Lucent、Motorola、Alcatel、Nokia、Cisco、Ericsson……那样有国际工作经验。我们在国外更应向竞争对手学习，把他们作为我们的老师。我们总不能等待没有问题才去进攻，而是要在海外市场的搏击中熟悉市场、赢得市场，培养和造就干部队伍。我们现在还十分危险，完全不具备这种能力。若在3至5年内还建立不起国际化的队伍，那么

中国市场一旦饱和，我们将坐以待毙。

危机之下，负重前行。任正非断言飞速发展的通信行业的技术革命迟早会到来，而只有这样的机会，才能颠覆国际巨头的王朝。机会总是降临在有准备的人身上。

18年来（2006年，编者注），我们公司高层管理团队夜以继日地工作，许多高级干部几乎没有什么节假日，所有的主管24小时都不能关手机，要随时处理突发问题。现在，因为全球化导致的时差问题，更是连轴转地处理事务和开会。我们没有国际大公司积累了几十年的市场地位、人脉和品牌，没有什么可以依赖，我们只有比别人奋斗多一点，只有在别人喝咖啡和休闲健身的时间忘我努力地工作。否则，我们根本无法追赶竞争对手的步伐，根本无法缩小与他们的差距。

变危机为机遇

高技术的刷新周期越来越短，所有高科技企业的前进路程充满了危机。华为公司由于成功，公司组织内部潜在的危机也越来越多、越来越深刻。我们应该看到，公司处于危机点时，既面临危机又面临机遇。危机管理的目标就是变危机为机遇，使企业越过陷阱进入新的成长阶段。

的确，企业在生产经营中面临着多种危机，无论哪种危机发生，都有可能给企业造成致命的打击。对于企业来说，危机管理迫在眉睫，它不再仅仅局限于处理突发性事件，注重挖掘企业管理的深层次原因日渐成为必不可少的组成部分。

战略危机、人才危机、品牌危机和公关危机，都是我们必须面临和解决的问题。我们必须要提前准备，必须要有危机意识，必须要抓好危机管理，改变我们需要改变的，更正我们需要更正的，居安思危，防患于未然。

除了要求我们的管理层、决策层保持危机意识外，我们必须要做好危机管理，并把它作为一种战略纳入企业的发展规划中。我们必须要强化员工的危机意识，要创造一种良性循环的危机意识氛围，让员工切身感受到，企业生存与发展的危机与个人根本利益密切相关。要通过管理制度的约束强化员工的危机感，要通过企业文化的感召力凝聚员工的向心力，要通过有效的“鲶鱼效应”使得我们的员工把压力转换为动力，把危机感转换为鞭策自己不断奋进的动力。

只有这样，我们行业的未来才经受得住考验，我们的冬天才可能依旧阳光普照。

在危机中越变越强

松下电器，不论是办公室，还是会议室，或是通道的墙上，随处都能看到一幅画，画上是一艘即将撞上冰山的巨轮，下面写着：能挽救这艘船的，唯有你。其危机意识可见一斑。在华为公司，我们的冬天意识是否有那么强烈？是否传递到基层？是否人人都行动起来了？

如同勾践卧薪尝胆一样，任正非在一种假定的危机感中度日如年。

10年来，我每天思考的都是失败，对成功视而不见，也没有什么荣誉感、自豪感，只有危机感。也许是这样，华为才存活了10年。我们大家要一起来想，怎样才能活下去，也许这样才能存活得久一些。失败这一天一定会到来，大家要准备迎接，这是我从不动摇的看法，这是历史规律。

具有深刻的危机意识，这似乎是世界一流企业家的共同特质。

1996年2月，销售额年增长200%的华为召开了一场让外界哗然的集体辞职大会：所有办事处主任、市场部的正职在向公司递交述职报告的同时，还递交了一份辞职报告。公司将根据其表现、发展潜力以及公司发展的需要，决定他们的去留。这并不是形式主义，公司的确淘汰了一批曾经立下汗马功劳的落伍者。任正非类似于“杯酒释兵权”的非常手段，可谓快刀斩乱麻，让那些企图躺在功劳簿中不思进取的老员工意识到了危机。

正如乞丐出身的朱元璋在称帝之后仍然厉行节约一样，经历过动荡岁月的任正非内心始终存有一种不安全感。那些食不果腹的难堪往事，那些衣不遮体的深刻记忆，让今天的任正非更加珍惜来之不易的一切。因此，他的偏执、他的苦行僧式的生活也都可以理解。

任正非就像一个呕心沥血的教练，整天拿着大喇叭对着训练场上的运动员们高呼：

我们还必须长期坚持艰苦奋斗，否则就会走向消亡。

尽管手段过于原始和苛刻，但我们不能不承认，正是这种被他运用得恰到好处的危机感，给华为、给华为的员工带来了源源不断的活力，而华为则在这种危机感中变得越来越强大。

第二章　没有管理形不成力量

——任正非论华为的企业管理

我们没有人家雄厚的基础，如果我们再没有良好的管理，那么真正崩溃后，将来就会一无所有，再也不能复活。

——任正非

任正非认为：

没有全球范围内的巨大服务网络，没有推动和支撑这个网络的规模化管理体系，就不能获得足够利润来支撑它的存在和快速发展。因此，失去机会的原因对华为来说，主要是服务和管理，这是华为的战略转折点。

虽然华为的组织体系随着市场规模的迅速扩张而急速膨胀，但此时的华为还没有成型和稳定的管理章法，决策过程更多地表现为个人行为，经常朝令夕改。干部任命也缺乏科学性，表现出很大的随意性，任命书一度满天飞。华为的管理远远滞后于市场的发展。

公司现在最严重的问题是管理落后，比技术落后的差距还大。我们发展很快，问题很多，管理不上去，效益就会下滑。当务之急是要向国外著名企业认真学习，我们聘请了非常多的国外大型顾问公司为我们提供顾问服务。如我们的任职资格评价体系，请的是美国HAY公司来做顾问。通过自己的消化吸收，一点一点地整改。任何整改都得先刨松土壤，这就要先从自我批评入手，才能听得进别人的意见。

此外，华为自创立以来，主要实行的是负责人强势管理，华为内部尚未形成一个目标一致、具有相当威信、人人都能独当一面的企业家群体，也就是说，华为仍然处于创业家个人领导的阶段，没有形成一个核心领导层，尤其是没有形成一个选拔高层干部的有效机制和企业制度。当创业的一代终有一天会失去对企业强有力的领导时，不知道如何产生新的领袖，以及如何保证企业的持续发展能力。

尽管华为的3G技术取得了突破，一路高歌猛进、一派歌舞升平的繁荣景象，但任正非清楚地认识到，华为管理的脆弱一定会在高速膨胀中显现出来，他担心华为管理和服务的滞后会导致华为的领先技术功亏一篑。

企业越是高速成长，越是发展顺利，越容易忽视隐藏在背后的管理问题。

管理成力量，服务达目标

我们真正战胜竞争对手的重要因素是管理与服务，并不完全是人才、技术与资金，上述三要素没有管理形不成力量，没有服务达不到目标。至少近两三年，华为生死存亡的问题是管理与服务的进步问题。

的确，C&C08 交换机等技术的重大突破，在华为的发展过程中具有转折性的意义；任正非提出人力资本的增值优于财务资本的增值，承认知识的价值，并切实给予人才相应的回报，使华为聚集了大批精英。但是，华为取得成功的关键因素除了技术、人才、资本，还有管理与服务。没有管理，技术与人才形不成巨大的合力；没有服务，就找不到努力的方向。

华为的发展经历使任正非认识到，独一无二的管理和服务体系是华为争取市场的核心力。任正非将很多的精力放在内部管理的提升和服务体系的建设上。

华为创建初期，产品质量不好，是依靠遍布全国的 33 个维修点及时的售后服务来维持正常运行的。到 1995 年上半年，各种及时的售后服务体系发展形成三级支持系统和 200 名优秀技术人员组成的服务网络，及时服务已成为良好的风气，华为也越来越得到市场的信任。

1995 年，华为投资近 1 亿元，建立了用户服务中心大厦，开通了集中维护系统，向全国的用户提供远程支援。此外，华为还建立了现代化培训系统，聘请了相当数量的离退休专家参加公司的出版、网络规划工作，使过去资料提供不充分的状况得以改变。当年，华为的产品通过了邮电部的质量论证，华为还获得国际权威机构颁发的 ISO9002 证书。在此基础上，任正非要求华为人要为设备平均 2000 天无故障而不懈努力。在他看来，只有争取 2000 天不出硬件故障，减少上门维修的工作量，才能进一步降低华为的综合成本，并为用户带来效益。

任正非告诉全体员工：

华为处在一个超常的发展时期，当前最严重的问题不是竞争对手，也不是人才、资金等问题，最大的敌人就是华为人自己。战胜自己，是华为取得胜利的关键。华为人一定要越过自己的心理障碍，在管理与服务上狠下工夫，从一点一滴的小事做起，在市场洪流冲击我们的时候，不做叶公好龙的小人。

1994年,华为推出的网用C&C08机迅速占领国内市场。1995年,华为的年度销售额达15亿元人民币,进入了高速发展的阶段,人员急剧膨胀,落后的管理水平成了进一步扩张的掣肘。1995年,华为聘请人大教授包政、黄卫伟、彭健锋等人进行人力资源咨询。1995年年底,任正非提出重新构建企业系统管理体系。1996年,任正非任命华为副总裁胡红卫筹建华为管理工程部,改造华为管理系统。这是华为管理系统为适应长期发展战略进行的第一次前瞻性战略调整。

在胡红卫出任管理工程部第一任总监、华为副总裁期间,作为主要的组织人,其主要使命是按照任正非的要求,组织实施华为管理体系建设,包括工资改革、人力资源管理、ISO9001引进、企业资源管理系统(ERP)的实施以及参与制定影响深远的《华为公司基本法》等。华为市场部高中级干部集体辞职两年后,华为的组织建设与素质有了较大提升,产品设计水平、生产质量、售后服务、行政管理、市场营销都呈现出良好的态势。

在1998年7月31日召开的全国国产机用户协调会上,华为与26个省市签订了共计650万线的框架订货协议。如果加上专网与出口,华为当年交换机的生产量超过了800万线,再加上其他多元化的通信产品投入,华为当年产值近100亿元。

在《华为公司基本法》正式确立之时,任正非还聘请IBM为IPD(集成产品开发)提供咨询,打破了华为以部门为管理结构的模式,转向以业务流程为核心的管理模式。2003年上半年,数10位IBM专家撤离华为,业务变革项目暂告一个段落。此次业务流程变革历时5年,耗资数亿元,涉及公司价值链的各个环节,是华为有史以来影响最为广泛、深远的一次管理变革。

2006年,任正非又提出了全面效率管理,把组织效率的提升作为管理核心,从注重规模化扩张的粗放化管理向注重组织效率的精细化管理转变。

> 人才、资金、技术都不是生死攸关的问题,这些都是可以引进的,而管理与服务是不可照搬的,只有依靠全体员工共同努力去学习先进的管理与服务理论,并与自身的实践紧密结合起来,才能形成我们自己有效的服务与管理体系。

在任正非看来,人才、技术、资金都属于“硬”性要素,都可以实行“拿来主义”——直接引进、直接使用。比如说技术专利,支付一定的费用后就可以使用，立即提高产品的技术含量；比如说资金，缺乏时也可以通过多种方式进行直接或间接融资，可以直接运用到企业里，提高企业效益。但是，管理和服务却不能用“拿来主义”来解决。显然，华为历年来所做的管理改革，都不是简单地引进先进的管理体系。

管理与服务作为核心竞争力的集中体现，企业必须不断地提升内部管理能力并提高服务质量，但任何企业为客户提供服务的方式都是不一样的。虽然任正非在引进西方先进的管理经验时口口声声让华为人“削足适履”，但要真的形成适应华为运作实际的管理模式，生搬硬套是解决不了问题的，必须通过公司内在的积极因素，在充分理解、学习西方先进的管理经验后，才能形成只属于华为、只适合华为的独一无二的管理和服务体系。

向精细化管理转变

对于一个企业而言，随着初期规模增长，效率也会快速增长。但是，当规模增长到一定程度以后，效率增长开始缓慢；随着企业规模的进一步扩大，效率增长出现拐点，不增反降，拐点所在处就是该企业的边际。这就是经济学中边际效应的概念。

华为经过近几年的快速扩张，已经出现效率增长缓慢的现象，如果不努力分析并改进所存在的问题，若再进一步扩张规模，将会很快达到华为的边际。较之业界巨头，华为的人均效率要低很多，华为的边际也比其他巨头小很多。因此，华为想通过简单的人员增长方式来赶超这些业界标杆几乎是不可能的。华为的组织效率亟须改进，探索全面效率管理也显得很有必要。

全面效率管理是指以组织效率提升为核心，以全员参与为基础，以决策质量、运作方法、平台工具、成本质量、组织氛围等方面为主要改进点，通过自上而下和自下而上的运作方式，使全员持续发现和分析日常工作中存在的效率问题，制定并实施改进措施，努力促进公司整体效率的提升。

1988 年到 1995 年期间，任正非主要采用粗放化的“三高”管理模式来管理华为(三高，即高效率、高压力、高工资)。但是，天下没有免费的午餐。与高工资伴随而来的当然就是高效率、高压力；高工资是推动高效率、高压力的核心动力。

于是，任正非为了贯彻高效率、高压力而提出了著名的“狼”性文化：

企业就是要发展一批狼。狼有三大特性：一是敏锐的嗅觉，二是不屈不挠、奋不顾身的进攻精神,三是群体奋斗的意识。

这种教育员工的方法在当时的环境下起到了较好的效果。但随着华为的扩张,人员规模的扩大,华为面临的组织管理问题越来越多、也越来越复杂,光靠"狼文化"这个简单的概念已经无法解决华为面临的问题,更加不能带领华为继续扩大。

"三高"管理模式使得华为的人员开支成本、管理成本持续居高不下,更危险的是,一旦市场环境恶化,比如说通信产业发展减速,或者华为的扩张速度减慢或停滞(这一天是必然要到来的,因为全世界没有任何一家企业可以永远地扩张),华为将无法支撑依靠高工资凝聚员工的模式,从而导致效率低下、管理问题丛生。

华为的快速扩张,导致了成熟管理干部的奇缺。比如,原来的办事处人手少,办事处主任从机器组装到销售、检测、维护,什么都要干,充当的是工程师的角色。现在人员扩充很快,办事处主任必须领导大批手下人去干,充当的是领导者的角色。

以上原因促使了《华为公司基本法》的出台。《华为公司基本法》是中国人民大学的一些教授以西方的企业管理理论为框架,对任正非个人的价值取向和思考结果所作的一次整理和总结。任正非期待通过制定《华为公司基本法》,把一个与时俱进的价值罗盘置于每个人的心中,从而使老板与员工的思维方式和行为方式有一个共同的始发点。

《华为公司基本法》一度风靡全国,很多企业家都竞相学习。实际上,《华为公司基本法》的作用被媒体的渲染夸大了,连任正非都承认《华为公司基本法》没起到很大的作用。

华为由于短暂的成功,员工暂时的待遇比较高,就滋生了许多明哲保身的干部。他们事事请示,僵化教条地执行领导的讲话,生怕丢了自己的乌纱帽。

一方面,《华为公司基本法》达不到预期的效果,而华为的人员规模、销售额却更加庞大;另一方面,华为开始大规模进军海外市场,试图成为一家国际化公司。所以,任正非急于找到能够帮助华为提升管理能力、培养管理人才的办法。

在以业务流程为核心的管理模式的运作中,市场代表带着产品规格、技术参数等信息到市场上搜集客户反馈,据此考虑市场空间、客户需求的排序,哪些需求会对未来产品的市场潜力和竞争力产生重大影响等。在市场人员的强烈参与下，产品的概念得以形成。

理论上，IPD（集成产品开发）能够在研发前期就避免以前在投入市场后才会暴露的重大问题。但由于基层管理者还没有完全认同IPD，或者是为了维护小集体利益，造成纵横制管理中的多头领导，产品线和资源线可能为了各自利益，对处于交汇点上的人员提出不同甚至相互矛盾的工作指导，使得产品线人员经常感到无所适从。

> 华为聘请IBM的专家给自己的各个部门做管理评分（TPM），以满分5分计，华为2003年的平均分只有1.8分，2004年上半年才达到2.3分，而2004年的目标是2.7分。按照IBM的意见，一家真正管理高效规范的跨国公司，其TPM分值应达到3.5分。另外，根据IBM专家的评测，华为人均工作效率只有国际一流公司的1/2.5。

有熟悉任正非的人认为：对于任正非来说，IPD是旗帜，不会影响华为的核心优势。他并不认为IPD能深刻改变华为，他所要求的只是有所提升。华为真正的变革不是单靠外力就能够推动的，不会是突变，只能是演进。在各项业务的支撑体系上，华为真心实意地做着IPD。

但在市场上，任正非带领着骁勇善战的"狼群"，以自己的方式继续扩张。

华为之前采取任务管理或目标管理，以结果为导向，客观上使得各组织形成粗放式管理的习惯，主要靠增加投入来完成任务。

全面效率管理则是以组织效率为核心，有利于各组织形成精细化管理的习惯。效率问题是所有管理活动的出发点和归宿，通过研究组织流程、决策、指挥、监督、协调以及人员、工具等多方面的因素，全面监控任务进展，使任务效率达到最佳。

组织的高效率来自于很多方面，有效的组织结构、明确的制度、科学的规划、团队的良好协作、先进的预测技术、正确的决策系统以及敏锐的反馈系统等都会对组织的效率产生关键性的影响。

对效率的测量是开展效率提升工作最重要的一步。从整个公司层面来看，可以通过人均销售额或者人均利润来反映公司整体的效率，但是对于不同的业务部门，效率标准往往与具体业务直接相关，这可能需要各业务领域的员工及专家们一起讨论制定。标准的确立，既是衡量效率的依据，也是改进效率的方向。

另外,全面效率管理的全面性体现在全过程、全员以及全要素这三个方面。

对于华为,全体员工是公司最庞大和宝贵的财富。如何充分发挥这些财富的作用,是我们最重大的一个课题,是各级组织亟须解决的问题。在发挥每个人才的作用时,要从各级组织的整体效率出发,而不是仅仅研究或提升个体的具体效率,只有组织效率的提升才是符合公司整体利益的。

领导者决定了推行全面效率管理的成败,全员参与决定了全面效率管理推行的广度和深度。每个员工是组织效率提升的责任主体和执行主体。因此,将全面效率管理的相关资源和活动作为过程来管理,可以更高效地达到预期的目的。华为目前充分运用各种端到端的流程和相应的团队,这些流程组成一个一个的系统,而各业务或功能部门组成另外一个一个的系统。只有认真识别、理解并管理一个由相互联系的诸多过程所组成的系统,才有助于减少交叉职能部门之间的障碍,切实提高整体组织的效率,而不是单独某个环节的效率。持续改进是一个组织永恒的目标,才能使组织效率不断得到优化,如果采取运动战,过一段时间之后,企业又会陷入效率低下的泥潭。

华为是一个有远大理想的企业,但是我们组织效率的现状已经决定了华为的产值和边际的大小。现在到了努力行动,全员动员,共同提高组织效率、实施全面效率管理、精细化管理的关键时刻。

开放周长,控制圆心

在具有相对独立的市场,经营已达到一定规模时,相对独立运作更有利于扩张和强化最终成果责任的产品或业务领域,应及时选择更有利于它发展的组织形式。

企业为满足业务扩张的需要,在组织结构上经常采用的模式是"事业部制"。充分授权针对特定的产品、地区、目标客户,成立特定的事业部(或称为业务单位),鼓励他们快速响应市场和客户的需求。

华为对事业部坚持采取"开放周长,控制圆心"的策略。

所谓开放周长,就是要给予事业部足够大的独立决策的权力;所谓控制圆心,就是要始终将事业部限制在可以控制的范围内。如果控制了周长,事业部就很容易被束缚,无法发展;如果不控制圆心,就会失去方向。

1998年之前，华为还是沿用集中管理原则。到了1998年年初，华为开始有选择、有步骤地进行事业部试点，第一个试点是华为通信（莫贝克）。1993年成立的华为通信是在董事会的领导下，由华为控制的具有独立法人资格的子公司。在试点初见成效的基础上，华为先后对公司组织结构进行了重大改造，成立了多个事业部。

是什么让华为的组织结构发生转变？是什么促使华为建立事业部制度？这是破除"大企业病"之需，是高速健康发展之需。

1998年，华为员工多达8000人，组织结构的集中管理造成了华为管理难度大、效率低下等问题，更为严重的是，新的生长点长不大，部分华为人产生了一定程度的依赖性，结构性危机日益显著。任正非意识到，如果不能尽快解决这一问题，华为将在管理上因严重失灵而走向自我毁灭。因此，缩小经营单位，按产品建立事业部制成为当时的最佳选择。

1997年春节，《华为公司基本法》草案第七稿第三章第四十二条到第四十五条明确提出，华为将实行二维结构，即按战略性事业划分的事业部和按地区战略划分的地区公司。事业部在公司规定的经营范围内承担开发、生产、销售和用户服务的职责；地区公司在公司规定的区域市场内有效利用公司的资源开展经营。事业部和地区公司均为利润中心，承担实际利润责任。

定稿的《华为公司基本法》又对事业部制的建立原则和作用进行了更加细致的划分。它规定事业部的划分原则可以是以下两种原则之一：

产品领域原则 $\xrightarrow{\text{建立}}$ 扩张型事业部：利润中心，实行集中政策，分权经营

工艺过程原则 $\xrightarrow{\text{建立}}$ 服务型事业部

按产品领域原则建立的事业部是扩张型事业部，按工艺过程原则建立的事业部是服务型事业部。扩张型事业部是利润中心，实行集中政策，分权经营。应在有效控制的原则下，使之具备开展独立经营所需的必要职能，既充分授权，又加强监督。

任正非设想，事业部是华为的利益主体，是华为经济利益的主要来源。事业部不需要做通用的资源工作，而只需要做专用资源的工作，要创造资源、利用资源，寻找新的经济增长点。作为母公司，华为主要做重大决策控制和服务，以集中优势资源和精力突破难点。

为保证事业部与地区公司各司其职，发挥最大的效能，华为规定：在地区

公司负责的区域市场内，总公司及各事业部不与之进行同业竞争；各事业部如有拓展业务的需要，可采取会同或支持地区公司的方式进行，事业部不能"军阀割据、自立山头"。这正是华为"开放周长，控制圆心"策略的体现。

2005 年，华为收购英国电信制造商马可尼失利。塞翁失马，焉知非福？从管理模式转变的角度来说，华为收购马可尼计划的失败未尝不是一件好事。这次失败让任正非明白了，华为应该重新明确和调整总部的职能定位，把该管的管起来，把该放的坚决放下去。因为，华为的企业规模正在成倍地扩大，领导层如果仍然沿用原有的组织结构和管控模式，自然是行不通的，改革和放权势在必行。

从华为近几年的发展来看，管控模式对华为的发展至关重要。像华为这种类型的集团公司，需要引入"集成的管控模式"理念，即需要一个科学、明确的战略方向，要从"机会"的海洋里跳出来，以免被太多的机会"淹死"。

针对华为组织结构的变化以及"开放周长，控制圆心"的策略，任正非说道：

> 公司成长到一定时期都有一个起步阶段，这个阶段是同等机会阶段，会产生许多新的增长点，新的增长点带来的还是管理问题。人力资源管理和事业部建制是两项很重要的工作，是华为公司扩张中的首要问题。

在任正非看来，对事业部失去控制就失去了建立事业部的意义。因此，他主张通过控制事业部的资产与运营指标，以达到控制目的(控制圆心)。在对事业部的控制系统中，考核是最重要的手段，通过考核建立起有效的内部动力机制、牵引机制和约束机制。主要是从宏观评价和大指标体系两个方面对事业部进行考核，最终还是都要落实到对人的评价上。为此，华为通过人力资源管理委员会、财经管理委员会和产品战略投资综合评审委员会对事业部进行控制。这标志着华为组织结构的重大转型——由原来单一的地区公司制向事业部与地区公司结合制转变。

当然，在"开放周长"的指导下，华为将包括人权、仪器设备在内的公共资源对事业部全部开放，以加快事业部的发展速度。

战略与执行力缺一不可

近年来，随着大量资本涌入通信行业，电信运营商之间的竞争日趋激烈。据统计，2004 年 1 月，全球 19 个国家建立了 27 个 CDMA 商用网络，2007 年

12月，全球99个国家共有243个CDMA运营商，平均每个国家有约2.5个CDMA运营商。激烈的竞争导致美国、欧洲等发达市场中运营商之间的并购行为日益频繁，并波及通信设备行业。对通信行业来说，无论是从事运营业还是制造业都进入了微利化、精细化运营的时代。

在这样的背景下，运营商越来越重视成本控制。用户及MOU持续保持高速增长的态势，导致运营商的扩容压力巨大。为快速应对市场高速增长的需求，运营商越来越重视灵活的网络扩容；为了有效降低TCO并满足绿色环保的需求，运营商急需引入能耗更低、性能更强、覆盖更广、部署更加灵活快速的产品和解决方案。华为敏锐地预测到了这一趋势，并采取先突破西欧、拉美、亚太等区域的一流运营商的策略。在制定好战略后，如何做到显得更为重要。对于战略与执行的关系，任正非有这样的论述：

企业经营要想成功，战略与执行力缺一不可。执行力是什么？它是各级组织将战略付诸实施的能力，反映战略方案和目标的贯彻程度。许多企业虽然有好的战略，却因为缺少执行力，最终失败。数据显示，大多数企业的寿命都很短，中国民营企业的平均寿命只有2.9年。为什么？对200家企业调查的结果发现：40%的人正在按照低效的标准或方法工作。这些民营企业的失败并不是战略的问题，而是执行力的问题。

基层主管直接带兵作战，如果执行力不到位，就会直接导致公司的战略目标实施不力。闭环管理的方法，可以使基层主管通过传、承、授三方面的教练作用，从目标管理、时间管理、有效沟通、问题处理等方面，提高执行力。

正是在这种高屋建瓴的战略指导下，华为人以势如破竹的执行能力，如期实现了战略目标。自2007年下半年以来，华为的GSM、UMTS、CDMA频频进入西欧、拉美、亚太等区域，这标志着华为移动产品已经得到了全球高端市场和客户的普遍认可。

矩阵管理结构是唯一出路

矩阵式管理结构是公司的唯一出路，公司所有的制度都应有强化矩阵结构的思想，如充分授权、加强监督等。否则，官僚就会妨害公司的进步。

华为的管理模式是矩阵式管理模式。与很多主张建立三角形组织结构、强调组织结构稳定的企业管理专家不同，任正非主张建立一种可以有所变化的矩阵结构。他认为：

> 矩阵结构要不断演进，水平和垂直交叉的结构是最稳定，也是最无用的结构。

华为所在的电信产业处于急剧变化中，每3个月就会发生一次大的技术创新。为适应这种情形，华为必须建立起一种既可保持相对稳定，又可迅速调整以适应变化的组织结构。

华为每次的产品创新都伴随着组织架构的变化，但这种变化一般都是根据业务的需要来进行的。比如说在GSM领域，华为推出了面向3G的解决方案，其亮点之一在于可全面支持3G并支持专业集群功能，配合专业的集群手机，可以满足高端用户的调度、会议广播以及紧急呼叫等需求。毋庸置疑，在信息化极度膨胀的今天，这项创新有着广阔的市场空间，华为立即组织一部分市场营销、推广人员和技术创新人员，组建一个事业部，专门从事这项创新的运营工作。

> 这个事业部是根据3G业务的需要临时组建的，当3G已经顺利地投入运营并可以获得收益的时候，该项技术创新面临的问题就是服务等市场跟进工作了，那么临时组建的事业部就应该回归了，因为服务等市场跟进工作可以由公司常规设立的市场部和客服部统一负责了。

换句话说，华为建立起的组织结构是由静态结构、动态结构和逆向求助系统构成的。一旦出现机遇，相应的部门就要迅速出手抓住机遇，而不是整个公司都行动。在该部门的牵动下，公司的组织结构必定会产生一定的变形。在这个过程中，相互关联的要素（流程）没有发生变化，但相关联的数量和内容变化了。一个系统发生变化，所有系统都跟着变，所谓“纲举目张”。这种变形是暂时的，当阶段性的任务完成后，就会恢复到常态。这是一个从不平衡到平衡的过程。

> 华为永远都不会有一个稳定的矩阵结构网，当该结构网收缩时，就会叠加起来，意味着华为要精简部门、岗位和人员；扩张时，网就会拉开，就要增加部门、岗位和人员。在这一过程中，流程保持相对稳定。

矩阵式管理要求企业内部的各个职能部门相互配合，通过互助网络，任何问题都能作出迅速反应。而矩阵式管理的缺点是，项目负责人的责任往往大于权力。因为参加项目的每个人都来自不同的部门，工作带有临时性，项目负责人对于项目成员的工作好坏没有足够的激励和惩罚措施，项目成员可能受到双重指挥，从而影响组织效率和稳定性，即多头管理，职责不清。

在任正非看来：

> 在所有权力中，最重要的是人权。权力必须交叉，才能实现权力的有效制衡。华为推行ISO9000业务流程的最大特征是，在流程中没有人具有完整的权力。华为的权力结构是一种典型的矩形结构，既有纵向的直线职能权力，又有横向的流程管理权力。

在任正非的观念里，只有控制有效的组织才是华为应该建立的组织，没有有效控制，就没有必要分权。稳定是发展的基础，华为永远都实行中央集权，但可以在中央集权的基础上进行层层有序的分权；在分权的过程中要进行充分授权，实行严格监督。

> 公司在放权和集权的调整过程中一定会出现问题，但我们不能因噎废食，关键要研究其是否合理。只有企业的员工真正地认为自己是企业的主人，分权才有了基础，没有这样的基础，权力分下去就会乱。所以，文化是权力分化的基础，没有认同感就不能实行分权。

有了以上观念，华为的销售人员在相互配合方面的效率相当高——从签订合同到实际供货只要4天的时间，而这足以让客户折服，让对手感叹。

华为虽略有成就，但问题依然不小。目前，华为在费用管理、产品开发管理、人力资源管理以及由IBM协助建立的供应链管理上还存在着不小的缺陷。在费用管理上，华为的研发费用浪费比例是国际最佳水平的两倍；在产品开发周期上，华为虽然偶有超常发挥，但总体而言还要比国际先进水平高出一倍多；而在接班人培养和供应链的管理方面，华为更是难以适应市场发展的需求。

看来，华为在矩阵式管理的应用上还有很大的进步空间。

中高层管理要做势，基层管理要做实

华为的内部管理分为“中高层管理”和“基层管理”。关于华为的领导班子，任正非认为：

我们有务虚和务实两套领导班子，只有少数高层才是务虚的班子，基层都是务实的，不能务虚。

中高层管理要做势，基层管理要做实。

在任正非的观念里，“势”是指声势（声威和气势），也就是说，高层管理者要有高度的智慧，主要进行宏观指导，要有远大目标；中层干部要有一定的智慧，会适当地处理关系，根据相应的问题灵活应变，中层要处理的事比基层的要复杂，在公司中起着承上启下的重要作用。但任正非在《华为十大管理要点》中指出，伴随着IPD、ISC、财务四统一、支撑IT的网络等逐步铺开和建立，中间层将会消失。对于基层管理者，现场和实际操作经验要丰富。

华为高层管理组织的基本结构分为三部分：公司执行委员会、高层管理委员会与公司职能部门。

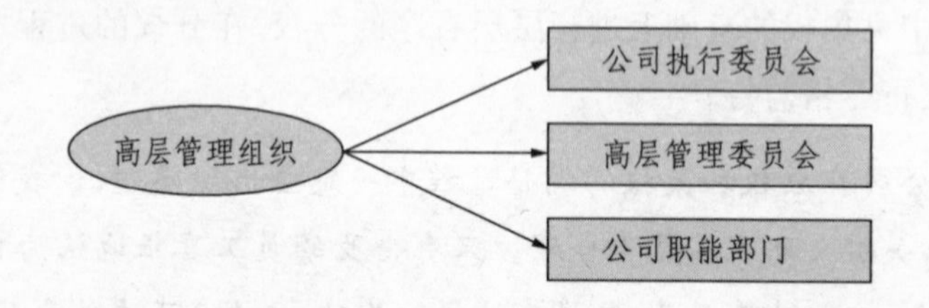

《华为公司基本法》中对高层管理职责所作的说明是：确定公司未来的使命、战略与目标，对公司重大问题进行决策，确保公司可持续成长。华为实行的是管理委员会加部门首长办公会议的管理原则。其中，管理委员会属于“务虚”机构，主要确定管理的目标、措施，评议和推选干部，并在实施中进行监控，使企业始终运行在正确的轨道上；部门首长办公会议属于“务实”机构，其职责是推动目标的实现、组织与调动资源，进行层层考核与测评，促使人的因素转化成物质的力量。

一个公司要想达到长治久安，离不开高层的高瞻远瞩，离不开长远的战略规划，但是，再宏伟的计划也需要基层一步步去实现，否则，计划只能是空中楼阁。但任正非认为仅仅做到这些还不够。1996年6月30日，他在1995年度华为科研成果和先进个人表彰大会上作讲话，希望华为员工将理论与实践相结合，在理论上“务虚”、提高理论水平，在实践中“做实”、丰富动手经验，做到既“务虚”又“做实”，就可能有大的进步。

我们的市场营销要从公关、策划型向管理型转变，中高层要做势，基层要做实。这种“做势做实”需要我们多少人去琢磨，我们那些读了几年

“人”的销售工程师，在理论上再提高，多读一些书，“读书又读人”，“读人再读书”，难道就不会转变成战略专家吗？知识一点一滴去积累，方法一点一滴去实践，成绩一点一滴去创造。只要动脑筋，善于总结，几年后你再来看自己，就有些奇怪为什么进步这么大。

任正非坚定不移地在华为贯彻“做实”精神，号召所有员工都要用心学习，把精益生产落实到每一个员工、每一个环节、每一个流程，落实到每一个思维、每一个动作。土夯实了一层，撒一层，再夯。只有这样，华为才能不断地创造资源，实现可持续发展。华为没有必要刻意去制订一个赶超别人的目标，只要把自己的工作做好，不断地丰富和完善自己，水到自然渠成，这是华为人真正应该去追求的目标。

不要把学习英雄停留在口头上，要真正用心去学习。英雄员工向我们展示的是什么呢？是最具代表性的华为文化，只有它才会生生不息，带我们走向繁荣。

创业期过后，那个轰轰烈烈的大跃进时代已经过去，华为需要的是踏踏实实、兢兢业业的工作态度。

在中国，在高技术领域做一个国际化的企业，开拓全球市场，我们没有任何经验可以借鉴，完全靠摸索，在市场中摸爬滚打，在残酷的竞争中学习；在中国，做一个以几万年轻知识分子为主体的企业，竞争又是全球范围和世界级水平，我们没有任何成功的实践经验可以借鉴。

任正非十分担心，过于年轻的华为人太浮躁，会经受不起失败的打击。

我们的危机是我们的队伍太年轻，而且又生长在我们顺利发展的时期，抗风险意识与驾驭危机的能力都较弱，经不起打击。但市场的规律，常常不可以完全预测，一个企业总不能永远常胜。华为总会遇风雨，风雨打湿小鸟的羽毛后，还能否再飞起。总是在家门口争取市场，市场一旦饱和，将如何去面对。

1998 年，华为成功地引入了 MRPⅡ，ISO9000 也在不断地优化，合理化管理工作也正在逐步展开。在华为公司宏观管理大纲的指引下，微观管理工作也正一步一步地得到落实。任正非提出的只有“做实”才有希望的理念，已逐步为越来越多的华为人所接受。华为的财务、计划、审计、管理、认证等部门，由于很好地“做实”而得以脱颖而出，在各自的领域走上了正轨。

新的一年里(1999年,编者注),我们要让那些只做原则管理、宏观管理,不深入实际、不对监管负责任的干部下岗。要让那些做实的、认真负责的干部顶上来。

不要老是想作出惊天动地的变革,而要从小事做起,老老实实地把任务完成。

注重个人成就感的人不能当领袖

我们既重视有社会责任感的人,也支持有个人成就感的人。注重个人成就感的高层干部,只能当英雄,而不能当领袖,不能赋予权力。

任正非很欣赏克劳塞维茨《战争论》中一句著名的话:"要在茫茫的黑暗中,发出生命的微光,带领着队伍走向胜利。"他解释说,战争打到一塌糊涂的时候,高级将领的作用就是要在看不清的茫茫黑暗中,用自己的生命发出微光,带着你的队伍前进;就像希腊神话中的丹科一样,把心拿出来燃烧,照亮后人前进的道路。

《世界上最伟大的一堂课》中西面修士讲到,只有物品才能管理,人是没法管理的,人只能被领导。所谓"领导"(leadership),是一种技能,是用来影响别人,让别人心甘情愿地为自己做事。"管理"可以让人做事,"领导"才能让人心甘情愿地做事。

作为团队领导,如果能够自我激励,能够长期以自己的行为去影响、感染团队成员,那么,当黑暗来临时,他自然而然就会发出醒目的光芒,指引着团队前进的方向,凝聚团队的力量,最终达成团队的目标。

注释:《世界上最伟大的一堂课》列举了优秀领导者10个最重要的特质:诚信、以身作则、体贴、说到做到、善于倾听、有责任感、尊重别人、不吝鼓励、乐观热忱、感恩。有趣的是,这些特质没有一项是与生俱来的,换句话说,任何人都可能成长为优秀的领导者,只要他愿意去学,愿意去做。

华为是从一个"英雄"创造历史的小公司发展起来的,在技术开发、市场开拓、客户服务等领域涌现出来的众多英雄,奠定了华为10年的根基。创业时期,任正非在集体主义大原则之下,鼓励华为人充分发挥个人智慧,争当各个领域的英雄。华为很多高级管理者都是从英雄团体里选拔出来的。

> 英雄在一个企业没有太大作用的时候，就是这个企业最有生命力的时候。当英雄还具有很高的威望，大家都很崇敬他的时候，就是企业最没有希望、最危险的时候。所以，华为的宏观商业模式是以客户需求为产品发展的路标，企业管理的目标是流程化组织建设。

对于高级管理者，任正非主张一定要摈弃想成为个人英雄的想法，淡化个人成就感，淡化创业者、领导人的色彩。

2000 年，为了使华为的高级干部更好地理解高层管理者的责任和使命，任正非组织华为高级副总裁以上干部，以如何进行有效的公司治理为题进行命题作文。这是任正非对华为高级干部职业素养的一次测评，任正非表示，这次考试如同托福考试，一次考不好没有关系，允许高级干部们有针对性地补习，再参加考试，以最好的一次成绩为准。如果学习后还考不出好的成绩，就会被降级。

以下是任正非举的一个例子：

> 一列火车从广州开到北京，有数百人搬了道岔，有数十个司机接力，不能说最后一个驾车到北京的就是英雄。即使需要一个人去接受鲜花，他也仅仅是一个代表，并不是真正的英雄。

为达到职业化、流程化管理的目的，华为在美国 HAY 公司（合益公司）的协助下，制定了高层干部任职资格评价标准，即华为公司 10 号文件。任职资格共分 5 个等级，其中第三、四、五级干部任职资格标准保持了相当长时间的稳定，每个高层干部每年年初都要填写任职资格表格，年末写述职报告，公司根据该高层干部的工作表现来评定其是否合格。任正非亲自主持，完成了高级副总裁以上干部的组织评议。他希望更新华为高级干部的思想，让高级干部们充分理解他对高级干部的要求。为让更多干部学习，任正非还将一些填写得较好的任职资格表格、述职报告复印分发给所有员工。

华为进入到职业化、流程化管理阶段后，需要进行组织创新，这种创新的最大特点在于，它不是个人英雄行为，而是要经过组织检验、评议、审查之后的规范化创新，更强调集体力量。因此，任何一个希望自己在流程中贡献最大、留名青史的人，都会成为流程的阻碍。任正非主张，一个职业管理者的职责就是实现组织目标，实现组织目标不是管理者个人成就欲的驱使，而是源自职责施加的压力。

2000 年以后，华为进入了以职业化、流程化管理为特点的第二次创业阶段，任正非在华为内部实施区别管理，要求中低层管理者继续争当英雄，以获得晋升的机会，成长为高级管理者。对基层干部的要求是呕心沥血，身体力行，事必躬亲，坚决执行，有效监控，诚信服从。

我是个改良主义者

在中国古代，天子自称受天命称帝，故凡朝代更替，君主易姓，皆称为革命。到了近代，革命则指自然界、社会界或思想界发展过程中产生的深刻质变。革命的显著特点是过程激烈，可以一步到位，但产生的震荡也很大，副作用明显。

> 在管理上，我不是一个激进主义者，而是一个改良主义者，主张一点点地改，主张不断地管理进步，不主张大刀阔斧地改革。

改良是一种由量变到质变的循序渐进的变革过程，其目的虽然也是为了变革，但过程温和，甚至某些时候允许反复。

任正非年轻时对华罗庚的“神奇化易是坦途，易化神奇不足提”这句话印象十分深刻，这句话的意思是，把简单的事情都做好，其实是很难的。

在华为管理改革过程中，任正非主张大的经营决策要有阶段性的稳定，不能每个阶段都不停地修改，否则容易导致华为一直处于动荡中，难以有稳定的发展环境。因此，任正非主张华为要逐步改进和提高管理水平，不要搞激进主义。

他在《华为十大管理要点》中说道：

> 要处理好管理创新与稳定流程的关系。尽管我们要管理创新、制度创新，但对一个正常的公司来说，频繁地变革，内外秩序就很难安定地保障和延续。不变革，则不能提升我们的整体核心竞争力与岗位工作效率。变革，究竟变什么？这是个严肃的问题，各级部门切忌草率。一个有效的流程应长期稳定运行，不应有一点问题就常去改动它，改动的成本会抵消改进的效益。

1996年，为解决市场部新老员工交替的问题，任正非煞费苦心。他反复考虑选择什么样的变革模式，将大批市场部干部的撤换对广大华为人造成的心理冲击降低到最小。最终，任正非采取了发动市场部干部们集体大辞职的方式。这种方式是先让市场部干部们全部“归零”，再逐个进行竞争上岗，重新获得工作机会。这种方式,使所有干部们又重新站在了同一条起跑线上,体现了机会的均等性;而竞聘上岗,则体现了竞争机会的均等,这种看似“激烈”的方式,实际隐含的是一种“公平”。

> 公司的考核制度不是僵化、固定的,必须保持一个合理的动荡范围。动荡不能太大,太大了房子就会倒下来,也不能没有动荡,公司的各项政策都是动态的,通过动态的不稳定实现不断地优化。

集体大辞职是任正非“改良而非革命”观念的重要体现,它充分体现了任正非高超的领导艺术:在顺利实现人员更替的同时,最大限度地保留了落选员工的面子,也为华为“干部能上能下”制度的推行奠定了良好的思想基础。

2007年年底,华为又重演了一次历史,不惜斥资10亿元鼓励7000名员工辞职。按照华为公司的要求,工作满8年的员工,由个人向公司提交一份辞职申请,在达成自愿辞职共识之后,再竞争上岗,与公司签订新的劳动合同,工作岗位基本不变,薪酬略有上升。

任正非曾经这样总结:

> 华为的各项管理不要求轰轰烈烈,而要扎扎实实,在公司未来变革中一定要避免剧烈的动荡。我们也不能让干部大起大落,对干部可以不断奖励、处分,但不能突然全盘肯定或全盘否定,真正的潜力必须通过长期的实践才能看到。

在度过最危险的创业期后,任正非面对的是一个更为复杂的局面:华为既要继续实现高速增长,维持日益庞大的运转体系,又要开展各项管理变革,提升综合竞争力。此时的华为,公司内外关系错综复杂,改革与发展步履维艰。任正非深知,华为任重而道远,他要求各级干部要有崇高的使命感和责任感,要热烈而镇定,紧张而有序,逐步推进、渐进提升。管理既要走向规范化,又要创新,同时要对创新进行管理,形成相互推动和制约的机制。

任正非自述:

> 华为必须坚持改良主义,通过不断改良,实现从量变到质变的过程。华为在高速发展的过程中,轰轰烈烈的剧变可能会撕裂公司。所以,要在撕裂与不撕裂中把握好度。我们处理发展速度的原则应该是有规律、有预测地在合理的增长比例下发展,但我们也必须意识到这样做所带来的不稳定。我们必须在此基础上不断地提高我们的管理能力,不断地调整

管理能力所能适应的修补程度，以使我们适应未来的长期发展。

在改良主义思想的指引下，任正非提倡华为人从点滴做起，逐步改进工作。

摸着石头过河

中国5000年来就没有产生过像美国IBM、朗讯、惠普、微软等这样的大企业。因此，中国的管理体系和管理规则及适应这种管理的人才的心理素质和技术素质，都不足以支撑中国产生一个大企业。我们只有靠自己进步，否则一点希望都没有了，这种摸着石头过河的方法的艰难与痛苦可想而知。

从1999年开始，华为在整个企业管理运作层面进行了一次大规模、全方位的改良运动。不过，这次不是靠自己，而是通过与国际知名公司的合作，在财务、企业管理和研发机制上进行重新打造，如IBM(在流程化管理方面)，HAY(在人力资源管理方面)、PWC(在财物管理方面)、德国FHG(在生产管理及品质管理方面)等。

其中，进行得最早的、对企业影响最大的就是华为的IPD(Integrated Product Development)——集成产品开发。IPD的设计理念是，通过一系列事先规定好的制度、流程、表格(人算)，将原来由企业最高层决策的事情下放到PDT(产品开发团队)来决策。IPD的核心是流程重组和产品重组的问题。IPD就是把以前由研发部门独立完成的产品开发，转变为打通全流程、跨功能部门的团队运作。这样做的目的是，在企业大到可能患上"大公司病"的时候，以IPD打通部门隔阂之墙，保持活力和敏捷。

IBM的专家认为，华为在产品研发方面的主要问题是概念与计划阶段合并到了一起。

在引入IPD之前，华为基本上没有研发计划，甚至是在高层指示下直接进行开发。就算有研发计划，相应的评审也往往是技术型的，而不是业务型的，大家觉得可行就上马，根本不考虑有没有市场的问题。无计划的研发直接造成了两种后果：一是产品与技术的开发重合，最后导致实用产品迟迟推不出来；二是由于评审和决策仅仅是出于主观判断，没有符合市场需求的标准，结果造成产品一改再改，无法一步到位。据说，前几年华为就曾经用2个月时间研发了一个电信产品，但对产品的修改却用了1年时间。

任正非在华为干部会议上告诫员工：

> 5年之内不许你们幼稚创新，顾问们说什么、用什么样的方法，即便认为它不合理也不许你们动。5年之后，把人家的系统用好了，我可以授权你们进行局部的改动。至于进行结构性改动，那是10年之后的事情。
>
> 在引进新管理体系的时候，要先僵化，后优化，再固化。

按照IPD的思想，华为首先要把研发的流程坚决地固化，如果流程都不遵守，其他的东西就没有意义了。接下来，就是建立一个跨部门的团队去支持流程的实施。

以前，华为的产品开发都在中研部（中央研究部），现在则由PDT（Product Development Team，即产品开发团队）来负责。每个产品都有各自的PDT，每一个PDT团队由研发、市场、财务、采购、用户服务、生产等各部门抽调的代表组建，像一个创业型小企业，从研发开始，对市场、利润、产品生命周期等全程负责，共同协作完成一个产品从概念、研发，到生产、上市的全过程，从而真正实现产品研发和市场的同步进行。

IPD（集成产品开发）是一个集体活动，是一个产品的开发牵扯整个产品线甚至整个公司各个核心部门的集体活动。从财经立项到研发管理，从制造效率到市场销售计划，各个部门都要有人参与到规划和实施的过程中，基本上要在产品开发之前作出相关联的规划，并且在产品开发的过程中相互协调，以保证这个产品自始至终都保持技术领先、成本合理并符合市场需求。

在整个流程中，IPD最强调的就是“决策点”，也就是要在不同的关键时期，建立研发计划的“检查站”。比如，在一个产品开始研发之前就应该有3个决策点。第一个是投资组合管理，主要是为了确认产品的市场机会和可能的竞争力；第二个是用户分析，要在这里确定用户群，分析研发过程中可能出现的市场变化以及自己的渠道设计；第三个则是从企业内部角度考虑，进行最终的研发计划确认，并且在跨部门团队认可的情况下，以合同的方式固化。

“人算不如天算”，在现实情况中，无论多么详尽的事先规划，都不可能涵盖可能发生的各种情况，总会有例外。当这种事先没有规划，或者规划得不够详细的情况发生时，就意味着要由PDT（产品开发团队）中各部门的代表来协调各部门的立场和利益冲突。

IBM作为一家美国公司，它所设计的流程管理是建立在美国人的沟通协调方式之上的。美国人在沟通协调时的特点是，双方站在各自的立场，就事论事、直截了当、针锋相对、据理力争，所据的理主要是数据或事实，最终双方找到一个平衡点而相互妥协，这个平衡点往往是用金钱来衡量的。而中国人在沟通协调时往往会考虑很多其他的因素，要想达到良好的沟通，必须掌握更复杂的方法，即构造性整合法，对各种事实进行整合，再从整体到局部进行分析。

那么，是不是说华为这样的中国企业就无法学习和运用像IPD这样的西方式流程管理方法呢？绝对不是。西方式流程管理的特点是，把一个企业的运作分析解剖为一个个步骤，每个步骤都有详细的规定和说明，每个步骤的结果主要是依据客观的数据。西方式流程管理的优点是程序化、明确化、精细化，可以从程序化、明确化中构建起庞大的企业。

> 华为被逼到那份儿上，许多东西也就不得不学会了，许多习惯也就不得不去改了。所以说，华为在这过渡性的5年里，最大的收获恐怕就是找到了一个竞争激烈、高手云集，并且让自己可以继续精神高度紧张的业务领域。在这里，华为确实学到了不少的东西。

2000年，任正非在华为干部大会上不留一点余地地说道：

> 不学习IPD、不理解IPD、不支持IPD的干部，都给我下岗！

IPD和其他国外成功管理体系的引入，标志着华为发展阶段的真正开始。华为的过渡阶段以很“中式”的《华为公司基本法》开端，用很“西式”的企业管理体系的建立收尾，这对华为来说几乎是一个脱胎换骨的过程。在国际化进程中，这无疑是非常关键的一大步。以IPD为首的一系列国外成功管理体系都切中华为的“要害点”，使得华为发现“直接拿来并且用好”原来也是一种了不起的创新。

学会灰色管理

黑与白，阴与阳，正与负，角动量与向心力，逃逸与束缚，开放扩张与收敛密闭，大自然总是呈现对称或互补的形式。然而，管理不是非黑即白，而是有中间色——灰色。灰色管理是指在黑白之间寻找平衡。

> 在变革中，任何黑的、白的观点都是容易鼓动人心的，而我们恰恰不

需要黑的或白的，我们需要的是灰色的观点，介于黑与白之间的灰度，是很难掌握的。

从2007年华为各级主管的自我批判来看，大多数华为干部都提到自己的管理缺少灰色。任正非早在《华为十大管理要点》中就已提出：干部要学会灰色管理。

灰色思维突破了对矛盾的事物进行简单的一分为二，表明矛盾的事物并非一定是非黑即白、是非立辨，而是可以介于黑白之间各个不同的状态，呈现不同的灰色。在两种截然相反的意见与方案出现时，有时是不能立即明辨是非的。在不能确认哪一种是正确的，或者说事情本身就没有绝对正确的情况下，不妨在它们中间找到一个可以介于两者之间的、两全其美的办法。因为在对与错之间，也存在缝隙与空间，不妨把争论的双方引入黑白之间伸缩性很大的缓冲地带——灰色地带。

任正非曾讲过：

华为公司一定不能重蹈覆辙。一定要在控制有效的基础上，进行转制改革。要像新加坡的方法一样管得很严，在严管的情况下，逐步去释放能量，释放过快就成了原子弹。但是，我们认为这种很严厉、苛刻的管理不利于公司长期稳定地发展建设，我们想逐步放松、再放松。

企业的发展要保持节奏，宽严有度。在企业初创时期，必须有严格的管理和控制体系，而当企业发展到一定阶段，必须保持适当的宽松，不骄不躁，保持36度的体温，激励创新。

任正非所谓的“保持36度的体温”，既是指华为的发展速度，也是指华为的管理环境。

华为在发展初期，其发展速度是惊人的。1999年以前，华为都是以30%至50%，甚至100%的速度扩张，销售额直线上升。华为的急速扩张也是迫不得已的。市场份额就那么大，谁抢占越多，谁获利越多，谁就发展越快。创业初期的华为，可谓“虎口夺食”，迫切需要扩大规模，进行资本原始积累，提高知名度。因此，这个阶段的华为，发展速度是第一位的，能发展多快就发展多快，甚至有时候为了抢占市场而不顾及利润。

此时的华为对人员需求猛然加大，一次就招聘成百上千，甚至近万名员工。大多数员工匆忙上岗，培训时间短暂，员工素质不均衡，对华为企业文化的认同感较弱，另有一部分华为员工被“火线提拔”，几乎没有经过什么考察。华为体温飙升直接导致两个问题：一方面，这类干部本身的素质可能较差；另一方面，这类干部也难以为众人信服。时势所需，为了当时的某种需要，华为必须这么做，这时的华为人可谓身处“乱世”。要管理这么一大批华为人，使之服从管理，为一个共同的目标而竭尽全力，“严刑峻法”是必不可少的，这也就是任正非所说的“严格的管理和控制体系”。

无可否认，华为在管理变革初期各项管理比较严，充分体现了华为的“狼”性。但随着各项管理变革落实，一切管理都流程化、制度化之后，华为开始逐步放松了严厉的管理。

> 禁欲主义不行，拜金主义也不行，人必须在一个非常宽松的环境中去发展。

1999年以后，华为逐步进入了平稳发展期。此时，华为已经羽毛丰满，规模经济基本形成。华为到了夯实内部管理、提高员工素质、提高单位绩效的阶段，于是，管理、提高成为华为发展的主旋律。以前那种粗放式管理已经无法适应发展的要求，任正非试图在华为营造更细化、更富有人文色彩的管理环境，比如说细致区分员工所犯错误的性质，并进行妥善处理。在创业初期的高速发展阶段，这种耐心几乎是不可能的。

> 思想不经磨炼，就容易钝化。那种善于动脑筋的人，就越来越聪明。他们也许以身尝试，惹些小毛病，各级领导要区分他们是为了改进工作而惹的病，还是责任心不强而犯下的错误。如果是前者，你们要手下留情。我们要鼓励员工去改进工作。在一个科学家的眼里，他的成果永远是不完善的，需要不断地优化。我们产品办、中研部、中试部的员工有这种感觉时，你就进入了科学家的境界。我们生产的工艺、产品的加工质量，你每天都充满去改进的欲望时，难道还看不见爱迪生的身影吗？

现在，在处理公司内部人际关系上，任正非要求干部、主管保持冷静，千万不能有浮躁的情绪，要戒骄戒躁、收敛自我，少一些冲动，多一些理智。他还要求干部、主管学会灰色管理，各级主管无论是在经营上还是在变革中，抑或是日常工作中遇到问题时，都不应有极端的态度。

灰色管理并不是指软弱、妥协，它要求管理者既要坚持原则，又要善于找到让员工心甘情愿去接受的变通方法。华为不推崇黑的、白的，因为任正非深知极端的思维往往是过度的。

> 我们需要的是灰色的观点，也就是在黑白之间寻找到平衡点，这个平衡点，也就是度的把握。

灰色思维是实事求是、按自然规律办事的体现。

华为实事求是的本质，就是要追求事物的合理性，也就是要顺应自然规律，尊重自然规律，依照自然规律办事。例如，华为正是通过一次次的变革，从利益分配的不平衡走向平衡，逐步又从旧式平衡走向新的利益分配平衡。通过平衡的循环过程，促进企业核心竞争力的提升与效益增长。

对于一些不公平的现象，任正非认为绝对的公平是没有的，也是做不到的。

> 公司努力做到的只有相对的公平。公司让大家要充分理解变革，变革也不可能顾及到方方面面的利益。是否公平、公正，这就要看你如何去衡量，公司的价值评价体系不可能做到绝对公平，但相对的公平是肯定的；如果用“曹冲称象”的方法来进行任职资格评价的话，那肯定是公平的；但如果用精密天平来评价，那肯定公平不了，要想做到绝对公平也是不可能的。

华为的管理变革，就是改变利益原则，进行利益的再分配。利益分配是不可能做到绝对平衡的，特别是会触及个人的利益分配。变革难免会挫伤人，所以，变革需要强有力的领导手段和群体支持。

灰色思维表现出的是做事不走极端，沉静而御的领导模式。

在企业运作中，特别是在管理变革中(与对手或是上下级交锋时)，当出现的矛盾与争端不可避免，甚至不可调和时，找到一个双方都能接受的“灰色”方法，实现平缓过渡，化解激烈的矛盾冲突，常常是一种更为理智的选择。

2005年，任正非在华为干部工作会议上的讲话中对变革的论述有这样一段话，阐述了他的灰色思想。

> 我们处在一个变革时期，从过去的高速增长、强调规模，转向以生存为底线，以满足客户需求为目标，强调效益的管理变革。在这个变革时期，我们都要有心理承受能力，必须接受变革的事实，学会变革的方法。同时，我们要有灰色的观念，在变革中不要走极端，有些事情是需要变革的，但是任何极端的变革，都会对原有的积累产生破坏，适得其反。

∽∽∽　　∽∽∽　　∽∽∽

在经济全球化的今天，企业要与时俱进、不断进步，变革则是避免不了的。华为在二次创业时期，为了与国际管理接轨，进行了一系列变革。华为历史上几乎所有的变革都是掌握灰度，不走极端，使变革沉静而御，平稳地实现软着陆。而这些都是灰色的改良，不是激进的全盘推翻或彻底否定。

从必然王国走向自由王国

我们要逐步摆脱对技术的依赖，对人才的依赖，对资金的依赖，使企业从必然王国走向自由王国，建立起比较合理的机制。

管理的最高境界是“无为而治”。所谓“无为而治”，就是企业不需要人为控制也能自行达到既定目标，即通过内在控制来激发员工的工作热情，达到自我控制、自我管理。在新经济形势下，一个企业的每一个成员都能自发地、自觉地按照规范和目标行事，发挥自己的潜力，维护企业的利益，努力实现企业目标。在奋斗过程中，要注意各种关系的协调，力争做到整体和谐、动态优化，达到内部控制“无为而治”的最高境界。

慢慢淡化了企业家对它(企业)的直接控制(不是指宏观的控制)，那么，企业家的更替与生命终结，就会与企业的命运相分离了。长江是最好的无为而治，不论你管不管它，都不废江河万古流。

任正非希望华为犹如奔流到海不复回的长江水一样，不需要领导者整天疲于奔波，能够自动地、势不可当地走向成功。一些成熟的国际大公司，老板整天打高尔夫，公司却能持续健康地发展。这就是任正非希望达到的“无为而治”的企业的最高管理境界，也是任正非在企业管理上的最高追求。

一个发展好的企业，除了要拥有独特的制胜法宝之外，还必须拥有一支高素质、高凝聚力的干部职工队伍。任正非很清楚，华为要想保持持久的战斗力，甚至要达到“无为而治”，没有一批优秀的领导干部是不行的。

经过20年的发展，华为树立了自己的价值观，这些价值观与企业的行为初步形成了一个闭合循环，企业发展与管理呈螺旋式上升。任正非希望，华为在螺旋上升的过程中，能一步步摆脱来自人才、技术、资金的限制，进入管理的自由王国。而制定《华为公司基本法》就是要构建一个平台，框架，使资金、技术、人才发挥出最大的潜能，解决现阶段的问题。

任正非称：

我相信这些无生命的管理，会随着我们一代又一代人的死去而更加丰富、完善。几千年以后，不是几十年，这些无生命的管理体系就会更加完善，同时又充满活力，这就是企业的生命。

所谓“无生命的管理”，就是引进国外的先进管理经验，任正非希望华为实现端对端的IT流程化管理后，每个职业管理者都能在一段流程上进行规范化的运作。华为已经基本实现了这个目标，但离“无为而治”尚有比较大的差距。

拿破仑有一句名言：“一只绵羊率领的一群狮子，打不过一只狮子率领的一群绵羊。”这句话说的是领导对一个组织的重要作用。

智力型员工基本上有着良好的自治性，而且他们更多地是从事思维性工作，僵硬的工作规则对他们没有多大的意义，他们更喜欢富有自主性和挑战性的工作，喜欢更具张力的工作安排。

因此，要达到任正非所讲的“无为而治”，就必须在组织内部形成自我完善、持续提高效率和质量、降低成本的自动循环机制。显然，组织完善的动力不是来自组织中的个别人，组织的管理者是这种完善力量的激发者而非承载者，组织中每个成员的发展意愿和进取力量才是根本推动力。也就是说，要在组织内部达到众志成城。为此，就必须有一个清晰的目标，且该目标必须为每个成员认可，并愿意为之不懈奋斗。而组织者应将目标分解为一个个可实现的路标，以真正发挥最大的指导作用。

组织中的工作设计应体现员工的个人意愿及价值，尽可能为员工创造既安全又舒畅的工作环境，在不断扩大工作范围，丰富工作内容，使工作多样化、完整化的同时，逐步实行弹性工作制，加大工作时间的可伸缩性和工作地点的灵活性，并建立以团队友谊为重心的企业风格和企业文化，使员工觉得工作本身就是一种享受，能在工作中大显身手，充分实现自我价值，这样才能最大限度地发挥员工工作的积极性和创造性。

第三章　必须靠规范的管理

——任正非论华为的制度建设

华为初期的发展，是靠企业家行为，抓住机会，奋力牵引。而进入发展阶段，就必须靠规范的管理和懂得管理的人才。

——任正非

企业的强大需要自身的基本力量作为支撑，即高质量的产品与优良的服务。而支撑产品与服务不断提升，则需要企业的内功修炼，那就是优秀的人才和良好的企业运行机制。制度建设和人才问题，是企业领导必须考虑的两大核心问题。

> 华为初期的发展，是靠企业家行为，抓住机会，奋力牵引。而进入发展阶段，就必须靠规范的管理和懂得管理的人才。

在任正非这一思想指导下，华为聘请中国人民大学的一些教授起草了《华为公司基本法》，希望将企业成功的基本原则和要素系统化、规范化、制度化，将企业家的智慧升华为企业的智慧资产，从而不断传承下去。

2005年，华为挤进英国电信(BT)21世纪网络供货商短名单，表面上是在比试技术和产品的性价比，而实际上是在考量质量保证体系。

此前，英国人不相信中国人能制造出高质量的交换机，所以，华为人刚开始接触BT时经常遭到冷遇。那时候的华为，甚至连参加招标的机会都没有。后来，华为人明白了BT的规矩：要参加投标必须先通过他们的认证，他们的招标对象都是自己掌握的短名单里的成员。于是，华为从2002年开始，请BT对其做了两年的管理认证，到2004年，华为被列入他们的短名单中。

BT来华为考核时，技术并非首要考虑的因素，而管理体系、质量控制体系、环境等才是最重要的，要保障华为对客户交付的可预测性和可复制性。他们的考核还包括华为合作伙伴的运营和信用考察，华为的供应商资信审核，还包括华为给员工提供的食堂、宿舍等生活条件，甚至对华为的供应商为员工提供的条件也予以关注。最终，华为在总共5项指标中获得了4个A和一个A—。

这段经历让任正非深刻地体会到，企业组织的可复制能力与可预测性，体现在一系列流程和内外环境的模式上，这已经成为现代规模管理的基础，华为必须跨越这个门槛。

对事负责的流程责任制

企业的发展是不以人的意志为转移的，企业的生存和发展受制于其内在的规律性。由于对这些规律认知能力的局限，人们尚无法对这些主宰企业生死存亡的规律作出清晰的阐述。纵观企业的发展史，我们可以清晰地看到，任何企业在其生命发展过程中都深刻地体现着这一普遍规律的存在，即成功企业的生命活动总是基于对事负责制，而不是对人负责。

在流程上运作的干部，他们还习惯于事事都请示上级，这是错误的。已经有规定或者已成为习惯的东西，不必请示，应快速让它通过。执行流程的人，是对事情负责，这就是对事负责制。

∽∽∽　∽∽∽　∽∽∽

到底是实行对人负责制，还是对事负责制，这是管理的两个原则。我们公司确立的是对事负责的流程责任制。

任正非讲这句话时，正值华为进行以流程型和实效型为主导的管理体系建设，但很多环节上的中层干部，甚至高级干部，仍然抱着机械地对上级领导负责的心态，凡事都向领导请示，明明是有章可循、可以顺利解决的问题，还要到领导那里过一下，导致办事效率低下。因此，任正非希望通过建立对事负责制，使华为逐步摆脱对人的依赖，甚至是对他本人的依赖，使华为的生存和发展与企业家的更替分离，达到自我完善、自我发展的境界，即“无为而治”。

对人负责制与对事负责制是两种根本（不同）的制度，对人负责制是一种收敛的系统；对事负责制是依据流程及授权，以及有效的监控，使最明白的人具有处理问题的权力，是一种扩张的管理体系。而现在华为的中高级干部都自觉不自觉地习惯于对人负责制，使流程化 IT 管理推行困难。

在企业创业初期，企业规章、流程还不太健全的时候，由于没有现成的依据可供参考，管理者主要根据自己的经验、能力去判断、作决策，下属只有更多地与上级沟通，才能更充分地了解上级的想法。此时，企业管理更多地表现为对人负责制。但是，当企业发展到一定规模后，就必须依照流程运作，尽量减少对“人”的依赖，否则，继续沿用企业发展初期的做法，事事请示汇报，事无巨细都希望领导拍板，势必导致效率低下，同时还会助长拉关系、走后门、溜须拍马以及官僚主义作风等现象。

2001年，华为销售额达到255亿元人民币，员工总数达15000人，已经成为国内规模最大的电信设备制造商之一。这时，“大企业病”已经在华为身上有所体现，华为机关的机构设置越来越多、人员编制急速膨胀，一些根本不需要设立的部门，在每天的例行工作中，制造了大量不必要的文件，这些复杂的文件、报表，养活了一大批不必要养活的机关干部，这些机关干部并不直接产生增值效益，但却成为流程中的一个环节，导致局部环节出现运作效率低下的问题，也滋生了部分干部的官僚主义作风。

任正非敏锐地意识到了这一问题的严重性，他明确提出，华为一定要建立对事负责的机制，在监控有效的前提下，尽量精简机关。

> 做事情一定要坚持对事不对人的原则。谁说得对，就听谁的。如果个人之间的矛盾影响公司工作，两个人都要降职降薪，公司不会花时间研究谁对谁错的问题。不允许私下议论公司的是是非非。所有的意见都要当面提出来。坚决杜绝背后传闲话、碎嘴的习惯。我们的团队绝对不能容忍“长舌妇”的存在。

任正非要求机关工作人员一定要树立服务意识，各地办事处给机关打分，对机关作风进行评议。随后，市场部成立了一个数据库小组，所有数据都集中到该小组中，由该小组向外发布各种数据，彻底改变了数据归总的混乱局面，提高了效率。接下去，华为还逐步削减了过于庞大的机关编制。

对流程进行管理

流程(Technological process)是指工艺程序，即从原料到制成品的各项工序的安排。通俗地讲，就是被固化下来的做一件事情的先后顺序。流程管理(Process management)，是一种以规范化的构造端到端的卓越业务流程为中心，以持续的提高组织业务绩效为目的的系统化方法。

对人负责制是对领导人素质的预期，对事负责制是对业务人员素质的预期。要做到对事负责制，首先要建立完善的流程体系，对流程进行管理。

流程管理的核心是流程，流程是任何企业运作的基础，企业所有的业务都需要流程来驱动，就像人体的血脉。流程把相关的信息数据根据一定的条件从一个人（部门）输送到其他人员（部门），得到相应的结果后再返回到相关的人（或部门）。

任正非要求华为干部多研究流程，研究其与公司总体目标是否符合，流程是否先进，要以能否提高贡献率为标准进行评价。在任正非看来，没有流程，势必以对人负责制来维系企业的运作。

> 我们让最有责任心的人担任最重要的职务。我们把权力下放给最明白、最有责任心的人，让他们对流程进行例行管理。高层实行委员会制，把例外管理的权力下放给委员会，并不断地把例外管理转变为例行管理。在流程中设立若干监控点，由上级部门不断执行监察控制。

在工作中，要实现对事负责，必须要有一批具备较高业务素质的业务层和管理层，否则，对事负责制只能建立在空洞的、动摇不定的基础上。

在一些项目中，当项目组人员的业务能力不足以支撑该项目时，对项目成功的预期就直接转移到了对项目能拍板的个别技术专家或领导人身上。如果职业化管理水平不高，项目就很可能失败。

通过学习 IBM，坚决引进和建立以流程为核心的管理体系，华为已经逐步具备建立和运作良性晋升机制的环境——以流程为中心的运作体系及委员会制。在方向正确、节奏有序的情况下，华为将不再依赖于少数的英雄和天才，英雄也不会再层出不穷，华为的生存和发展依靠的是基于流程制度化和模板化高效运作的团队。

这种有效和高效运作的关键在于流程各个环节操作者的专业化和职业化，也就是需要有经验的老手。2001 年以前，相当多的华为人还仅仅是凑合着完成任务，而没有想到把成功的经验和失败的教训总结固化为流程，让后来者走得更顺畅。

任正非非常注重流程建设，华为的新员工培训中就有相关的内容。一般来说，华为员工在第三节课都会进行两天的扎线（交换机等机器设备内部都有大量连接线，为使这些线美观、便于检测，需要按照一定的规则将之绑扎，这一过程叫扎线）培训与考核。扎线看似简单，实际上做起来并非如此。华为有一套关于扎线的严格流程，新员工必须按照流程，将电源线、告警线和半波线等分别插上，再按照一定的先后顺序整齐地绑扎，彩色线应当绑扎在外面，且不能交叉。有的新员工没有按照流程，搞了一个上午也没有扎好，而严格按照流程的员工则在1个小时之内就完成了。在调测试过程中，填表的顺序要按照表格间的组织关系填写，可是许多新员工总是按照自己的思维习惯想当然地予以处理，结果就必然老是错填、漏填，延长了测试时间。通过这些亲身实践，华为新员工深刻体会到了按照流程办事的重要性。

当年，当中国内地很多企业还不知道IT为何物的时候，为了建立高效流程，任正非就在华为引进了IT技术，建立了亚洲最大的企业园区网络。早在1997年，华为就实现了无纸化OA办公，员工资料共享，培训、费用报销等都通过网络实现。从此，华为员工去外地出差，只需要带着笔记本电脑，通过互联网连接华为公司的协同办公系统，就可以进行网上办公、发送报表，部门负责人也可以在外地随时了解各种数据、签发文件。各地办事处可以通过该网络随时与总公司保持联系，这让华为公司摆脱了空间的局限，大大降低了沟通成本。现在看来，这是普通却不可或缺的办公方式，在当时的华为，这的确开了中国民营企业远程办公的先河。2002年，华为ERP系统、ISC系统等核心业务系统全面通过网络支撑，完成内部生产管理、财务管理、销售管理及合作伙伴协作。

目前，华为的企业网覆盖国内、海外50多个分支机构、200多个城市，全网采用华为自主知识产权的数据产品。为保证华为内部企业网正常运转，华为专门设立了由1000多人组成的管理工程部，负责华为IT系统的建设和维护。

戴尔的所有交易数据都在因特网上，每天可以与1万多个客户进行对话，以平衡供需。同时，戴尔还同供应商进行电脑与电脑之间的直接连接，戴尔的所有需求都可以即刻在供应商那端显示，避免了人为操作的重复劳动，信息传递快捷、准确。由于信息共享，戴尔可以在第一时间了解客户的需求，并迅速地向前端传递，在最短的时间内作出反应。这种模式不但可以满足客户的个性化需求，而且将信息滞后造成的损失降低到了最低限度。

此前，华为在给客户发出货物的同时，没有将所发货物的详细信息提供给客户，导致客户在接到货物后还要重新填制收货单据，影响了入账重审、制定固定资产表、内部资产等后续环节的完成，而这些都是可以避免的无效劳动。于是，参照戴尔的服务模式，华为也构建了电子化的客户服务流程系统。

华为建立 IT 流程处理系统前后的比较：

事　项	实施前	实施后
库存管理	库存数据不及时 库存数据不准确 库存盘点困难	库存信息与交易基本实施同步 库存准确率达到98%以上 通过循环盘点，ABC分类管理等，大大提高了物料管理效率
采购订单处理	订单平均处理周期为8天 订单平均处理成本为2000元	订单平均处理周期为2天 订单平均处理成本为700元
销售订单处理	处理周期长 难以检查订单的状况	处理周期缩短35%，日处理500多个订单 能够方便地检查订单执行的情况
财务结账周期	平均周期为15天	平均周期为5天
对公司整体运营的支持	10亿元左右的销售额	人员增长5倍，销售额达到220亿元

绩效导向制

任正非提出，不打粮食（绩效成绩不好）的干部要下台。

我们要辞退那些责任结果不好，业务素质也不高的干部；我们也不能选拔那些业务素质非常好，但责任结果不好的人担任管理干部。他们上台，有可能造成一种部门的虚假繁荣，浪费公司的许多机会和资源，也带不出一支有战斗力的团队。

为防止授权管理的经理人乱摊成本，并探索资本与劳动如何共同创造财富、合理分配财富，华为试行了虚拟利润考核分配制度。虚拟利润指的是税后利润减去资本成本，再加上增提的研发费用和工资及员工获得的各种福利的总额。虚拟利润是企业每年新创造的可供劳动和资本分配的全部价值。

华为高级管理顾问黄卫伟先生认为，虚拟利润发展了西方企业刚开始流行的经济增加值（EVA）考核奖励办法，基于分享制的原理，建立劳动者自我激励和自我约束的分配机制，杜绝管理者乱摊成本费用的行为。

华为在虚拟利润的基础上实行干部个人绩效承诺制，所有干部都要签订个人绩效承诺书。公司每年年初根据上年实际完成的各项指标（如虚拟利润、人均销售收入、客户满意度、销售订货、销售发货、销售收入、销售净利润等）制订新一年的工作指标，个人根据公司指标的分配情况，对自己负责的部门计划完成的指标立“军令状”，承诺内容根据目标的高低，分为持平、达标、挑战三个等级，一个财年结束后，公司会根据该名干部目标的实际完成情况进行评估。这个责任评估将直接影响该干部的任用。

图表：华为公司预算目标

华为2004年虚拟利润及主要预算目标

指　　标	2004年预算目标	2003年实际完成
虚拟利润	62亿元	61.2亿元
人均销售收入	130万元	110万元
客户满意度	80分	79.8分
TPM	2.7分	2.2分
销售订货	423.5亿元	308.2亿元
销售发货	350亿元	263.5亿元
销售收入	300亿元	220亿元
销售净利润	30亿元	30.1亿元

图表：华为公司个人绩效承诺书

员工姓名：胡厚昆　　　　员工工号：0041

部门/产品线：国际营销部

职位/角色：国际营销管理委员会主任、国际营销干部部部长

评估期：2004年1月1日至2004年12月31日

KPI指标	权重	KPI分数	持平(80%)	达标(100%)	挑战(120%)	加权分数
销售订货	35%		10.56	17.5	20	
货款回收率(%)	25%		X	X	X	
产品制造毛利率(%)	10%		X	X	X	
销售运作费用率(%)	10%	目标值	X	X	X	
销售费用率(%)	10%		X	X	X	
用户服务费用率(%)	8%		X	X	X	
市场准入目标完成率(%)	10%		X	X	X	
TPM(分)	2%		2.2	2.7	2.8	
总分						

承诺人：胡厚昆　　　　日期：2004年4月14日

公司总裁：任正非　　　　日期：2004年4月28日

绩效管理也是一个不断创新的过程。在一个团队里,个人绩效的提高是比较容易的,而团队绩效的提高则相对比较困难,唯有团队绩效提高才具有真正的意义。为此,华为制造技术中心制定了一套绩效预警机制,帮助后进员工。每个季度末,绩效辅导员负责跟踪员工考核档案,对照绩效预警制度中的预警尺度,发布员工的预警等级。被预警的员工及其主管都会收到预警通知和部门的期望。

根据期望理论:激励力量=效价×期望值。期望值取决于绩效标准和员工的个人能力,但起决定作用的还是效价——达到目标的可能性。绩效辅导的重要作用就是提高效价,让员工不断超越自我。该制度实施后,绝大多数被预警的员工的绩效都有了明显改善。

另外,绩效考核很大程度上是通过量化目标来实现的,一旦量化目标过于绝对化,就有可能导致员工出现短视行为。员工为了体现业绩,更愿意做一些周期短、见效快的事情,出现了个别员工或干部挑任务的情况,有的则盲目夸大项目的难度。为此,华为在量化考核的基础上,增加了团队合作、项目效果、客户服务、部门建设等柔性考核要素以及集体评议环节。这样,绩效考核就不单单是量化的刚性指标,还包括周边意见、主观评价在内的综合测评,更加科学合理。

考评制度化

《华为公司基本法》规定华为员工考评体系的建立应依据下列假设:

1. 华为绝大多数员工是愿意负责和愿意合作的,有高度自尊和强烈成就欲望。

2. 金无足赤,人无完人;优点突出的人往往缺点也很明显。

3. 工作态度和工作能力应当体现在工作绩效的改进上。

4. 失败铺就成功,但重犯同样的错误是不应该的。

5. 员工未能达到考评标准要求,也有管理者的责任;员工的成绩就是管理者的成绩。

《华为公司基本法》规定华为的基本考核方式为:员工和干部的考评,是按明确的目标和要求,对每个员工和干部的工作绩效、工作态度与工作能力的一种例行性的考核与评价。工作绩效的考评侧重在绩效的改进上,宜细不宜粗;工作态度和工作能力的考评侧重在长期表现上,宜粗不宜细。考评结果要建立记录，考评要素随公司不同时期的成长要求应有所侧重。在各层上下级主管之间要建立定期述职制度。各级主管与下属之间都必须实现良好的沟通，以加强相互的理解和信任。沟通将被列入到对各级主管的考评中。

华为的绩效管理强调以责任结果为价值导向，试图建立一种自我激励、自我管理、自我约束的机制。通过管理者与员工之间持续不断地设立目标、辅导、评价、反馈，实现绩效改进和员工能力的提升。

对于不同的内容，华为有自己的考评标准。比如，对营销人员的考核制度，营销人员首先要提交考核申请，考评员分两次对申请人进行考核，第一次考核主要是考核对象与考评人的沟通，这次考评人主要是考核对象的直接上级。与上级的沟通主要表现为共同确定工作计划，勤于请教上级和自我评价；第二次考核主要是对第一次考核的审核，审查第一次考核是否符合规范，是否可信等。两次考核结束后，还要接受市场干部部的监督与认证。

华为目前采用的是季度考核、年度总评的方式。工作业绩考核主要围绕季度工作目标与目标完成情况，根据考核标准进行等级评定，任职资格主要围绕行为标准，通过证据对申请人达标与否进行认证。日报、周报、月报、季报和与之相适应的阶段性考核，保证了主业的不断增长和员工“阶段性成就欲望能不断得到满足”。

任正非相信：

> 如果华为有一天停止了快速增长，就会面临死亡。只要主业还充满活力，我们的团队就有很强的凝聚力，员工就会拼命工作而乐此不疲。

完善的制度、严格的考核保证了华为制度化用人战略的实施，为华为打造营销铁军提供了制度保障。

华为不是一个养老所

2001年以前，华为员工的收入中，工资、奖金、内部股票分红的收入基本相当，综合收入水平在国内民营企业中可谓“高高在上”。即使一些2001年以后进入公司的华为人抱怨，华为的收入没有以往多了，但一般从事技术开发的本科毕业员工的起薪都不会低于5000元，大部分员工税后年薪还可以拿到10万元左右，这在国内企业，尤其是在民营企业中仍然具有很强的吸引力。

但是，给员工提供良好福利待遇的华为绝非福利机构。在以科学、恰当的薪酬制度保持华为人工作动力的同时，任正非坚决避免使华为成为一个“养老”机构，以使华为永远保持发展的活力。

华为支持希望工程、提供寒门学子基金，还支持烛光计划，为此花费巨大。有华为员工提出，为什么公司不建华为大厦让大家免费居住，供员工在公司食堂免费用餐。任正非对此坚决反对，他认为，华为不能把员工培养成贪得无厌的群体。不管这些在华为经济上能否实现，这都反映了员工的太平意识，这种太平意识必须长期受到打击，否则，公司就会开始走向没落。华为的自动降薪就是用演习的方式进行打击。

任正非指出：

我们公司的薪酬制度不能倒向福利制度。如果公司的钱多，应捐献给社会。公司的薪酬要使公司员工在退休之前必须依靠奋斗和努力才能得到。如果员工不努力，不奋斗，不管他们多有才能，也只能请他们离开公司。

福利制度的核心是以身份和资历作为利益分配的主要依据，而不是员工的贡献大小。国有企业是典型的福利制度分配体系，只要是国有企业“在编”人员，不论贡献如何，工资待遇都比临时聘用的员工高很多，甚至在员工退休以后，还要承担员工的各种费用。而任正非显然是在有意防止华为患上“国有企业病”，害怕华为人将公司当成一个安乐窝，只顾享受，裹足不前，导致华为失去活力和激情。

为此，华为以贡献、能力、职位、劳动态度和发展潜力对员工进行综合评价，确定每个员工的配股额，排除了资历参与分配的权利。老员工如果跟不上公司的发展步伐，即使过去贡献很大，其持股的比例也会降低。新员工如果具备公司需要的知识和技能，对公司的持续发展作出了重大贡献，在公司的持股比例也会增长很快。任正非在华为营造了一个动态的分配机制，包括资本拥有者在内，其既得利益也不是一成不变的，唯有不断努力才能保持和扩大既得利益，这种体制有效地克服了一切惰性。

部分华为员工认为，从固定股票分红向“虚拟受限股”转变，是华为激励机制从“普惠”向“重点激励”的转变，员工收入的主要来源变成了绩效工资。这正是任正非的本意，他多次强调，华为在报酬与待遇上，要坚定不移地向优秀员工倾斜，而不再按持有股票的多少决定报酬和待遇。

注释：华为关于福利的规定

试用人员试用期间不享受医疗保险，费用自理。

公司为一般员工办理医疗保险（含治疗费、药品费、手术费、住院费等医疗费用），其费用由公司支付。

责任人员在责任岗位工作期间除享受上述医疗保险费用外，还可报销护理费、疗养费等保健费用。有重大贡献的特别责任人员必要时可去国外治疗，费用全部由公司承担。

公司负责组织新员工进行体检，费用由公司承担。

员工服从公司住房安排者，公司予以一定的住房补贴。

依据有关劳动法的规定，发给员工年终奖金，年终奖金的评定方法及额度由公司根据经营情况确定。

利益共同体

任正非主张在顾客、员工与合作者之间结成利益共同体，为华为的发展提供内部动力机制。在内部，华为公司与员工之间通过内部股票，将利益捆绑在一起；在外部，通过参股、合资、让利等方式将各个群体与华为结成利益共同体。

华为能与包括竞争对手在内的众多机构合作，当然是有条件的，那就是利益均沾。加入到华为的合作体系后，合作各方都能够获得相应的利益分配，这是华为与众多机构合作的前提和基础。当然，成为华为合作方也不是简单的事情，只有那些对华为的市场提升、发展壮大有巨大帮助的机构才有资格加入。

早期，华为选择的大多是拥有丰富的市场资源，或者对市场取舍有重大影响的机构。毫无疑问，在华为的发展过程中，国内许多地方政府尤其是电信、邮电管理部门起了很大的作用，作为华为的客户，他们的巨大需求产生了巨大的市场空间。当然，其中不乏支持民族产品的心态，但更主要的是华为推行的利益均沾发展模式。

而华为也与各地用户组建了很多合资公司。例如，与当地电信管理局、政府成立的沈阳华为、成都华为、安徽华为、上海华为等。这些合资公司的职责之一是销售华为公司的产品，提供技术支持，当然也进行分红。据称，四川华为每年有四五亿元的销售额，2001 年更是高达 10 亿元，该合资公司的合作方年分红比例高达投资额的60%至70%。因此,先后有170家地方邮电部门成为华为公司的股东。这种利益共同体的组建,既促进了华为的产品销售,又疏通了长期客户关系,更高明之处在于,令所有通信制造企业头痛的、造成现金流不畅的回款问题也迎刃而解了。

在国内电信业,政府采购电信设备的款项是通过财政拨款支付的,电信运营商采购设备的款项则是通过市场手段支付的。以前,设备销售给当地政府和运营商后,作为设备提供商的企业,往往只有亲自上门收款。如果在华为与当地政府和电信运营商的利益捆绑在一起后,钱收不回来,政府和电信运营商的分红也拿不到,这必然促使他们积极催款。显然,这种利益捆绑还可能在某些关键时刻发生微妙的作用。比如,在华为与铁通成立北方华为之前,铁通是华为的竞争对手,不可能采用华为的产品,但北方华为成立后,华为的产品在铁路系统就开始长驱直入了。

近几年,在开拓国际市场的过程中,任正非也积极采取这种合纵联横的策略,使西门子、SUN等众多竞争对手成为华为的合作者。这种在顾客、竞争对手、合作者之间结成利益共同体的尝试可谓屡试不爽。正应了那句老话——商场没有永远的朋友,更没有永远的敌人。任正非是以哲学的角度看待这个问题的:

> 将矛盾的对立关系,转化为合作协调关系,使各种矛盾关系结成利益共同体,变矛盾为动力。

当然,在这个过程中,华为有时候也要牺牲一点自己的利益。华为一度以成本价、甚至低于成本价的价格提供设备,牺牲短期利益以换取客户的长期信任。比如,在河北华为和山东华为的筹建过程中,合资方主管领导提出,他们有200多名员工没有地方安排,华为能否解决。在一般情况下,华为是不会接受这种要求的,但是,为了不影响大局,使合资公司顺利组建,华为接收了那200多名合资方的员工,除极少数做销售或工程外,大部分都安排到后勤或生产线。

舍弃一些眼前利益,宁愿自己吃点亏或冒点风险,也要照顾合作对象;不单纯追求利益最大化,而是把市场做大,让合作对象有合理的回报。这是华为的一贯做法,也是华为能够挣到"大钱"的秘诀。

小改进大奖励,大建议只鼓励

公司实行小改进大奖励,大建议只鼓励的制度。我们要坚持"小改进大奖励”,这是我们长期坚持不懈的改良方针。

任正非提倡华为员工一定要从小处着手,一点点地进步,把小事情做好,而不是只关注大问题、大方向。

“小改进大奖励”,即员工不断地归纳、综合分析,一点点地改进工作,一旦工作有了一点点小改进,就会得到华为的奖励。

在提倡“小建议小改进”的同时,任正非并不提倡普通员工对公司的重大事项发表整改意见。

> 能提大建议的人已不是一般的员工了,也不用奖励,一般员工提大建议,我们不提倡,因为每个员工要做好本职工作。

在这种思想指导下,任正非要求在华为建立产品线管理制度,贯彻产品线经理对产品负责,而不是对研究成果负责的制度。之所以倡导对产品负责而不是对研究成果负责,是因为员工不对产品负责任,就不会重视产品商品化过程中的细小问题,这些小问题可能直接影响到产品的质量。如果只重视成果的学术价值而不是实用性,就可能导致研究成果放置无用。任正非认为,我国火箭做得好,而打火机做得不好,其根源在于不重视小产品商品化过程中的细小问题。

遵守公司的各项制度与管理

> 要严格遵守公司的各项制度与管理。对不合理的制度,只有修改以后才可以不遵守。

华为的管理制度复杂而烦琐,一些新员工甚至认为有些制度明显是不合理的,但是,任正非要求华为员工必须严格遵守公司的各项制度与管理,对不合理的制度,只有修改以后才可以不遵守。

新员工培训纪律中有一条是“皮鞋、西裤、衬衫、领带一个都不能少”。从进入华为公司的第一天开始,每个员工都将接受仔细检查,不合格的地方必须立即改正,拒绝改正者,很可能被通知退回学校或原单位。一些新员工穿惯了休闲鞋,生性随意,就是不喜欢穿皮鞋,尤其是不习惯全身上下一丝不苟的打扮。华为不管你喜欢与否,只要是规定,你就必须遵守和执行。华为试图通过这种方式,让新员工完成从学生到职业人的角色转变,更确切地说是真正成为一个华为人。

军人出身的任正非，在多年的军旅生涯中养成了绝对服从上级命令，以及要求下属绝对服从命令的习惯。在军事化管理体制中，执行力至关重要，否则部队就难以做到高效率，难以应付各种危险状况。之所以要强调不合理的规章制度，只有修改后才可以不遵守，任正非也显然是希望在华为内部营造一个有令必行、有禁必止、绝对服从的管理氛围。

因此，任正非将军事化管理运用到华为的企业管理中，华为新员工的培训是按照"营"来划分的，培训内容类似于军事训练。华为的大规模销售活动，经常被称为"战役"。在与员工的谈话中，任正非也经常会用到很多军事术语。

正因为有意无意地将华为当作了一支军队，而军事化管理也的确保证了华为在很多艰苦的条件下成功突围，任正非特别强调服从命令，不允许下属与上级谈任何条件，无论是否愿意，无论是否理解，都必须立即执行，不允许有任何迟疑、任何怀疑。

任正非明白，公司有一些规章制度不一定合理、正确，尤其是在不同情况下，对于不同的对象而言。但是，他并不希望员工因此就否定这些正在生效的规章制度而不去严格执行。为了保证执行的效率和绝对的权威，任正非宁可牺牲某些公平，宁可犯一些明明知道的错误。当然，任正非也并非禁止员工提建议，但是，他希望看到的是成熟的、有针对性的建议，而不是牢骚，不是夸夸其谈。

> 要尊重你的现行领导，尽管你也有能力，甚至更强。否则，将来你的部下也不会尊重你。要有系统、有分析地提出你的建议，你是一个有文化者，草率的提议是不负责任的，也浪费了别人的时间。特别是新来的，不要下车开始就哇啦哇啦。要深入地分析，找出一个问题的环节，找到解决的办法，踏踏实实地、一点一点地去做。

第四章　最大限度地满足客户需求

——任正非论华为的客户服务与营销战略

为客户服务是华为存在的唯一理由；客户需求是华为发展的原动力。我们必须以客户的价值观为导向，以客户满意度为标准，公司的一切行为都以客户的满意程度作为评价依据。

——任正非

任正非一直认为：

任何时候，不管是提供网络设备给运营商，还是探索一项新的技术、开发一项新的产品，不管是与客户交流、沟通，还是优化内部工作流程，华为公司总是不断地回到最根本的问题——客户的需求是什么。

2006年2月14日，华为以“倾听客户声音”为主题参加了在西班牙巴塞罗那举行的3GSM世界大会。秉承“聚焦客户需求和快速响应客户需求”的理念，华为逐渐获得国际主流运营商的认同。截至2006年，全球50强运营商中，包括Telefónica、法国电信(FT/Orange)、沃达丰、中国移动、英国电信、中国电信、中国联通和中国网通等在内的31家机构选择了华为作为合作伙伴。

“关注客户的需求是华为得到全球运营商认可的关键，我们认真地倾听来自客户的声音。”华为当年的无线产品线总裁张顺茂说，“围绕客户的需求，通过创新的解决方案，为客户持续地创造价值，与客户共同成长是华为的发展战略。”

在任正非看来：

我们必须以客户的价值观为导向，以客户满意度为标准，公司的一切行为都是以客户的满意程度作为评价依据。

客户的价值观是通过统计、归纳、分析得出的，并通过与客户交流，最后得出确认结果，成为公司努力的方向。沿着这个方向，我们就不会有大的错误，不会栽大的跟头。

也就是说，华为要“最大限度满足客户需求”。

在“关注客户需求，才能做到客户满意”的思想指导下，华为经常进行客户满意度调查，搜集信息，以用户的意见为努力的方向。为了能更好地贴近客户，华为还专门提出了6个必须防止的误区：高高在上，听不到客户的声音；以我为重，强行引导客户需求，听不进客户的意见；看到了表象，没有抓住实质；花花绿绿不加分析，全盘照收；抓大放小，忽略了潜在增长点；面对变化的环境，却固守以前的规则、理念。由此可见，华为对客户的细心之处，在于把关注客户的工作落到了实处。

关注客户需求，是华为服务的起点；满足客户需求，是华为服务的目标。

用新思维理解市场

提起华为的市场、华为的营销，人们一般都会想起华为20世纪90年代覆盖全国县一级的“地毯式轰炸”。

华为在成立之初，一直是通过在各地设立办事处的方式进行销售的，先后建立的办事处多达33个。这种销售模式在华为创立10年间起到了至关重要的作用。但是，随着市场环境的变化，办事处模式销售的弊端逐渐暴露。比如，部分办事处销售有短期行为，办事处主任每天盯着订单，为完成当年的销售任务而疲于奔波，容易导致市场资源枯竭。由于与当地主管部门没有密切的利益关系，加上办事处的人员也经常变换，华为的办事处与当地的关系极不稳定，有些地方几乎年年都要从头做起。此外，办事处的人员膨胀过快，每个办事处都有上百人，浩浩荡荡从深圳调拨到各地开展工作，费用开支十分庞大。

华为因为无知，才走上通信产业。当初只知道市场大，不知市场如此规范，竞争对手如此强大。

2002年，电信设备制造商的“冬天”终于来了，国内各个电信运营商的投资规模普遍大大缩减，市场形势急转直下。当年，华为销售额仅为221亿元，出现创业以来的首次负增长，这迫使华为不得不用一种全新的思维去解读市场。

在华为厂区内，只见以“张衡路”、“稼先路”、“隆平路”、“贝尔大道”、“居里夫人路”等科学家名字命名的路标，却不见“菲利浦·科特勒路”。这足以显示华为过去是执著于“技术导向”的。

在过去，华为人是从产品和技术的角度看市场，把光网络市场分成SDH市场和DWDM市场，把固网市场分成交换机市场和接入网市场。这样一来，企业就永远无法判断客户的最终需求和偏好，产品和技术的路标就失去了初始依据。而事实上，产品和技术仅仅是满足客户需求的手段，而不是最终目的。

在过去，华为的销售收入主要取决于市场份额，但是未来华为的收入将取决于市场空间；在过去，华为的研发目标主要取决于竞争对手和技术跟踪，但现在华为产品的创新主要取决于目标市场和客户需求。

任正非认为：

> 华为的问题在于，要从技术角度看待市场转向从客户角度来审视市场，其最终目的是调整公司市场策略，洞察环境和竞争的变化，在长期范围内重新选择和定义华为公司的现有客户、潜在客户及其需求，在市场起伏的律动中提升可持续发展的核心竞争能力。

基于市场形势的变化，任正非推动华为在2002年6月启动了MaPA项目，希望通过业界通用的方法确定华为公司各个产品线的市场，华为由销售型(sales-driven)向营销型(market-driven)转变的序幕由此拉开。

MaPA(Market and Portfolio Analysis)，即通过市场和产品组合分析，从流程上实践华为关注客户需求的理念。MaPA项目从市场环境、客户需求、竞争对手等多方面综合分析，根据华为的技术水平和开发能力、华为的历史数据和业务策略，从理解市场开始，逐步地进行市场细分、产品组合分析、制定某产品线中期业务计划(3至5年)，作为IPMT决策产品路标时的重要依据，最后形成项目任务书(开发指令)，最终把每个产品线上的研发项目看作一项投资进行管理，以系统的市场分析和华为的市场策略作为基础，对每项业务的投资决策进行优先排序，以驱动产品的开发和管理。

华为的MaPA项目通过一支强有力的跨部门团队(包括研发、市场、财经和定价等)，在顾问的引导下逐步地熟悉MM(Market Management)流程和方法论，结合华为公司通信市场的营销经验，成功开发出华为的市场管理流程。2002年年底，华为固网年度路标规划时，成功应用了MaPA方法论，通过了公司IRB评审并获得高度认可。

华为市场管理流程推行组领导称："一个公司如果只能从技术和产品的角度进行规划，那么只能是现有的产品越做越好、越做越全，但却总是不能抓住时机推出客户需要的新产品；一个不能对市场作出规划的公司永远无法给客户真正的满意！"

任正非强调：

> 华为要为客户提供真正周到的服务。所谓周到的服务，并不是面面

俱到，而是针对顾客需求设计的、真正满足顾客需求的服务。

虽然在华为厂区仍看不见“菲利浦·科特勒路”，但对于未来的华为，“市场策略是什么，细分市场是什么，客户是谁，客户在哪里，标书如何投”已成为首先思考的问题，华为已经慢慢转为“营销导向”，以客户为中心的“服务营销”已被华为视为唯一。

为客户服务是华为存在的唯一理由

对于企业存在的理由，西方学术界有三种代表观点：第一种观点是以美国公司为代表，认为是为了使股东得到最大的回报，即股东利益最大化；第二种观点是以日本企业为代表，认为是为了让公司员工得到最好的报酬，即员工价值最大化；第三种观点则认为，实现利益相关者（stakeholder）的整体利益适度与均衡，即让包括股东、员工、客户、供应商、合作者、政府、社区等所有利益方都得到相应的回报。

华为在第三种观点的基础上进行了引申——在相关利益者之间，客户应放在最优先的位置，因为客户是企业价值实现的源泉，没有了客户，企业就失去了立足之本。任正非认为，企业不能只为股东利益最大化，也不能以员工为中心，为客户服务才是华为存在的唯一理由，管理的任务是为了争得为客户服务的机会。

华为管理顾问黄卫伟教授指出，华为的核心竞争力就是比竞争对手争得更多的服务客户的能力。华为要实现长期的稳定和可持续发展，就要建立起长期稳定的可持续为客户服务的体系和价值观。为客户服务不是个人能完成的行为，而是一个群体长期持续不断地努力的过程。那种片面强调个人能力表现的价值观，不利于形成群体竞争力，不能够构建华为的持久核心竞争力。

任正非认为：

> 客户是华为之魂，华为生存下来的理由就是为了客户。因此，华为从上到下都要围绕客户转，而不是只有一两个高层领导建立客户价值观，只有全体员工都建立了客户价值观，才能实现客户服务的流程化、制度化，才能实现无为而治。

华为将上述理念传达给每一名员工。新员工首先被灌输的理念就是：华为存在的理由是为客户服务，华为的任务是争得更多的为客户服务的机会。员工到华为的目的也是争得为客户服务的机会，华为的每一名员工，不管从事什么工作，都是在直接或间接地为争得为客户服务的机会作贡献。谁争得的机会越多，服务得越好，谁就成长得越快。

客户是华为存在的唯一理由，任正非一直在华为推行这个理念。

公司将继续狠抓管理进步，提高服务意识。建立以客户价值观为导向的宏观工作计划，各部门均以客户满意度为部门工作的度量衡，无论直接的、间接的客户满意度都激励、鞭策着我们改进。下游就是上游的客户，事事时时都由客户满意度对你进行监督。

华为持续进行管理变革，就是要建立一系列以客户为中心、以生存为底线的管理体系，就是在摆脱企业对个人的依赖，使要做的事，从输入到输出直接端到端，实现简单而有效地连通，尽可能减少层级，达到成本最低，效率最高。这样，把规范化的管理流程化，使岗位操作标准化、制度化、简单化。

为了让华为人加强对服务用户的认识，任正非在华为内部提倡自我批判，而华为的客户经理制也在2002年转变为客户代表制。任正非说：

市场营销系统的自我批判，因为身处最前线，是最敏感，也是最活跃的。必须自我批判，迅速地调整、改正一切必须改正的错误，否则早就被逐出市场。集体大辞职，就是他们的一次思想上、精神上的自我批判，开创了公司干部职位流动的先河。他们毫不自私自利的伟大英雄行为，必在公司建设史上永放光芒。

从过去的客户经理制，转变到客户代表制。为什么呢？就是要加强自我批判的强度。客户经理的目标很明确，是单方向的、推介式的。而客户代表呢？首先他们必须代表客户，代表客户来监督公司的运作。客户代表的职责就是站在客户的立场来批评公司，他不批评就失职；他乱批评，没有在整改中采纳他的批评，考评也不能好。他只有多批评，并实事求是，使批评的内容得以整改，他才会有进步。这样，我们一定能从客户代表那儿听到批评意见。

服务创造价值

对华为来说，通过服务为客户创造价值，永远是第一位的。

“服务”在华为的理解中，并不仅仅是简单的态度良好或沟通顺畅。华为服务的价值是指：在时刻满足客户需要的快捷反应的基础上，建立满足客户要求多种流程的服务供应链，才能准确把握客户需求，并不断提供预防性、增值性服务，真正帮助客户提高服务质量、降低运营成本和增加效益。

华为秉承“服务创造价值”的理念，为客户提供“专业、快捷、热忱”的优质服务。一方面，为了满足客户需求，建立了规范的服务体系和服务流程；另一方面，通过与客户积极交流和沟通，针对客户提供个性化服务，逐步开展专业服务，帮助客户提升自身的业务水平。

在华为国际化进程中，海外业务的建立，对于华为来说，已不仅仅只是技术、产品的输出，更多的是一种服务的扩张，在向客户推荐自身产品的同时，更要有效地推广自身的服务文化，以增强客户认同感。

2006 年 8 月，Telefónica（西班牙跨国运营商，全球 TOP10 电信运营商之一）确定选择华为作为巴西 Vivo GSM 网络的主要供应商，为其建设可在未来向 3G 演进的 GSM 网络。合同分两期执行，第一期，项目组与客户一起结合实际情况制订目标，半年开通全网；第二期，在 2007 年完成所有站点的扩容及建立部分新站点。

为了高质量地完成客户交给华为的“任务”，在整个项目中，华为进行了持续、高效的项目运作与管理：

◎ 计划性和长远规划——在项目前期，制定了完善的服务体系和发展策略，逐步建立了一支稳定的本地队伍。这样的策略和思路进一步加强了客户的信心，保障了长期合作。

◎ 有效沟通——为了降低整体项目风险，项目组在全盘了解项目交付范围后，与客户进行了深入的交流和充分的沟通，明确客户需求以及项目风险，制订切实可行的交付计划。

◎ 完善的端到端项目交付流程和灵活有效项目管理平台——Vivo 项目立项以后，公司很快成立了与客户项目管理团队对应的项目管理“镜像”团队，明确了项目经理的地位。全面规划统一策略，分工明确协调合作。

◎ 分包商认证和管理——对规模大、工期紧的 Vivo 项目来说，分包商资源建设和管理是整个项目成功交付的重中之重。为此，项目组及时成立了 CEG 团队对分包商资源进行统一管理和调控，高效支撑了项目交付。

◎ 精细化管理——Vivo 项目的站点横跨五大州，站点分布很分散，天气变化大，地理环境复杂。这种情况无疑对到货需求和计划的准确性提出了非常高的要求。项目组配合项目计划对物流计划进行精细化管理，空运、海运相配合，分批到货，加强清关能力，建立完善本地物流体系和灵活的派送流程。

产品服务化，服务差异化

在“2006中国IT服务年会”上，华为3Com技术有限公司全球技术服务部副总裁叶良宏发表演说。他认为，经过近几年中国IT市场的发展，服务已经逐步发展成为一种产业，它的发展也形成了一种独特的规律，经历了初始化→规范化→客户化→产品化4个阶段。

产品服务化，及时察觉并响应客户的需求，为他们提供更加灵活、自动、可复制的服务和解决方案，产品的开发、验证通过服务的模式进行演进；产品的设计以更好地支撑服务为目标；产品的销售以服务方式进行。

服务产品化，为了更好地提升服务质量，不断地优化提升，规范服务产品；同时根据用户的需要提供个性化、定制化的服务。服务的可重复利用和产品化已成为大势所趋，让客户体验到不断提升、不断改进的卓越服务。

“服务产品化”是华为在其传统服务基础上提出的服务的新形式。华为的服务产品超出了普通的故障排除的技术支持，涵盖了从保障设备日常运行的技术支持服务、硬件维修服务到提高设备运营效率的网络优化服务等内容，全方位满足不同地区、不同用户在不同方面、不同层次上的服务需求。

面对当前的市场，大部分公司在不断完善产品体系的同时，开始选择向服务型公司转型。IBM服务业务已经占IBM营业收入的一半以上，Amdocs收入的80%以上来自专业服务领域。面对着整个行业的变化趋势，华为也在积极思考，落实符合软件业生存之道的“产品＋服务”的组织结构和运作模式。服务已经不再仅仅指传统的工程和维护，而是在此基础上，为客户提供量身定做的定制服务和专业服务，并通过这种差异化的服务给客户带来价值。

随着客户服务需求的多元化，服务范围也在不断地扩大，从简单的维护服务到全面战略咨询，服务已逐渐成为具有高价值和持续增长潜力的核心业务。同样地，随着客户越来越聚焦于自身核心业务的运营，其对服务的要求也在不断地提高。因此，客户对于服务内容和服务方式也提出了更多的要求。

经过IT行业的冬天，业界各大公司经过重新洗牌和业务调整，能够生存下来的公司更加关注于产品技术、质量方面的改进，产品的同质化状况也越来越严重。而市场竞争也更多地体现在为客户提供的服务上，通过为客户提供量身定做的个性化、差异化的服务，体现企业为用户带来的价值。

产品差异化的本质含义是相对于同质化或者成本优势而言的一种竞争手段或者产品定位。服务差异化可以理解为，企业以某种方式改变那些基本相同的服务，使消费者相信这些服务存在差异而产生不同的偏好。

任正非认为，华为的差异化优势主要是满足客户需求比较快。比如说泰国 AIS(泰国目前最大的移动运营商)，华为因为比竞争对手在项目实施周期方面快了 3 倍，才获得了服务 AIS 的机会。

从 2000 年 one-2-call 预付费业务投入商用以来，AIS 增值业务系统先后扩容 7 次，在此过程中，华为快速的市场反应速度、高效的业务开发机制、优质的工程服务以及稳定的系统能力，为 AIS 的业务发展提供了强有力的支撑。在需求研究方面，AIS 和华为定期举办 WORKSHOP，共同分析需求，挖掘业务潜力，不断提供满足用户需求的新业务和新特性，使 AIS 的 2G 和 GPRS 网络业务能力不断得到增强。彩铃业务从 2003 年 12 月开始商用后，用户数每天增长 1 万，不到 5 个月就收回了初期投资，创造了业务发展的奇迹。针对 AIS 的建网目标和需求，华为提供了高性能的鉴权服务器 C9012 AS 作为 WLAN 用户的 EAP-SIM/OTP 鉴权和计费网关，各个热点地区采用业务丰富的 MA5200 系列 AC，整个网络通过业务网关 Eudemon 100 接入因特网。网络结构清晰，可靠性强，很好地满足了 AIS 对系统的需求。

因此，从华为为泰国 AIS 提供良好的服务，我们不难看出，以客户需求为导向，倡导快速交付业务和产品，一直是华为在增值业务领域的发展理念。

“三统一”服务体系

服务已成为客户产品应用不断深入的必然需求，服务始终围绕最终客户来开展。2005 年，华为 3Com 与合作伙伴共同细分各行业客户的服务需求，实行服务区域化，向客户明确合理的服务内容和标准，主动地、有针对性地开展各项服务。因此，华为 3Com 也在“2006 中国 IT 服务年会”上一举夺得两项大奖——“2006 年 IT 服务创新品牌”和“2006 年中国 IT 服务产品类服务满意金奖”。

什么服务对客户最重要？什么服务是客户急需的服务？本区域客户有什么特殊服务需求？这些是华为 3Com 服务思考的主要问题。华为 3Com 初步建成的是一个以“统一服务规范(实施标准),统一服务接入(受理),统一服务监控”为特点的“三统一”服务体系。

◎ 统一服务规范(实施标准)。华为3Com在服务实施的过程中,整个服务链都按照华为3Com制定严格的“电信级”服务标准来规范每个服务操作。所有参与客户服务的工程师按照统一的服务规范和流程去工作,共同维护服务的秩序。在服务实施的每个细节中打造较高的服务质量,维护整个服务链中大家共同拥有的品牌。

◎ 统一服务接入(受理)。华为3Com和合作伙伴组成一个服务团队,任何时候,只要客户通过800服务热线提出服务需求,无论该需求是售后技术咨询、故障申报、设备硬件更换/维修、培训需求、服务政策咨询、服务产品咨询还是服务建议及投诉,华为3Com都将其服务需求纳入统一的CMS(客户问题管理系统)系统,并组织相应的服务专家或合作伙伴立即在本地响应,第一时间满足客户的需求。

◎ 统一服务监控(全程质量监控)。在规范操作的同时,华为3Com服务质量监控部门会对所有服务活动的服务过程和服务质量进行统一监控,对客户进行100%回访,以客户意见作为客户需求是否满足的依据。这样,避免了实施服务主体和地点分散而可能造成的服务质量问题。通过华为3Com质量监控系统的统一监控,一旦发现华为3Com或个别合作伙伴在服务方面有所欠缺,华为3Com将负责进行妥善解决(直至客户满意),使客户看到他所获得的服务是长期的、有保障的。

为达到“三统一”服务,2005年,华为3Com对服务部门的组织和业务流程进行了调整,成立了全球服务呼叫中心800,负责对客户服务需求进行统一受理,对服务工程进行全流程监控,抓住服务受理和实施效果确认这两个最关键环节进行服务质量控制。由于全球服务呼叫中心800是独立于业务的具体执行,根据客户的意见来决定问题是否能最终闭环,从而能做到客观公正。

华为3Com还推出了一种合作伙伴共同服务合作模式。在这种合作模式中,合作伙伴对用户提供服务,厂家对合作伙伴提供支持,而合作伙伴的服务行为的过程,都会记录在服务系统中并接受华为3Com的监控。通过对其服务行为各项指标的控制,华为3Com可以保障最终用户得到优质的服务。这种模式与常见做法不同的是,可以监控服务的全过程,而不是考核服务的结果。

在产品平台架构不断演进、解决方案不断丰富、客户需求不断深化的今天,服务深度和服务广度在不断延伸。华为3Com加强区域化服务,与合作伙伴共同在区域中打造“三统一”服务链，通过服务链各个环节的团结协作，共同构建良好的华为3Com服务品牌。只有基于客户对服务品牌的信任，服务链才会有更多的机会为客户提供更好的服务，服务合作伙伴才能不断发展，客户的网络才能不断增值，才能真正实现客户和服务链所有参与者的发展和共赢。

比客户还要着急

华为一直秉承“从客户的立场出发，急客户之所急，想客户之所需”的理念，任正非深知：

> 为客户服务是华为存在的唯一理由。只有不断地贴近客户，用心服务，深化服务的内涵，延伸服务的模式，定制开发出满足客户需求的服务产品和项目，才能在日益激烈的市场竞争中脱颖而出。

客户的设备出现故障后，华为应该怎么做？任正非要求，华为人一定要抱着“比用户还要着急”的态度，一定要让客户清楚地知道华为采取的措施和计划，一定要让客户知道，华为正在努力地做很多工作来解决这个问题，并且一定会妥善地解决这个问题。

在这种思想的指导下，华为把解决客户的问题放在首位，提供的服务往往超越了自己的职责范围。为了及时服务于市场和用户，华为的市场技术服务人员在1999年达到了1000多人，车辆配备200多辆，任正非宣称，要把华为对用户的服务架在汽车轮子上。

在任正非看来，意识到客户的重要性还远远不够，更重要的是要通过自身的努力，提高客户的满意度，获得客户的持续支持，与客户形成长期的合作关系。而在企业的运作中，也要从以自我或技术为中心，转为以客户为中心。任正非要求，华为人要用“华为对用户的忠心”换取“用户对华为的忠心”，与客户形成长期稳定的战略伙伴关系，为公司的持续发展提供源源不断的动力。因为，只有提高客户的满意度，才能提高公司的核心竞争力。从某种意义上说，客户的满意就是华为的成功。

最小的客户我都见

营销“二八法则”要求企业抓住20%的重点客户，渗透营销，牵一发而动全身。很多企业在这个法则的指导下，或多或少都存在歧视小客户的现象。在他们看来，自己要做的是大客户、拉大单，小客户、小单子对企业而言可有可无，有些企业甚至认为做小客户的生意是浪费自己的人力和物力资源。

但任正非却不这么认为，他觉得公司能有今天这样的市场份额，完全是靠一点一滴积累起来的，即使是最小的客户，也不能轻易放弃。

我们每层每级都贴近客户，分担客户的忧愁，客户就给了我们一票。这一票，那一票，加起来就有好多票，最后，即使最关键的一票没投也没有多大影响。当然，我们与最关键的一票同样也要搞好关系。

任正非“架子”很大。这是很多官员、企业家、专家、记者们在碰了无数钉子后得出的结论。官员和大腕企业家想见任正非一面都很难，更别说普通人了。但是，有一个群体则很容易见到任正非，那就是华为的客户。即便是一个很小的客户，从不接受媒体采访的任正非也会亲自去接见。

普遍客户关系是我们差异化的竞争优势之一。

在与华为市场部人员谈话时，任正非指出：

创造一种合同来源的思维方式是多方面的，不要单纯地就找一个棋眼。我曾和一个部门接触，我对他们很不高兴，我发现他们工作有问题。他们把工作面缩小到针尖那么大，搞来搞去似乎决策的就那么一个人，处级干部、副总裁级干部什么的都不考虑了。这是战略性、结构性的错误，所以那时我就提出要搞好普遍客户关系。

我认为，普遍客户关系在华为公司近两年的进展情况是很好的。

华为在全国设有200多个地区经营部，其职责就是与各个县级邮政主管部门接触，将电信设备采购合同拿到手。同时，与当地电信系统密切合作，可以弥补华为开发、服务的不足。

1995年，华为成功交付了自主设计生产的上海160信息系统、128自动/人工寻呼系统。两个系统之所以能正常运行，是因为得到了上海市邮电管理局、上海市内电话局、国脉股份公司的大力支持与帮助，他们派出专家拟定了总体方案，华为就是在该基础上进行开发的。

2000年，邮政与电信分家，电信设备采购权被集中到市级电信主管部门。华为随之调整了营销体系。此时，根据以往县级采购状况设立的地区经营部该如何处理，成为华为必须考虑的问题。有的华为干部建议撤销，即把已经在全国设立的200多家地区经营部取消，这样就可以节约很多成本，集中精力去攻克市局，那样一年至少可以减少数百万元的开支，反正地区经营部已不直接拿采购合同了。但是，任正非却坚持将所有的地区经营部保留，不因权力的转移而放弃已经建立起来的关系网，因为他们对华为在市级电信主管机构拿单仍然具有不可替代的作用，华为应一如既往地与各地的县局保持良好的关系。在华为看来，只有扎扎实实地做好每一个小环节，最终才有可能占领市场。事实也证明，正是各级县局给市局提供的意见，使得华为继续获得大批的订单。

任正非希望华为"每层每级都贴近客户"，他要求地区经营部继续与客户搞好关系，分担客户的忧愁，尽可能争取所有客户的投票。

现在的决策体系，个人霸道的决策已经不存在了，因为这个环境不存在了。不管怎么样，都得开个会，开会后，周边环境都会有很大的影响。

我一再告诫大家，要重视普遍客户关系，这也是我们的一个竞争优势。普遍客户关系这个问题，是对所有部门的要求。

坚持普遍客户原则就是见谁都好，不要认为对方仅是局方的一个运行维护工程师就不作维护、不介绍产品，这也是一票呀。

华为建立了与县局沟通的制度，任正非要求一定要执行下去。华为将大量新员工调到市场第一线，让新员工去进行市场公关，一些新员工的工作开展得并不顺利，产生了畏难情绪。任正非知道后说："新员工找不到地方磨枪，就到县局去，他不到县局去，能找到什么地方磨枪啊？他不磨枪就是锈枪，以后怎么能用啊？"

有华为市场部门的员工反映很难见到省级邮电局的领导，而去县级邮电局很浪费汽油。任正非回应道："省级领导见不到，到县局去总可以吧？华为宁可多花汽油费，也要沟通。这样做并不是不节约，不下去跑当然能省钱，但节约是说在不需要浪费的地方节约，不该省的费用就不能省。"

贴近所有国内客户是本土公司的天然优势，国外公司虽然很可能在技术、资金、规模上具有优势，但由于对中国国内情况不熟悉，在国内的分支机构少，难以做到贴近所有客户，一般都是采取重点客户策略，抓住几个重点客户，一年搞到几张大单子，就不愁吃喝了。国际电信巨头分支机构一般都设立在省级城市，人力成本高，对农村市场鞭长莫及，根本不可能贴近所有的客户。因此，国际电信巨头实施重点客户策略也是不得已而为之。而一些没有雄厚实力的国内小公司，也不可能常设更多的分支机构，很难有长期的、普遍的投资，只能是哪里有订单就到哪里去，谁掌握着决定权，就去找谁，集中力量公关。

正是在看到了国外电信巨头和国内小公司的弱点后，任正非果断提出：

我相信这就是我们与西方公司的差别，这就是我们与小公司的区别。小公司只搞一个两个关系，最关键的关系，成本最低。但是现在决定事情的时候，是要大家讨论的，大家的意见也不可能逆水行舟。中国现在的政治环境下，谁敢逆水行舟？即使是问心无愧的事情，也不敢逆水行舟，包括我也是如此。

任正非要求，华为的每一位副总裁每周都要与客户面谈几次，了解客户的真实想法。市场体系要建立不管是国内还是国外，每一个客户经理、产品经理每周要与客户保持不少于5次的沟通制度，而且还要注意有效提高沟通质量。他强调，沟通不够的干部要降职、降薪；做不了沟通工作的员工要慢慢被淘汰。如果是性格问题导致的沟通障碍，可以转到别的岗位上去。

有人满肚子学问讲不出来，在华为就是没学问，学问必须要卖出去才能变成钱。作为一个产品经理、客户经理，不能装一肚子学问却见不得客人，必须要通过交流来巩固和加深客户对我们的认识。

上述制度，副总裁郑宝用完成得最好。任正非经常给大家举郑宝用的例子，他认为郑宝用之所以进步很快，就是因为他与客户交流多。

在国外市场，任正非同样推行普遍客户原则。比如，华为在俄罗斯取得的第一笔订单仅为12美元，但华为并没有就此放弃，而是继续逐个拜访电信运营商，最终使俄罗斯成为华为在海外最大的市场。

给我机会，我会感动你

只要你给我机会，就不怕你不被我感动。

感动客户是华为最擅长、最厉害的促销手段。

是我们始终如一地对待客户的虔诚和忘我精神，终于感动了“上帝”，感动了我们的客户！无论是国内还是海外，客户让我们有了今天的一些市场，我们永远不要忘本，永远要以宗教般的虔诚对待我们的客户，这正是我们奋斗文化的重要组成部分。

20世纪90年代初是华为艰难的日子。在资金、技术各方面都匮乏的情况下,华为依靠集体奋斗,群策群力,日夜攻关,利用压强原则,重点突破,拿出了自己研制的第一台通信设备——数字程控交换机。当时的任正非深知,业界知道华为的人很少,了解华为的人更少。即便设备出来了,华为还得愁客户的问题。曾经,华为销售人员在寒冬的夜里,苦苦等候8个小时,终于等到了客户,但仅仅说了半句话:“我是华为的……”就眼睁睁地看着客户被某个著名公司接走了。

从来就没有救世主,也不靠神仙皇帝,要创造新的生活,全靠我们自己。

华为人废寝忘食地工作,始终如一虔诚地对待客户,华为的市场开始有了起色。当时,定格在人们脑海里的华为销售人员和服务人员的形象是:背着机器,扛着投影仪和行囊,在偏僻的小路上不断跋涉……

进入海外市场,我们的差异化优势主要是能够快速满足客户的需求。因此,海外合同要么交付要求比较急,要么需求特殊,需定制开发,研发、用服、供应链等只有赶时间、抢进度,全力以赴,才能抓住市场机会。

就常规而言,华为的产品比欧美竞争对手的产品价格平均低25%以上,而且其成功销售的经验多累积于俄罗斯、泰国、南美等营运市场。而全球电信市场的大蛋糕恰恰在欧美,控制在欧美少数几家老牌企业手里,所占比例达70%以上。

欧美是华为的战略市场,不是要不要打的问题,而是必须要进去打的问题。但我们最大的障碍是品牌,怎么才能让客户认可我们的品牌。

华为建立国际化品牌艰难,不是因为华为做的宣传工作不够,而是因为华为品牌背后的“国家渊源”被误解和怠慢。负责华为海外市场的李杰回忆:1999年,华为某高层与巴西客户会面时,对方竟严肃地问了两个问题,一个是“中国有高速公路吗?”另一个是“中国有没有自己的电视机?”

同样地,华为在进军非洲市场时,也是步履维艰。非洲的电信市场被一些国际老牌电信供应商长期占据,与前者相比,华为在品牌、影响力、规模上都处于劣势。为了拜访一个客户,华为市场人员常常连续数天、每天几个小时,在非洲的高温下西装革履地站在客户办公室门前等待。

华为的国际化是一个漫长的历程,需要长时间坚持不懈的耐心和投入。

∽∽∽ ∽∽∽ ∽∽∽

天道酬勤，付出总会有回报。以诚心获得客户认可，用一流的工程交付让客户信服，树立华为的品牌。

在艰难的市场开拓中，华为抓住每一次机会，以优质的服务和技术让客户信服。2006年7月，华为在刚果(金)的客户由于客观原因要改变工程计划，原来30天工期的核心网设备建设压缩为4天。经过对形势的谨慎分析，项目组迅速协调十几名工程师到现场施工、调测，所有成员吃住在工程现场，在走廊里打地铺，累了就稍微睡上个把小时又马上起来调测设备。这样，经过三天四夜的连续奋战，项目组终于提前6个小时完工。

在华为的国际化过程中，我们这些基层员工就相当于一个个冲锋陷阵的战士，通过我们的艰苦奋斗，我们的合同交付才会在公司统一指挥下得以顺利完成，保证了客户利益的最大化。

面对客户的不了解、不认可、不理睬，华为总是凭着锲而不舍的精神和坚定不移的信念，持续在这块市场开拓，付出终于得到了回报。华为在非洲的业务不断拓展，受到越来越多的客户的青睐。华为通过创新的技术解决方案提供性价比高的产品，降低成本；在非洲大地上建立贴近客户的30多个分支机构和交付团队，为客户提供及时的服务响应和快速的工程交付。谈到华为，肯尼亚一家电信公司的职员奥斯卡·祖马竖起了大拇指："这家中国公司以其独有的服务和耐力获得了客户的认可，我们都从中学到了很多。"

就这样，华为从1996年进入非洲市场，目前产品已经在非洲40多个国家应用。2006年，华为在非洲地区的合同销售额达到20.8亿美元。

在国际化进程中，华为除了诚心"走出去"，还诚意"请进来"。

据华为内部资料介绍，1996年至2000年，华为每年都要参加几十个国际顶级的展览会。哈佛商学院客座教授J. Tang博士曾经参观过2003年华为ITU展会，他说："在中国，肯定找不到第二家像华为一样热爱参展并且总能展示自身形象的企业。"置身展会，尽管西方知名企业的展示也非常精彩，但他仍为中国的华为感到自豪。

华为还慢慢地把参展的技巧运用到参加行业论坛中，华为甚至自己召集国际运营商参加研讨会，通过对华为客户成功案例的解剖来增进彼此之间的了解。2004年7月，华为在泰国召开了"彩铃业务国际研讨会"，别的国家的运营商也被请到泰国，共同研究，增进了解。

事实上,华为的客户导向绝不像外界所片面理解的"会搞关系"那样,我们是真正理解客户选择对我们生存的重要意义的公司。所以,我们请他们到华为来看看,照顾好他们,让他们认可我们是有承诺实力也有践诺实力的公司。

华为"感动客户"的成效是显著的。相对于西方企业公事公办的风格,中国人对人情人脉的关注,可谓优势明显。2003 年,华为的海外销售额达到 10 亿美元,占其整体销售额的 1/3 左右。从 2005 年开始,其海外市场业务收入占全年销售收入的 58%,比 2004 年同期增长 17%,首次超过国内市场。2006 年,华为海外销售收入超过了总销售额的 60%。

以保守严苛著称的 BT 首席技术官 Matt Bross 认为:"不选择华为会是一个错误。"华为的一些竞争对手在参观华为后感慨:"终于明白谁是自己未来最大的对手了。"2003 年,在华为遭思科起诉的困难时期,正是 3Com 公司首席执行官克拉夫林的出庭作证和斯坦福大学教授丹尼斯·拉里逊提交的第三方分析结论,才使局面转危为安,最终官司以双方调解而解决。克拉夫林曾说过:"华为的工程师都具有相当天赋,他们在宽敞的办公室里操纵着最新的设备和软件,他们拥有我所见过的最先进的机器人设备。"

把碉堡建到每一个前沿阵地去

如果说小客户可以单靠价格打动,对于欧美等发达国家的主流客户而言,单纯的价格战已很难起作用了,这些客户更关注的是设备提供商的综合实力,也就是说,从设备的设计、生产,到运输、安装、调试以及后期的服务,都要有完善的解决方案。

任正非很早就认识到了这个问题:

中国的技术人员重功能开发、轻技术服务,导致了维护专家的成长缓慢,严重地制约了人才的均衡成长,外国公司一般都十分重视服务。没有良好的服务队伍,就是能销售也不敢大销售,没有好的服务网络就会垮下来。

任正非与外国大公司交谈时,对方都声称自己有一个多么大的服务网络。一名欧洲老牌电信运营商就曾这样说:"我们最怕的就是设备买回来几年后,设备供应商倒闭了,没有人来升级、维护。因此,我们购买设备要综合考察设备供应商，只有那些具有持续发展能力，在产品和服务上不用我们担心的供应商才会进入我们的视野。”这就要求华为提升综合实力，为客户提供持续稳定的服务，并能够在最短的时间内响应客户的需求。

相对于欧洲老牌电信设备供应商来说，华为的快速反应是其优势之一。华为负责海外市场的副总裁邓涛认为，欧洲企业普遍反应较慢，用户提出一个修改建议，他们往往要一年甚至一年半才能改进。而中国企业，只要用户有需求，总是能加班加点，快速反应。一个要一年才能改进，一个只要一个月就能改进，优势自然就体现出来了。

欧洲人普遍福利待遇好，他们的工作与生活分明，工作以外的时间一般不谈工作，更别提加班了。而华为作为成长型企业，更由于任正非一直提倡的拼搏精神，华为人的工作与生活基本上没有明确的区分，为了一个单子可以不回家过年，甚至连老婆生孩子也都顾及不上。有任务就立即顶上去，这已经成为华为人的工作习惯。

任正非曾经说道：

以顾客为导向是公司的基本方针，公司本着贴近客户的原则在全国建有 33 个办事处和 33 个用户服务中心，与 22 个省管局建有合资公司，在莫斯科设立代表处，在其他国家正在兴建合资工厂，在东欧 10 多个国家安装了设备，为香港提供了商业网、智能网和接入网。为了满足用户的要求，我们还会作出更大的努力。

任正非教育华为人：

我们当前最重要的市场举措就是建立地区客户经理部（地区客户代表处），要以改善客户关系为中心来建立，到时我们的客户代表管理部、国内营销部、区域机构管理部可共同对这个地区客户经理部或地区客户代表处实施管理。这就是说，我们要把碉堡建到每一个前沿阵地去。

创业初期，华为规模还不是很大，生存任务是第一位的，但那时候任正非就对服务提出了很高的要求。最初的时候，华为的服务都是赔钱的，到了1994 年，华为实力已经增强，售后服务成本也在降低。但国内电信市场异常混乱，国际巨头纷纷进入，国内小厂拼命打价格战，众多小厂破产，华为面临巨大的市场压力。但任正非认为：

在当前市场外患内乱、不正当的竞争几乎把国内厂家逼到临近破产的情况下，我们一定要坚持提升技术的先进性，不惜提高产品质量的可靠性，建立及时良好的售后服务体系。在当前产品良莠不分的情况下，我们承受了较大的价格压力，但我们真诚为用户服务的心一定会感动上帝，一定会让上帝理解物有所值，逐步地缓解我们的困难。

可以说，这些在国内市场上形成的工作作风和深入一线的工作方式，为华为开拓国际市场打下了坚实的基础。

华为构建的快速响应能力是华为能够实施快速反应的制度保证。

2004年3月底，华为在英国东南部的贝辛斯托克市设立了欧洲总办事处，一方面是为了市场布局；另一方面是为了更好地服务大客户，与当地的战略合作伙伴更好地合作。可以说，华为的产品卖到哪里，服务就跟到哪里。此前，华为用很短的时间、有限的成本为香港和记电信做到了"号码移动"，在香港站稳了脚跟。这么多年来，和记电信一直与华为保持着战略合作伙伴关系。

进入2000年以来，经历了IT泡沫的国内外大公司开始更加理性化，尽量降低自己的运营成本，用有限的钱做更多的事。此外，客户最关注的是，你能否按照要求推出相应的业务。而事实已经证明华为响应客户要求的能力。BT集团技术长布莱恩·利维曾在一次发言中指出："我相信与华为的合作能够进一步促进整个产业的发展。我们有一种共同的文化，即倾听用户声音。"

早在1995年，华为在国内市场小有成绩的时候，任正非就看到了服务的重要性，他在上海电话信息技术和业务管理研讨会致谢词中说道：

7年的发展道路，我们认识到我们没有市场，只能靠技术先进、质量可靠、服务周到去争取市场。创建初期，我们的产品质量不好，是靠遍布全国的33个维修点及时的售后服务来弥补。各种及时的售后服务体系发展至今，已形成三级支持系统、200名优秀技术人员的服务网络，及时服务已成为良好的风气，市场对我们也越来越信任。

2000年前后，任正非再次强调服务的重要性，面对即将到来的电信行业全面萎缩和来自电信巨头的强大竞争压力，他对华为人说：

这场生死存亡斗争的本质是质量、服务和成本的竞争。

困难是客观存在的，在资源和生产过剩的情况下，竞争的要义是什么？就是看谁的质量好、服务好、成本低。这是传统企业竞争中颠扑不破的真理。价格和成本体系问题、优质服务体系问题、质量体系问题是我们不可动摇、不可回避的三大问题。业界要走进成本竞争，我们应该怎么做？当然，我们决不能为了降低成本，忽略质量，否则就是“自杀”或“杀人”。搞死自己是“自杀”，把大家都搞死是“杀人”。

华为服务用户、打服务牌是从国内市场就开始的。2000 年，华为最重要的市场举措就是建立地区客户经理部(地区客户代表处)，以改善客户关系，客户代表管理部、国内营销部、区域机构管理部共同对地区客户经理部或地区客户代表处实施管理。

为此，华为基于客户需求导向进行组织建设。为使董事会及经营管理团队(EMT)能带领全公司实现“为客户提供服务”的目标，华为在经营管理团队专门设有战略与客户常务委员会，该委员会主要承担务虚工作，通过务虚拨正公司的工作方向，董事会及管理团队在方向上达成共识，然后授权管理团队通过行政部门去决策。该委员会为 EMT 履行其在战略上与客户方面的职责提供决策支撑，并帮助 EMT 确保客户需求驱动公司的整体战略及其实施。

华为在公司行政组织结构中，建立了战略与市场体系，专注于客户需求的理解、分析，并基于客户需求确定产品投资计划和开发计划，以确保客户需求来驱动华为公司战略的实施。而在各产品线、各地区部都建立起市场组织，贴近客户、倾听客户需求，确保客户需求能快速地反馈到公司，并放入产品的开发路标中。同时，明确贴近客户的组织是公司的“领导阶级”，是推动公司流程优化与组织改进的原动力。

正如任正非所言：

> 要达到质量好、服务好、运作成本低，要做到优先满足客户需求的目标，就必须进行持续的管理变革。持续管理变革的目标是实现高效的流程化运作，确保端到端的优质交付。只有持续管理变革，才能真正构筑端到端的流程，才能真正做到职业化、国际化，才能达到业界运作最佳水平，才能实现运作成本低。端到端流程是指从客户需求端出发，到满足客户需求端，提供端到端的服务，端到端的输入端是市场，输出端也是市场。这个端到端必须非常快捷、非常有效，中间没有水库，没有三峡，流程很顺畅。如果达到这么快速的服务，降低了人工成本，降低了财务成本，降低了管理成本，也就是降低了运作成本。其实，端到端的改革就是进行内部最简单的、最科学的管理体系的改革，形成一支最精简的队伍。

利益均沾原则

2004年4月15日至20日，山东省电信公司、华为技术有限公司和艾默生网络能源有限公司在深圳举行第五次战略合作会议。山东省电信公司汤淇总经理、林成副总经理，华为公司任正非总裁，艾默生公司梁恒毅总裁，以及山东省电信公司各部室主任及各市分公司总经理均出席了会议。

该次会议上，任正非代表华为分别与山东省电信公司、艾默生网络能源有限公司签署了《战略合作协议》。按照该协议，三方的合作内容将从初期单一的表层的产品供应与采购关系，向产品和业务的定制、研发等多元化的纵深层面发展，在更高层面上加大合作力度。这次会议标志着华为与山东省电信公司、艾默生网络能源有限公司全面展开战略合作并进入实质性实施阶段。这仅仅是华为与客户之间由相对松散的购销关系，转为在技术研发、产品制造、市场营销等领域开展关系更紧密的深层次合作的案例之一。

之前，华为与云南电信器材厂通信电源达成了合作，在名为《加强合作走向世界——在深圳华为通信股份有限公司与云南电信器材厂通信电源合作签字仪式上的讲话》中，任正非说道：

> 我们这次与云南省的合作，就是一种利益均沾的方式。回顾我们这些年来走过的道路，我认为我们就是本着一种真诚、互利的合作态度，所以我们的合作伙伴越来越多，我们的销售额也越来越大。我们感谢云南省的各位领导、各位专家给予我们这次机会，感谢这些年在我们艰苦奋斗的过程中给予的支持和帮助。没有你们的帮助，没有你们给我们提供的利润，我们不可能在科研上有大的投入，也不可能有这样的状况，更不可能取得胜利。与电信器材厂的这次合作只是迈向合作的第一步，希望将来我们在云南会有一个比较好的中等规模的工厂。

其实，早在2003年中国电信上市之际，华为就投资10多亿元购买了中国电信的股权。如果说与中国电信、山东电信等客户的合作，属于华为在内地市场的一个发展策略的话，那么华为与Sunday公司的合作，则是华为在国际市场与客户结成更紧密关系的一个特例。

2004年11月16日，华为宣布增加其向香港最小移动运营商Sunday(0866.HK)3G设备的供应。其实，华为与Sunday也绝非单一的供销关系。

早在2004年2月初，华为就持有了Sunday共计1.49亿股的股票，占总股本的5.01%，约值9700万港元。

Sunday有三位联席大股东Townhill Enterprises Limited、USI Holdings B.V.I. Limited和USI Holdings Limited，各持有13.6%的股份，持有5.01%股份的华为是第四大股东，之前华为持股比例为4.91%。股份从4.91%增加到5.01%，华为的主要用意在于支持Sunday，Sunday股价在2001年之后一直委靡不振。

2004年2月3日，华为持有Sunday股票一事经香港联交所网页披露，至此，华为曾隐性投资香港电信运营商Sunday的身份才正式曝光。消息披露后，Sunday的股价一路上扬，攀高至2001年之后的最高位0.68港元。

但华为与Sunday的关系还不仅仅如此。

2004年5月，华为与Sunday达成协议：一、Sunday购买华为的设备，华为同时为Sunday提供相等的贷款，这两个合同的金额都是8.59亿港元；二、以供应合同成立为前提，华为再向Sunday提供5亿港元的贷款，用以偿还Sunday前期在3G业务发展中所欠设备供应商的负债，而Sunday以资产总额为17.33亿港元的8家子公司和2G、3G运营牌照作为贷款抵押物，华为则承担Sunday 3G牌照后两次需要交付的年费。

2004年11月16日，华为与Sunday的上述合作协议又有了重大修改：一、华为供应的设备的数额和提供的贷款数额一并增至12.08亿港元，此前达成的还款条件并没有修改，即增加了3.49亿港元。再加上前述的5亿港元的一般性贷款，华为为Sunday提供的信贷总额达到了17.08亿港元。这12.08亿港元的还款条件仍为协议达成之日起4年后分8个半年期还清，也就是从2008年5月到2012年5月。二、5亿港元一般性信贷的还款时间有所放松。原有协议从2004年5月起计算2年半内按照5次还清，方案修改时，恰逢Sunday应该偿还首笔还款之日。修改后的方案将这一需要还款的日期推迟到了2006年7月，也就是说，又给Sunday 20个月的宽限期，此后按照每年的7月作为还款日，到2011年7月还清。

《财经时报》评论称：如果说5亿港元的出口信贷，是华为向香港电信运营商Sunday销售3G设备的“交换条件”的话，那么入股Sunday并从4.91%增持300万股至5.01%，则被评论界认为是任正非在为华为与Sunday的友谊进一步“添砖加瓦”。

需要说明的是，双方合作方案更改有一个值得注意的大背景：2004年11

华为开发人员应该牢记的，也是华为市场一线拓展人员应该牢记的。

随着2002年国内通信行业的格局重组尘埃落定，不同运营商之间的竞争日趋激烈，其对市场和用户的争取已经涉及功能和服务质量的竞争。

在任正非看来，从收集客户意见到关注客户需求，再到研究客户需求，最终提高客户满意度，是逐步提升华为核心竞争力的过程。当华为的客户满意度都提高到一个较高的水平时，华为公司就手握一大把的“保险单”，可以在更多为客户服务的机会中，创造出更大的自身生存和发展的空间。

“333”营销模式

时代在演进，问题也在变化。2007年，多数运营商在转型过程中都面临以下的问题和挑战：处于向信息服务提供商的转型期，传统业务ARPU值不断下降，过于依靠用户数的增长来维系收益和利润水平；新的信息服务遭遇“天花板”，需求多，业务多，但赢利性差，存在ARPU极限，缺乏赢利模式；市场需求存在明显的节奏性演进特点，目前以信息和娱乐类需求为主；数据新业务营销遭遇早期裂谷，跨越裂谷是转型中的运营商当前亟须破解的系统工程。

顺时应势，电信产业的发展也进入了IT融合发展的新阶段。根据用户价值演进趋势，主流运营商纷纷向综合信息服务提供商转型，将战略重心向业务聚合和集成转移，发展成为“渠道和交易中心”，从而向用户提供通信、信息、娱乐和商务交易等多业务融合的综合性服务，以满足用户全方位的生活、工作、休闲娱乐和商务交易等需求。

采用“333”营销模式能不断改变市场地位和竞争格局，开创新局面，取得事半功倍的运营效果。

“333”营销模式是指在遵循规律的基础上，合理利用有限营销资源，准确定义重点发展的“有限优先”新业务目标，即集约式业务规划；挖掘用户深度需求，通过业务创新准确命中“有限优先”需求，确保业务质量和体验效果，集中有限资源实施集中爆破式营销，即精益营销模式。对于向综合信息服务商转型，致力于掌控应用主导权的运营商来说，能够准确把握业务发展的市场节奏，进行集约式营销，是在有限资源条件下实现收益最大化的前提。

“333”营销模式分为以下三步：

第一步，进行深度的市场研究，挖掘用户需求，在开放区寻找和确定业务市场发展潜力，将技术可支撑的三个“有限优先”新业务放入业务创新孵化池。

第二步，准确评估和研究发展区的新业务，定位三个具备快速成长和发展潜力的“有限优先”新业务，改均衡营销为集中式营销。

第三步，在成熟区，选择具备“黏性”和“传播性”的三个“有限优先”业务，按照小世界网络 SWN 和六度分隔理论，创新“自成长”营销套餐，推动业务雪崩式成长。

培育渠道生态系统

> 华为将进一步优化渠道结构，迅速达成分销渠道的规模化与扁平化的良性体系结构，培育健康、规范、专业化的华为网络设备渠道生态系统，促使渠道体系整体运作的规范性和渠道质量的全面提升。

华为是国内较早建立渠道营销管理部的公司之一，但营销渠道却是在经历了一番曲折后才真正发挥效用的。

华为自创业以来，一直采取直销方式，在很大程度上是因为当时的产品主要是电信基础设备，客户主要是运营商，客户群及分布的行业相对来说比较集中。而随着华为产品线的扩展，客户群分布越来越广泛，需要的服务越来越个性化，以往的单一直销模式逐渐显现出了一些弊端。

1995 年以后，华为成为少数几家能够提供端到端解决方案和全系列网络产品的领导公司，针对运营商市场和企业网市场提供全面解决方案。这意味着华为将面对一个异常广泛的客户群体。

1999 年，信息化浪潮汹涌，华为数据通信产品开始尝试分销模式。

在“公平、互动、双赢”推广策略的指引下，华为数据通信着手全面的渠道建设与管理规划，在金融、政府等行业市场及大中小企业市场，华为全面打造分销渠道平台，同销售与服务合作伙伴、培训合作伙伴及直接用户建立全面、有效的合作体系。

2000 年下半年，一部分内部创业的员工成为华为的代理商，充实了华为的分销队伍。

2000 年年底，建立在行业和区域基础之上，华为分销渠道布局基本完成，形成了多层次、覆盖范围广泛的分销体系，其中高级分销商为第一层次，其下分别有区域代理商、高级认证代理商、行业集成商、一级代理商、区域分销商等。华为不断向这些合作伙伴进行技术与服务的转移，增强合作伙伴的技术能力与服务能力，为客户提供端到端的一体化解决方案。

华为分销模式建立后，获得了初步成功，但麻烦也随之而来。

北京港湾网络有限公司是由前华为高级副总裁李一男以内部创业的形式创办的，最初的定位是华为的高级分销商。由于与华为有着深厚的渊源，华为数据通信相当一部分产品的分销、对客户的培训和服务都由港湾等华为人内部创业的公司完成。在很大程度上，这是任正非对老部下的一种照顾。

任正非当时认为，产品交由内部创业的公司分销，由他们去发展客户、完成工程安装后的后续服务是一种互惠互利的良好方式。但是，2001 年年底，任正非发现数据通信产品的市场拓展异常缓慢，当年销售收入仅 3 亿元。同时，市场上还出现了港湾品牌的相近产品。此时，华为数据通信研发人员已达 1500 名，研发和生产能力大大加强，但研发出来的大量产品不能迅速销售出去。在这种情况下，用户、合作伙伴、研发人员一度对华为数据通信产生了信任危机，有人甚至打电话问任正非，华为是否还继续做数据通信产品。华为数据通信事业部自成立以来，遇到了最棘手的问题。

2002 年，华为数据通信大幅调整了全国营销体系，重新梳理了渠道和合作伙伴关系，将分销渠道控制权收回自己手中，并投入大量人员和精力恢复客户、渠道伙伴及员工的信任。华为在高级分销商下面保留了区域分销商，并对两者之间的定位和商务作了差异性及某些硬性的规定；而针对分销类的产品，华为将区域分销商和高级分销商放在同等位置上，两者享受同样的支持及商务条件，均依靠业绩积累和周转获得与华为产品品牌、性能、服务水平相当的利益。

当年，华为在国内市场全面出击，一方面以直销方式直接争夺传统的电信市场，另一方面以分销方式广泛争取企业网市场。2002 年年底，华为数通销售收入提升至 13 亿元。

2003 年，数据通信市场竞争日趋激烈，在此态势下，IT 厂商如何与合作伙伴建立长期、友好、开放的双赢关系，成为华为高层必须思考的核心问题。

2003 年 4 月初，华为在昆明召开了年度数据通信合作伙伴高峰会议，决定改变销售模式，将复杂的渠道扁平化。

华为进一步完善了渠道营销业务支持平台，加强了渠道功能的细分及行业覆盖，使华为产品在分销市场得到快速发展。此外，华为对渠道合作伙伴在市场推广、技术培训等方面也给予更多的激励和支持。在高端产品领域，华为把原来的企业网事业部与 IP 产品部结合起来，组建了实力更为强大的数据产品部门，统一面向电信以及行业解决市场方案。

同时，华为在2003年6月24日首次启动了针对渠道代理商的一系列规格技术培训，数十名华为渠道代理商的技术骨干及技术领导被邀请到深圳华为总部，华为副总裁吴敬传、渠道管理部总经理谈兵等亲自与学员们进行交流。华为的渠道部、培训中心等部门依托强大的技术实力及丰富的培训经验精心组织，选派的讲师均是各自领域的优秀代表，培训课程以实效实用见长。这是华为渠道建设的一大举措，其目的是通过高效实用的集中培训，促使渠道代理商的技术能力得到大幅度提升。对渠道商开展技术培训，既提高了渠道代理商们的技术服务水平，提高了华为渠道的竞争力，又增进了华为与渠道代理商之间的沟通、交流。

此后，华为将对渠道代理商开展技术培训作为一项制度固定下来，每个月开办两班，每班大约50人，每期一周，授课内容包括网络设计、产品技术、设备维护、解决方案、销售技巧等，为客户提供最新的网络技术培训，在教材中加入了大量的配置说明与操作流程。这样，通过案例培训、良好的实验环境和充足的实践，使华为各级渠道合作伙伴中的技术骨干和相关领导都得到了提升的机会。

由于华为产品线的快速延伸，华为在各个产品战场的对手越来越多，也越来越强。在无线通信领域，有诺基亚、西门子、摩托罗拉等；在数据通信领域，华为已被思科列为头号竞争对手；而在光传输方面，也有朗讯、北电、西门子等。华为意识到化解产品线延伸的风险的必要性，差不多在各个主要产品领域都展开了对外合作。

2003年，华为数据通信产品在国内市场的销售额达到28亿元。根据赛迪数据显示，当年华为路由器、以太网交换机在国内市场分别占据了21.6%和21.2%的市场份额，思科的对应份额为41.6%和29.5%。这意味着思科在中国数据通信领域占绝对垄断的格局被一举打破，华为在中国网络IP领域领军者的地位初步奠定。

2004年，华为数据通信产品在中国市场的战略布局基本完成，进入了良性发展状态。

未来是供应链与供应链的竞争

供应链，就是由供应商、制造商、仓库、配送中心和渠道商等构成的物流网络。同一企业可能构成这个网络的不同组成节点，但更多的情况下是由不同的企业构成这个网络中的不同节点。

> 未来企业的竞争，再也不是单一企业与单一企业的竞争，而是供应链与供应链的竞争。

∽∽∽　　∽∽∽　　∽∽∽

> 我们的采购人员如果只会机械地讨价还价，而不能建立好与供应商的长远合作关系，就会葬送公司的明天。

在一般企业的概念里，供应商是来卖东西的，是来“赚”钱的，自然就不应该受到重视。因此，很多企业会找很多借口拖欠供应商的货款——反正你的货品已经被我使用了，主动权在我手中，货款晚一天给你，我就赚一天。有的拖欠货款是由于流动资金困难，有的则纯粹是出于歧视心理。

曾经有人提问，戴尔公司何以能稳居国际 IT 业前列，戴尔全球 CEO 回答：“关键在于拥有全球最高效的供应链管理体系和低成本的运作模式。”

在市场竞争日趋激烈、国际先进的管理理念和经营手法冲击的背景下，要取得一定的市场份额，赢得更多的客户，仅仅停留在“客户就是上帝”的理念上已经落伍了。客户对产品交货期和服务要求的不断提高，使得企业必须提高对市场的反应速度，自然地，企业对供应方反应速度的要求也提高了。在客户—自己—供应商这样一个关联体系中，互相之间利益联系越来越紧密，协作越来越重要，这就要求任何一方都要尽量摈弃以“我”为尊的思想，加强合作意识。

华为处于发展最为迅速、波动最为激烈的通信行业，该如何构筑价值链，形成客户、公司、员工、供应商的利益共同体？为此，任正非清醒地认识到，未来企业的竞争，再也不是单一企业与单一企业的竞争，而是供应链与供应链的竞争，在妥善解决了为客户服务的问题后，改善与供应商的关系被提到了华为的重要日程中。

此前，华为虽然没有故意拖欠供应商的货款，而且设立了专门供供应商查询付款进度的热线电话，但对供应商并没有给予充分的重视。华为国内财务部和采购核算处部分员工还经常为每周能准时按期支付供应商的货款而暗自得意。接听热线电话的华为人也为自己能耐心、热情地回答供应商们的查询电话而暗自夸耀：“我们的服务很好嘛！”大多数华为人其实并没有认真考虑过供应商的感受，更没有认真地想供应商之所想，急供应商之所急，甚至在偶然发生拖欠时，还理直气壮地认为，这是很正常的，华为并没有经常如此，仅仅是“偶尔”嘛！而且，这样做还可以为公司缓解现金压力。

因此，任正非在华为推行“集成供应链”、“财务四统一”项目，一次次开展“增强责任心”、“提高服务意识”、“批评与自我批评”等活动，华为国内财务部和采购核算处开始反思如何更好地为供应商提供服务。通过近两年一系列付款流程的调整及持续优化，华为取消了重复的审核环节，使发票入账时间缩短为原来的 1/6，在提高采购全流程效益的同时，对供应商付款的及时率也达到了 95%以上。

华为按时支付供应商的货款，并不意味着华为的客户能准时支付华为的货款。华为发货后，因种种原因，可能有部分客户拖欠华为公司的货款，但华为又要做好对供应商正常付款的工作，这就势必给公司的现金流造成压力。但是，如果华为因此大量拖欠供应商的货款，又很容易降低公司信誉，影响与供应商的关系，最终影响对客户的及时供货。从集成供应链的角度看，企业应与其供应商共同开发、互相补充、一荣俱荣、一损俱损。如果企业目光短浅，并因此而失去供应商的信任，那么短期内失去的可能是品质保证，长远丧失的将是市场份额和综合竞争力。因此，在尽可能的情况下，华为尽量维护供应商的利益，宁可让自己多承担一些风险和压力。

此外，华为还从小处着手，进行改进。比如，建立起与供应商定期对账制度，及时发现问题并共同改进；运用财务付款自动传真系统，将每周的付款情况通过传真及时通报给供应商，以便其对应收款核销，及时掌握回款进度。华为有关部门还不定期走访供应商，向供应商们讲解华为对开具发票的要求、付款步骤等，倾听供应商们的意见和建议，现场解决不了的就带回公司，请有关部门协助，并将解决办法通报给供应商。

华为还设立了统一的对外接口平台。为避免岗位流动频繁给供应商带来的麻烦，华为改变了过去一直沿袭的每位会计各管一块的模式，设立了统一的对外接口平台，由一个人专门负责接收供应商的发票、回答供应商的各种咨询，同时制定了内部管理规章，对员工的服务质量制定了严格的考核标准。对于供应商最关心的付款及时性问题，国内财务部带头进行了大力改进，提高了支付的及时性和准确性。对于曾经备受困扰的异地收货问题，华为也拟定了相应的流程。

华为实施的上述措施得到了供应商们的一致好评，但任正非说，华为还要继续努力，因为他的目标是使华为的采购核算真正与国际接轨。

在华为看来，供应链包括前端的供应商、中间内部运作和终端客户三个密切关联的环节。只有让三个环节中的每一个环节的内部成本都降低了，整个供应链的综合成本才能降低，只要有一个环节的内部成本不降低，供应链的综合成本就不可能真正有效地降低。这就要求三方面能密切配合，互相理解和支持。

随着供应链管理的深化，华为逐渐认识到，“一招鲜吃遍天下”的单一供应链已逐渐落后于这个日新月异的时代，不同的产品或服务在供应链的各个环节上需要不同的策略。供应链管理已经从以前单一企业包打天下的“纵向一体化”演化为链条上各个成员专注于各自最擅长的核心竞争力的“横向联合”。降低供应环节成本的关键在于，把供应商看成自己潜在资源和能力延伸的一部分，而非单纯的物料提供者，并逐渐建立起长期稳定的合作关系，充分发挥对方的特长，规避自己的不足，降低综合成本。

因此，华为重新审视了自己的核心竞争力，逐步退出自己不擅长的领域，将更多可以外包的环节拿给供应商去完成。这样，从表面上看，华为少赚了很多钱，“肥水流入外人田”，而实际上却规避了在自己不擅长的领域消耗过多资源而造成的浪费，也降低了对市场机遇把握的风险。

正如英国著名经济学家克里斯多夫所言：“真正的竞争不是企业与企业之间的竞争，而是供应链与供应链之间的竞争。”华为十分重视供应链的管理，华为供应商也被华为置于与客户同等重要的地位。

第五章　重视自主的技术路线

——任正非论华为的技术研发

品牌出口的重要基础之一是技术，特别是高科技行业，没有核心技术，品牌会空壳化，没有生命力。所以，华为从一开始就非常重视自主的技术路线。

——任正非

任正非说：

什么是最好的科研成果？都江堰几千年后还在流淌，还在孕育川西大地；而两河文明，古罗马的水渠已荡然无存。伟大的发明并不一定稀奇古怪，故弄韵律的歌总唱不长。

任何一个发明不是你转了多少个弯，搞了多少标新立异，出了多少自我设想的东西，而是对人类社会和对现实生活具有意义，这才是有用的东西。

我们要围绕核心竞争力的提升进行创新。我们的小改进如果不围绕提高核心竞争力这个大目标来做，我们做的也是无益的工作，如果我们的这个创新不跟随大目标，就会有很大的盲目性。

截至2005年上半年，华为累计申请专利8000多项，在全球WCDMA领域也拥有了5%的专利，跻身全球前五位。尽管有如此骄人的成绩，但任正非仍在研发方面投入巨资，不断鼓励技术创新。在任正非看来，华为还会长期处于技术实用性研发阶段。

科学的进步总是超出人们的想象。华为技术的突破能力也大大超出了国内外业界的预期。华为的技术研发经历了从模仿到跟进、并行，再到适度领先、超越的过程。在这一过程中，坚持自主研发是前提，巨额资金投入是保证。

广泛吸收世界电子信息领域的最新研究成果，虚心向国内外优秀企业学习，在独立自主的基础上，开放合作地发展领先的核心技术体系，用我们卓越的产品屹立于世界通信列强之林。

既是产品专家，又是工程专家

2006年年底，在华为2006年报中，华为管理层称：未来5年，华为将致力于引领电信网络和业务进入All-IP与FMC时代，成为运营商转型与发展可信赖的伙伴。

放眼全球，众多知名的移动运营商纷纷开始实施移动网络的IP化战略。Vodafone、Orange、T-Mobile已经启动了IP RAN的测试，阿联酋Etisalat、日本EMOBILE和新加坡StarHub已经在UMTS/HSPA网络上展开了IP化建设进程。移动网络IP化之所以受到各大移动运营商青睐的原因有三个：一是IP资源容易获取，其建设和租赁成本低廉，可以有效降低运营商的投入。二是考虑到未来网络的演进，未来的多种技术，如LTE和UMB等，都是基于IP架构进行设计。因此，网络IP化是平滑演进的基本要求。三是目前GSM网络运营收入的主要来源还是语音业务，而将IP技术引入接入网，可以通过优化编码等技术来提升语音质量，改善网络性能，为语音用户提供更好的体验。

> 作为全球领先的电信设备供应商，华为是第一个将IP技术引入移动核心网的厂家，也是率先将IP技术引入接入网，并成为目前唯一一家提供IP RAN商用的厂家。在过去几年，华为的移动产品保持了快速稳健的增长。不仅如此，要构建端到端的IP能力，依靠提供单一产品的厂家将越来越难以支撑运营商的发展战略，而多产品线的战略和融合的经验使得华为拥有非常明显的综合优势。

华为在全网络领域的综合优势，顺应了All-IP与FMC时代的要求——特别是将IP技术与其他技术有机结合的能力。近年来，华为不断获得沃达丰、法国电信、意大利电信、荷兰皇家电信、西班牙电信、英国电信、美洲移动、中国移动、中国联通等31家全球TOP100运营商的合同，并于2006年成功突破美国和日本这两个全球最高端市场。

2007年，华为移动产品线选定“引领移动网络走向IP”为年度主题。当前，移动业务已经实现了IP化，核心网也正在从汇接层面到端局层面进行IP化改造。因此，网络无线侧的IP化(IP RAN)成为这一主题的中心内容。

2006年第四季度，在通过西班牙电信和沃达丰的测试之后，华为IP RAN方案先后在阿联酋Etisalat、日本EMOBILE、新加坡StarHub等运营商处获得商用。包括Vodafone、Orange、T-Mobile等在内的全球主流运营商，也相继开展对华为IP RAN传输的相关性能测试，华为IP RAN传输的可行性和优异性得到了充分的验证。

日本EMOBILE是全球第一个建设了基于All-IP承载的3G网络的移动运营商。EMOBILE是日本宽带运营商eAccess的移动子公司，其希望能够在HSDPA网络建设中充分利用eAccess现有的IP网络资源，提供能保障QoS的IP专线。在经过详细论证和测试后，华为为EMOBILE提供了客户化的基于PON的All-IP传输解决方案，不仅节省了传输接入网资源，而且可以利用原eAccess的IP骨干网，大大节约了网络建设成本和维护成本。

在CDMA2000领域，华为凭借新一代All-IP CDMA2000基站的优异表现，获得了美国Leap、印度Reliance的认可，这也是非北美厂商首次大规模进入美国和印度这两个全球CDMA主流市场。

在移动网络走向IP化的进程中，华为可谓功不可没。成功的经验，让华为人自豪地说："我们是工程专家！"

2003年，中国移动面临网络的IP化转型问题。持续面临扩容压力的中国移动，如果继续采用TDM方式建设汇接骨干网，不但代价巨大，而且不符合向All-IP转型的发展趋势。2004年，中国移动决定采用华为移动软交换进行核心网长途汇接局IP化改造。中国移动的长途汇接局是全球最大的长途汇接局，也是业界第一个进行IP化改造的长途汇接局，先后进行了5期扩容，截至2006年12月，在网容量高达37万E1，堪称全球最大的VoIP网络。

第一期从发货到开通是5个月，而第五期只用了1个月。因为我们开发了很多优化工具和模板，改造和割接都有完整、规范的流程可以遵循。

现在，我们可以自豪地称我们既是产品专家，又是工程专家。

随着通信业进一步迈入All-IP和FMC时代，运营业和设备业正在呈现大浪淘沙的态势，百舸争流，不进则退，我们由衷地希望中国运营商以及以华为为代表的优秀设备厂商能屹立于All-IP与FMC时代大潮的浪头。

持续投入，不断创新

GSM在2005年进入到2G/3G融合的发展阶段，同时基于GSM的集群业务也成为新的发展趋势，华为GSM将不断增加服务能力和解决方案的适用性，在2G/3G融合以及集群共网等解决方案上为客户创造价值。

自1995年开始研究GSM以来，截至2005年，华为GSM以"持续投入，不断创新"的精神，已在全球50多个国家90多个运营商获得规模商用，服务8000万用户，累计部署超过30万载波，推出了专业集群系统GT800。

1993年，中国邮电部第一研究所开始跟踪GSM规范和设备研究。1994年7月19日，中国联通公司正式成立，并率先在移动通信领域里采用GSM制式的数字移动通信系统。1995年7月19日，中国联通开通了北京、天津、上海和广州四大城市容量共8万门的GSM数字移动通信网，并利用"130"网号率先在全国实现自动漫游。同年，中国电信始建全球通数字移动电话网，并用"139"网号开通了10余个地区。

1996年3月28日，中国移动通信国家工程研究中心宣告成立，该研究中心依托电子部第七研究所(广州)，受国家计委和电子工业部直接领导。1996年，中国第一套自主产权的GSM 900MHZ系统设备研制成功。1996年年底，中国联通共建成48个城市总容量达到100万门，全国数字移动电话用户数约170万户。

GSM在国内有着广阔的市场前景。1996年，美国移动通信用户总量是中国的5倍，人口却只有中国的1/5，中国移动用户的普及率不足1%，随着技术发展、成本和销售价格的进一步下降，移动用户的数量将会有巨大的增长空间。

华为在1995年启动了GSM移动通信研究。

1997年以前，中国移动通信98%的市场都被外国电信公司占据。但任正非对无线和GSM充满了信心，他坚持加大对无线和GSM的投入，并告诉华为人："我们要做的就一定要成功。"

1997年，GSM检测中心在北京建成，这是世界第七个GSM检测中心。

1997年3月，华为自行研制的GSM打通了第一个电话。随后，华为研制的中国完全拥有自主知识产权的商用GSM数字蜂窝移动通信系统正式发布运营。但是，任何一个产品都要经历一个逐渐成熟的过程，华为的GSM在研制出来后并不代表可以直接上市，还必须经过商品化这个阶段，才有可能获取利润。

1997年以前，华为在GSM上的研发主要是靠交换机赚取的利润支撑。这显然不是长久之计，华为的目的是要以无线养无线，最终从无线产品上获得大量利润。此外，华为以交换机为主产品已经持续三四年了，还没有足以取代的产品形成势头，一旦华为不能尽快改变这种依靠交换机为单一支撑的局面，则很难继续保持竞争优势，并支撑华为日益增长的庞大机体。因此，华为必须在尽量短的时间内完成GSM的商品化，使GSM产品尽快上市，抢占先机。

1997年10月，华为的GSM产品完全成熟，开始规模化生产，这对打破国外产品长期垄断中国移动通信设备市场的局面具有重要意义。

虽然，此时国内邮电系统已经被国外进口设备覆盖得差不多了，在很多发达地区和中等发达地区，华为进入的难度会非常大。但任正非认为，这并不意味着华为没有机会，华为的规模相对较小，只要能占全国GSM市场1%的份额就能活命，只要能活下去，就会有巨大的发展潜力。中国每年在无线通信设备上的采购额达600多亿元，华为有充分的发展空间。任正非预计，华为的无线产品年产值要达到40多亿元的规模。

任正非的预测与中国移动电信市场的走向基本一致。1997年年底，中国电信全球通已覆盖304个地市和1731个县市，用户已近千万。2003年，中国的移动电话用户跃居世界第三位，仅次于美国和日本。

华为的GSM产品走向市场后攻城略地，一路高歌，伴随着中国电信市场的飞速成长发展壮大起来，华为等一批中国本土企业也逐步成为中国电信GSM移动通信设备的主流供应商。

1999年年初，为了使自己开发、设计的GSM全套产品抢占市场，打破外国产品在无线通信领域一统天下的局面，任正非亲自出任无线产品部门总经理。

2003年，华为开始在GSM行业专用技术领域里有所作为，并站到了世界同类技术的前列。

2003年12月8日，一直在媒体界保持低调的任正非现身北京，出席了铁道部与华为公司就大秦(大同至秦皇岛)铁路GSM-R(GSM for Railway)工程合作框架的签字仪式。大秦铁路的GSM-R系统工程是中国第一个GSM-R项目。

GSM-R中文全称为铁路移动通信系统标准，这是一种基于目前世界上最成熟、最通用的公共无线通信系统GSM平台上的、专门为满足铁路应用而开发的数字式的无线通信系统。该技术针对铁路通信列车调度、列车控制、支持高速列车等特点，为铁路运营提供定制的附加功能经济高效的综合无线通信系统。从集群通信的角度来看，GSM-R是一种数字式的集群系统，能提供无线列调、编组调车通信、应急通信、养护维修组通信等语音通信功能。GSM-R能满足列车运行速度为0—500km/小时的无线通信要求，安全性能好。GSM-R可作为信号及列控系统的良好传输平台，正在试验中的ETCS欧洲列车控制系统(也称 FZB)和另一种用于 160 公里以下的低成本的列车控制系统(FFB),都是将 GSM-R 作为传输平台。

实际上,GSM-R 和我国现在覆盖最大的 GSM 网络标准相似,也就是在 GSM 标准上加入了一些适合高速移动环境使用的要素。该项技术在 GSM 的发起地欧洲得到推崇,德国和法国、荷兰、瑞士等国家已在铁路沿线进行了 GSM-R 的放号。业界专家称,该项技术实际上已经不仅能够提供铁路通信的业务,而且在用户群体、业务种类、服务等环节成熟之后,完全可以向公众网络提供相应的电信业务。

目前,在全球范围内能够提供 GSM-R 技术的企业并不多,华为在该领域已经能够与西门子、北电网络等企业并驾齐驱。

鉴于国内市场格局已定,2000 年以后,华为 GSM 逐渐在海外市场扎根,到 2005 年,已经在俄罗斯、南非、中东、北非,亚太和欧洲都获得规模商用,占全球新增 GSM 市场份额的 10%以上。对于当时的新 GSM 牌照,华为的中标率高达 33%。2005 年,华为 GSM 的销售额 70%来自海外市场,海外市场不仅让华为 GSM 产品扭亏为盈,还让华为了解到全球市场的差异性,为 3G 产品的设计奠定了良好的基础。

随着 3G 研发技术的提高,华为开始采用 3G 平台来开发新 GSM 解决方案。华为 GSM 核心网采用移动软交换平台,可平滑支持 WCDMA R4,受到了全球移动运营商的欢迎,累计已经部署超过 2000 万线。华为 GSM 移动软交换有以下特点:分布式组网,兼容 2G/3G,VoIP 组网,大容量、少局所,A-FLEX资源共享,双归属网络,业务快速部署等特点。

在意识到专业集群市场有巨大的商机之后,华为于 2003 年启动 GT800 数字集群系统的研究。2005 年,GT800 被 3GPP 纳入国际标准。

注释: GT800 支持脱网直通、单基站通信等专业功能,快速呼叫建立时间小于 700 毫秒,群组业务丰富适用,组内用户容量不受限制,并实现全方位的优先级管理,具有比现有系统更突出的集群优势。GT800 是专网、共网和城市应急联动的最佳选择。

华为坚持围绕客户需求进行创新,为客户持续地创造价值,以此回报客户对华为 GSM 的厚爱。

融合是转型必经之路

在全球电信运营商转型的大潮中，意大利电信、法国电信等世界电信巨头，纷纷于2005年开始着手实施固定、移动的融合战略。

转型是必然趋势，而融合则是必经之路。

这里所说的“融合”包括多方面的内容：电信产业、IT产业以及媒体、娱乐等产业的渗透和融合（产业融合）；电信运营业通过并购、重组实现固定、移动等运营与服务的多业务融合（业务融合）；网络架构、承载技术等具体实现手段的融合（技术融合）。这几项内容是紧密相关的，“产业融合”驱动了电信运营业的转型，使得“多业务融合”成为必然趋势，而“技术融合”则提供实现手段，使得上述趋势变成现实。

从营销4P到4C，产业融合驱动电信运营业的转型。

传统的电信运营，是以产品为中心的4P（Product、Price、Promotion、Place）营销模式，客户得到的体验是推销不同业务的不同销售员，无法量身定制的产品，多个产品之间的体验不同，出现问题时不知道打哪一个客服电话，被不同的客服人员互相踢皮球。而以客户为中心的4C（Customer、Cost、Communication、Convenience）营销模式，提供令人满意的客户体验，以提高客户忠诚度，并从用户的重复购买行为中获取持久收益。

面临通信服务产业的升级，从4P到4C营销模式的转变是转型的本质，通过多业务融合提供令客户满意的体验，并围绕客户体验开展全流程的营销服务活动，则成为必然的手段。越来越多的运营商提出“以客户体验为中心”的愿景，如Vodafone的战略中，第一条就是聚焦客户需求，愉悦客户。

在制订融合的计划后的第一步，是面向客户，而非面向具体技术和网络的组织与流程变革。事前的充分准备显得尤为重要。

融合涉及多个业务单元/事业部的整合，是从资本层面到战略、组织、流程层面，都必须为此做好准备。

∽∽∽　∽∽∽　∽∽∽

多业务融合的愿景，是为客户提供无处不在的服务，在任何时间、任何地点，为客户提供统一的业务体验。它的本质是围绕客户体验开展业务运营和提供服务。

2004年年末，意大利电信宣布，将移动和固网业务从两个上市公司合并为一个，并于2005年完成了全面组织整合，建立了统一的市场、运营、服务体系，为2006年至2008年的进一步融合做好了组织和流程上的准备。

2005年，法国电信也将经营不同业务的多个公司进行了初步的整合，并启动了品牌统一的工作（除法国本土固网继续使用FT品牌外，Orange成为整个集团的统一品牌）。

转型需要融合的网络架构。运营商真正关注的网络架构是什么？从运营商角度来看，关注的是业务子层和业务的管理，包括用户的管理、业务的能力和内容的管理等。运营商较为关注业务控制的逻辑、内容转发的逻辑以及相应的支撑系统，希望通过提升业务的整体控制能力来提高相应的业务提供能力。毫无疑问，IP/MPLS/Ethernet作为承载层的技术，支持统一的独立用户数据库的软交换（包括PSTN Call Server和IMS多媒体域）作为业务控制层的技术，是下一代融合网络架构的关键技术选择。而其他多种接入技术、多种业务和应用，都应该能够在这个架构上进行发展。

转型、融合，正在从理念、愿景落实为行动计划和小心谨慎的部署尝试。这是一个头绪多、不确定性大、个性化程度高的复杂系统工程，面临各种风险：用户可能流失、技术方向可能变化、组织和员工的准备可能不够。然而，唯有转型，运营商才能生存、发展、成功。

世界是平的，也是宽的

网络沟通世界，宽带成就梦想。为了梦想成真，让我们携起手来共同谋划宽带通信产业的未来发展，共同见证“世界是平的，也是宽的”。

据市场调研公司Point Topic公布的最新数据显示，截至2007年，全球宽带用户数量已经突破3亿，近5年来年均增长超过70%。从目前全球电信业的发展态势来看，宽带已经成为传统运营商转型时期的一大核心业务领域，对各个运营商的业绩发展形成了有力的支撑。

中国已经进入了宽带时代，宽带用户数量超过5800万，位居全球第二，并有望在2008年夺得世界第一。中国广大农村居民对宽带有着更多的需求，是一个巨大的潜在市场。然而，当前农村宽带发展还比较缓慢，在基础设施建设、业务应用等方面与城市相比差距较大。加快推进农村宽带网建设，是缩小数字鸿沟、挖掘潜在市场的有力措施。

信息通信技术的不断发展与进步，深刻地改变着传统的生活方式，让我们发现“世界是宽的”。如今，我们可以通过互联网，实现网上交易、在线炒股、远程医疗、视频监控；我们以网会友，结识不同语言、不同肤色、来自五湖四海的朋友；任何人都可以在网上成为明星，发行个人专辑……

华为于2008年1月11日宣布，根据Gartner最新分析报告，华为在2007年第三季度以31.5%的市场份额居全球IP DSLAM市场第一，且DSL市场份额持续上升。据2007年第三季度Gartner报告显示，由于接入网IP化趋势，运营商对于IP DSLAM寻求显著增强，IP DSLAM设备端口出货量持续增长，占DSLAM设备端口出货量的77.3%，华为在IP DSLAM产品全球市场份额中持续增长并保持领先地位，并在欧洲、中东和非洲地区的IP DSLAM份额继续保持快速增长。

华为的IP DSLAM完全遵从TR-101标准，其强大的宽带处理能力、丰富的业务特性和持续优化的线路特性，为客户打造精品宽带网络和构建差异化竞争能力提供了强大支撑，受到客户的一致认可。

随着对IPTV、HSI和3G等业务需求的增强，IP接入市场将得到更迅速的发展。华为在这个领域具有丰富的技术和经验积累，我们将与运营商共同迎接挑战，提供更领先、稳定、可靠的宽带接入解决方案。

截至2007年第三季度，华为宽带产品已经向全球90多个国家和地区销售了超过7000万线DSL端口，为英国电信、荷兰皇家电信、西班牙电信、新加坡电信和阿联酋电信等领先运营商提供全IP宽带网络解决方案。

在刚刚落下帷幕的2007宽带世界论坛亚洲会议上，我们真真切切地感受到了宽带的力量，更听到了“世界是平的，也是宽的”的最强音。在宽带业务爆炸性增长的推动下，在ICT产业大发展的今天，我们正以迅速和创新的步伐迈向更加宽广的宽带新世界、信息新世界。

产学研相结合

华为于2008年1月6日宣布：华为无线通信接入技术国家重点实验室建设计划顺利通过论证，华为成为目前国内唯一一家在无线通信接入技术领域设立国家重点实验室的企业。

该实验室是科技部于2007年批准筹建的首批企业国家重点实验室之一，它以华为为依托，结合华为现有研发体系，以突破创新技术的产业化瓶颈为目标，开展移动通信前瞻性基础研究和工程应用研究。研究主要围绕无线传输、测试、中射频、产品工程、无线通信软件、专用芯片等六大技术方向，并紧紧追踪国际技术发展前沿趋势，深入研究通讯产业中现存的瓶颈和关键技术，推动无线通讯接入技术和通信产业的深层次发展。

基于华为在下一代无线技术研究的前瞻性和影响力，华为近年来在RTT/RRM、功放效率和性能提升、性能验证和评估、可靠性试验、产品工程等基础和工程应用研究领域取得了突出成绩，得到行业的广泛认可，多次获得国际、国内大奖。

我们将通过向社会公开招标开放性课题、进行国际技术交流等方式联合国内外具有实力的研发力量，努力把实验室建设成为开展行业共性关键技术创新研究、聚集和培养优秀科技人才、促进标准研究制定、推动产学研相结合的重要基地，持续推动全球移动通信领域技术进步。

核心技术是生命

从创立华为之初起，任正非就一贯主张自主研发为主，否则，核心技术掌握在别人手中，很容易在市场上处于被动。他提醒华为人：

对核心技术的掌握能力就是华为的生命。

华为的目标是，把技术作为核心竞争力去赢得超过10%的制造业利润率，逐渐取得技术的领先和利润空间的扩大。

20世纪90年代初，华为通过代理香港HAX交换机获得了资本原始积累。从做代理商那天起，任正非就希望做出自己的产品，这种渴望成为华为涉足自有技术开发的原动力。在代理商阶段，华为曾不断对那些国外交换机技术进行研究。当HAX的工程师对已售出产品进行现场维护时，华为会派出自己的工程师到现场。此后，华为将全部“家当”投入半机械、半数字的入门级产品JK1000开发，这时的华为与其他同类厂商相比在技术水平上没有多大差别。当其他国内同类厂商看到华为推出JK1000后，开始做2000门交换机，华为此时将研发目标直接瞄准了万门级设备。那时的国际市场，通信厂商一致将万门级交换机作为主流技术。

在技术条件有限的情况下，更多的国内厂商宁愿选择成本低、收益快、跨越较低的技术门槛。当时，华为的研发一开始就盯上主流技术的万门交换机，短时间内很可能会遭遇巨龙等竞争对手的挤压，具有相当大的风险性。但华为成功地研制出了C&C08，并获得第一批订单——江苏省邳州约4000门的程控电话系统。在随后的北京通信展览会上，华为凭借C&C08将国内同类厂商远远地抛到了身后。至今，C&C08依然对华为有重大的市场贡献。

1994年，随着县本地网体制的确立和推广，C&C08以光交换为中心形成强大处理能力的母局，用3次群光纤在50公里范围内，连接分布16至32个2000门模块远端模块群，由远端模块群再在7至8公里范围内用线路倍增技术连接分布4至8个64至512门远端模块组的全分散的交换机，在集中维护、集中管理的号角声中得到了较大规模的使用，特别是C&C08的功耗仅为1240的1/5，使无人值守成为现实。

随后，华为研制的7号信令通过了国家测试，于8月参加了邮电部在广州与各国机器对接的检验，并由邮电部安排在实际网上试验。同年，华为推出了全数字ISDN排队机、智能平台、200号平台、双向CT2、7号信令的监视仪等多种产品，对华为的销售拉动较大。

1995年，全国邮电部门全网都开放了华为研制的7号信令，华为的产品优势明显体现出来。同年5月，由华为研制、承建的上海160信息系统、128自动/人工寻呼系统进入了正常运行状态，华为的产品线在不断延伸。华为开始从超速的无序发展走向规范化、规模化的有序发展，综合能力大大增强。

但是，1995年的华为还是一个发展中的小公司，生产规模还不够大，管理还存在很多问题，很多产品难以与国外的大公司竞争，只有进一步扩大生产规模，才能进一步提高质量、降低成本。于是，任正非对华为中短期的产品、市场定位进行了规划。他计划经过一两年的改造，使华为的生产能力从1995年的月产20万线，提高到月产40万线；从周销售额5000万元，提高到每星期销售额1.3亿元；产品从单一的通信产品，发展到多元化的、技术密度较高的投资类电子产品。

任正非希望C&C08交换机能“像一株常青树一样，不断地长出技术的新芽”，从而大大节约用户的投资。

华为对电信网的认识，是通过一次又一次向电信行业的专家们汇报、听取专家们的批评而成熟起来的。1995年，华为的队伍还很年轻，任正非认为，年轻是一个弱项，但也是一个强项。年轻缺少经验和全局的规划能力，但年轻是华为公司今后发展的巨大优势，未来的10年便是发挥这个潜在实力的舞台。他认为，华为人只要能坚持虚心地学习，就能在年轻的平台上不断进步。

任正非教育华为员工要始终相信，自己能够制造出与国外产品相媲美的机器。这种对自己创造力的自信、对目标追求的执著理念鼓舞着每一名华为人。

ASIC(Application Specific Integrated Circuit，特定用途集成电路)在华为的产品中使用非常广泛。之前，华为的ASIC全部进口，成本很高，且容易受制于人。任正非下决心要研制出具有自主知识产权的ASIC。为此，华为设立了专门的ASIC设计部，并投入了巨大的人力与物力资源。这样，华为每年都设计出几个主要芯片，然后由德州仪器或摩托罗拉等公司加工，以替代直接购买的芯片。华为每次用于芯片规划、投入生产的费用都超过2000万元人民币。截至2003年，华为仅芯片规划一项累计投入就超过40亿元人民币。ASIC芯片设计部门成立3年来，员工达到了300人，成为当时国内最大的芯片设计公司。后来，ASIC芯片设计部独立为“海思半导体”，在完成华为交付的研究任务的同时，开始面向外部市场。这样，华为自己设计的芯片成本在15美元以下，直接采购国外厂商现成芯片则超过100美元。华为一年至少需要数百万片芯片，这样就可以节约上亿美元的成本。这成为后来华为3G产品以优价取胜的关键因素。

目前，华为仅在无线终端领域里取得的相关专利就已达300余项，其中95%以上是发明专利，专利申请数量名列中国第一。依靠强大的研发力量，坚持在核心技术领域进行自主知识产权技术的开发，使得华为的技术突破能力越来越强，奠定了华为在众多领域里的技术领先地位。

2000年以后，华为在越来越多的产品上，开始具备改进并创新的能力。尤其最近几年，在下一代网络(NGN)、3G全系列设备、光网络、ADSL宽带等领域中，华为的技术实力已经在全球进入了第一阵营，并成为市场的领先者。

需要指出的是，任正非坚持自主开发原则，并非是完全封闭地进行自我研制、不吸纳其他公司的科研成果，而是在以自主研发为主、掌握核心技术的基础上，建立广泛的技术联盟，吸取、借鉴、购买已有的先进技术，为己所用，降低开发成本、缩短开发周期。华为在3G技术开发上充分体现了这一原则。

深度开发才能带来优势

产品的深度开发才能够带来真正的优势。

华为的芯片开发能力使华为在终端领域的成本极低，正是掌握了技术优势和成本优势以及华为认为能够把握住用户一些新的需求点，促使任正非下决心进入3G终端产品领域。其实，任正非自己也知道，进入3G终端风险很大，为此，华为是经过了深度评估，认为自己很有把握，才最终决定在终端领域进行突破。2004年年末，华为发布的3G高端手机带摄像头、和弦铃音，功能比较齐全，款式也新颖。此外，华为还提供一种适合老百姓使用的简单3G手机，定价是多数老百姓都能接受的。

2004年3月，华为将移动终端业务独立出来，成立了深圳市华为移动通信技术有限公司(即华为移动)，该公司拥有完整的研发(包括产品规划及品牌管理等)、销售(分为国内和国外)、供应链(包括生产采购)、售后服务机构。但是，一直到2004年年底，移动终端业务在华为内部还在按事业部运作。华为移动负责华为公司所有移动终端业务，包括3G手机、CDMA手机、GSM手机、PHS(小灵通)手机、固定台(即无线固定终端)、数据卡和通信模块。华为移动拥有一个500多人的研发团队，分别分布在国内的北京、深圳以及韩国、美国等研发中心，设立在国外的研发中心，可以随时跟进当地工艺及前沿技术。

2004年11月15日，华为在香港会展中心举行首批商用3G手机发布会，面向全球发布了三款成熟商用的WCDMA终端，成为中国第一家发布3G商用终端的厂商。

其中，WCDMA/GPRS手机U626，支持可视电话、流媒体，拥有强大的娱乐视听功能；U326是一款WCDMA单模手机产品，被称为“开启3G大门的钥匙”；E600数据卡可提供无线高速上网，并可在上网的同时进行语音通话。当天发布的两款3G手机和数据卡已经接到香港运营商Sunday和数码通的订单。2004年12月初，华为WCDMA/GPRS数据卡E600在香港数码通正式销售。随后，华为WCDMA/GPRS手机U626在斯洛文尼亚喜获订单，使华为成为3G终端产品第一个在欧洲市场拓展成功的中国企业。

2004年12月底，华为对外宣布，其终端业务的销售额已达4亿美元。其中，基于CDMA2000技术的450兆和800兆手机在中东、东欧等海外市场热销，前者几乎占据了俄罗斯CDMA450手机70%的市场。

2005年2月14日，全球最具影响力的通信行业盛会3GSM World Congress在法国戛纳开幕，华为以“Go 3G，Go Huawei”为主题，携3G解决方案和终端产品亮相戛纳展。此时，华为的WCDMA手机和数据卡已经正式大批量供货，并已具备了快速推出系列化产品的能力。除了已经发布的三款WCDMA终端产品以外，本届展会，华为还携带了数款外形时尚、功能强大，针对不同目标消费群的WCDMA新机型参展。新推出的WCDMA终端产品主要面向欧洲市场，并基于华为的优势加强与欧洲运营商在产品定制方面的合作。除了WCDMA终端外，CDMA2000系列手机以及无线模块产品也齐齐亮相，而华为端到端的整体解决方案也为运营商提供了更多选择。

配合大型展台，华为还在现场放置了一辆大型演示车，通过现场的演示车提供网络支持，演示丰富的WCDMA业务，多媒体彩铃业务、MMS、VOD、VP、Streaming、WAP浏览、E-mail、游戏等，向参观者和现场客户展现了精彩的3G世界。

此时，华为已经拥有了从小灵通到3G手机、无线上网卡等在内的全套移动终端设备，这标志着华为已经从单纯的通信基础设备供应商转变成为一家覆盖终端产品的综合性通信产品制造商。

在华为的这种发展策略转变的背后正是任正非的精心布局。

一般来说，一个产品市场容量的大小与使用该产品的人群成正比，使用该产品的消费者越多，该产品的产业规模就越大。无线系统设备的产业规模远不及终端产业规模庞大。华为电信产业研究报告显示，中国的电信设备运营商在基础设施上每投入1000亿元，就会创造出2000亿元以上的终端产品需求。终端市场的巨大诱惑显然是华为难以抗拒的。

对于电信基础设备制造商来说，由于有充足的技术积累，在相应的终端产品研发和制造上也有先天优势。中兴通信很早就介入无线通信终端市场，依托通信基础设备的技术和渠道优势，发展移动终端业务，市场反响不错。华为选择进入移动终端领域已有先例可以借鉴。

此外，近年来，国内电信基础设施大规模建设时期基本过去，电信基础设备的投入在电信运营商总体投入中所占的比重不断下降，设备供应商也需要开拓新的增长点。国内每年的电信基础设备投入大致在2000亿元左右，而购买设备的金额还要小于这个数。2004年1月至7月，国内局用交换机市场新增1379万线，而2003年上半年就新增1459万线。电信运营商们投资日渐谨慎，在设备的选择上越来越精明。此外，越来越多的供应商加入，使运营商们有了更多的选择，设备供应商的毛利率已从最初的40%以上下降到20%以下，与手机终端等竞争性消费品的毛利率相当。

在部分电信技术领域里，华为已经具备了一定的领先优势，甚至可以通过开发新的终端产品，引导消费走向、推动市场消费，进而推动运营商对电信基础设备的需求。因此，华为将产品线延伸至终端消费品是一个必然。

2004年3月，华为加大了在小灵通上的研发资金。信息产业部电信研究院的一位专家说，华为此次很可能会在国内重启2003年3月被信息产业部封杀的CDMA 450M。目前，在国内经济较发达地区，CDMA 450M依然存在。而一旦国内市场启动，华为在小灵通业务上将“梅开二度”。

很显然，华为在终端业务上走的是先海外后国内、先3G后2G的路线。2004年，华为在移动终端产品上获得了4亿美元的收入，大部分来自海外。业内专家预测，国内市场以及2G业务的大规模推进将在后期到来，但由于华为没有GSM和CDMA牌照，因此没有办法在国内直接销售自己品牌的2G产品。

广泛合作原则

任正非一直主张资源共享，让有限的资源发挥最大的效用，因为很多产品的技术部分是相通的，这对提高研发效率、降低成本具有积极意义。

在外部，任正非坚持在核心技术上自主研发，但并不排除在一些成熟技术上直接“拿来”。华为的外部技术共享一般通过两种方式实现——收购公司或支付专利使用费。

> 我们的产品开发遵循在自主开发的基础上广泛合作的原则。

在3G技术的研究过程中，经过短暂的市场考察后，任正非发现，美国高通公司已将几乎所有核心技术用若干专利全面覆盖，华为根本无法绕过，即便绕过也根本没有任何优势可言。于是，华为与高通签订了CDMA专利授权使用协议，以支付费用的方式，将成熟技术直接拿来使用，而把自己定位于非核心专用芯片开发。这类芯片需求量大、技术难度相对较小，对降低成本的作用非常明显。

早在1998年，任正非就提出，华为要组织一些跨部门的小团队到美国去收购一些小公司，也可以在美国招聘本土人才搞芯片设计，扩大华为的芯片研发队伍。

2002年年初，华为完成了对光通信厂商OptiMight的收购，大大加强了自己在光传输方面的技术实力。2003年，对网络处理器厂商Cognigine的收购，则大大加强了华为在交换机和路由器核心处理器方面的能力。

利用收购和合作进军美国市场是一种不错的选择，但要想与美国公司平起平坐相当不易，这就要求在资金或技术方面拥有令人信服的实力。

华为美国公司尚未为华为贡献很多的收入，但技术支持功能已经显现。美国硅谷研究所更多的是作为华为技术交流的窗口，担当了更多的合作交流角色。无论是“华为干线DWDM传输系统实现4600公里的无电中继传输，达到业界商用系统最高水平”还是“广东电信2004年163骨干网优化改造项目尘埃落定，华为高端路由器产品NE5000和NE80获突破性大规模运用”，都体现了华为美国公司的巨大功劳。

在华为内部，任正非主张各个部门要充分开放，充分利用各种资源，任何部门和个人都不能将本部门或自己的技术创造、成功的经验甚至失败的教训“藏”起来，不让其他部门使用、学习或借鉴；在不必要的情况下，任何部门和个人都不能为了显示自己的创新能力，放弃使用已有的技术、产品，而自行开发同类的技术、产品，导致重复研发、资源浪费。

研发方向应与产品应用相结合

在基础科学研究方面，华为与拥有贝尔实验室的朗讯还不能相提并论。以华为目前的实力，当前的技术原则仍然是以客户需求驱动为先导，即必须选择那些最有可能成为规模市场主流应用的技术产品作为研发方向，不会也没有足够的能力做超前技术，但在应用层面，华为的技术储备不输给国际大公司。因此，恰当的时间、恰当的目标市场、恰当的研发目标是华为健康成长的关键。

对华为来说，贴近市场是必须走出的一步，应用层面的技术开发，为华为带来了贴近客户的优势。目前，华为投入超过1万人的研发队伍、70%的研发经费，用于基于当前客户需求的产品研发，保证了华为在NGN、ADSL宽带、光网络和3G等领域在全世界都处于同行中第一阵营(来自Gartner等第三方机构的数据)。

锡恩咨询公司总裁姜汝祥认为，细分化的通信市场为华为应用层面开发提供了机会，华为可以通过用户群积累获得局部优势后，再向核心技术提供商靠拢；与此同时，应用层开发也可以挽救华为脆弱的资金流。

1994年，华为开始大规模参加各种国际性通信展览会。任正非等华为高层亦开始频繁考察国际市场、拜访客户，以对即将形成规模性的主流应用形成清晰的判断。

1994年，华为以ETS450D介入无线领域。由于ETS450D一个基站可以覆盖方圆7000平方公里，可以绕过山坡、树林、湖泊、河流，实现快速、高质量通话，最适合地广人稀、交通不发达的地区，且建设成本相对低廉，因此成为中国"村村通"工程的重要组成部分。2002年，该产品已经出口到东欧、俄罗斯、非洲等10多个国家和地区，销售额达上亿美元，到2005年已经发展到了百万用户。

但是，这并不意味着华为只注重短期产品的研究。事实上，华为是将中长期战略预研与短期产品预研结合进行，而大量短期产品研究为华为的战略性产品预研奠定了技术储备基础。

在研制ETS450D、GSM等市场急需产品的同时，华为启动了一项投入空前巨大、耗时长久的战略性预研——3G，这是华为战略预研的第一次尝试。1998年年底，华为成立了第一个联合预研项目组，从此有了专门机构负责战略预研。

10年前，华为就开始研究光纤到户的产品。利用华为的技术，一根光纤进到社区后，可以分成128个用户，但华为一直没有向市场大力推广。直到2004年，光纤到户的成本仍旧太高，很难普及，要进行规模性的网络建设，至少还要10至15年的时间。

在未来3G的网络里面，其核心网是与固网相对发展的网，NGN是属于同一个产品的导向，将来固网的核心网与移动的3G的核心网是可以共享的。之前，华为是通过NGN进行整个国家的覆盖，除提供普通的语音电话业务外，还能提供宽带业务，另外还增加了无线业务。

到2004年年底，中国的固网用户有1000多万，任正非认为，3G时代到来后，部分用户能够享受到高达千兆的接入，因此，固网技术还有很大的发展空间。

任正非预测，在宽带接入方面，除无线业务外，有线业务也会得到高速发展。NGN下载网络其实是无线网络和有线网络发展的核心网，它将无线的网络、有线的网络，以及核心网都整合在同一个平台里面实现。这就是华为下一步发展的重点。

没有产品的成功就没有个人的成功

产品开发工程师的成功来自于创造，取决于所开发产品的成功。什么叫做成功？任正非认为，一个工程师的成功，首先取决于大环境，即华为整个产品的成功，也就是产品被大量销售到市场上并为市场和客户所接受。

华为从事整个无线网络以及蜂窝电话网的研究，包括各种新技术的发展，最重要的是为了形成产品。只有在产品形成以后，每个工程师才能产生自豪感，收入才会有大幅度的上升，才能推动公司的进一步发展。

因此，只有产品的成功，华为才能创造出一个广阔的空间，吸引更多的工程师加入华为的团队，使员工从工程师发展到小项目的经理，再提升为大项目的经理，使现有工程师的提升成为可能。在个人成功的过程中，有的人成功多一些，有的人成功少一些。在总体情况下，只有在成功的时候，才能创造出足够的空间让个人去发挥，个人成功的另一方面——收入水平的提高也直接取决于开发产品的成功。

任正非认为：

> 华为之所以能够获得前所未有的生机，就是来自产品的成功。而作为最早开发交换机的其他厂家，虽然拥有大量优秀的工程师，他们当中有个别人员已经获得成功，但那些厂家没有一个成功的核心产品支撑，在机会来临的时候，没有能够抓住，把大好的发展机会拱手让给了别人。因此，当华为一天天崛起的时候，那些交换机厂家却一天天没落了。

所以，没有产品的成功，就不会有企业和个人的成功。华为个人的成功与整个集体的成功紧密相关。每个华为人的发展空间和个人成就感，都取决于华为创造的产品成功与否、产品商品化与否。

做产品如树人，好人品造好产品

> 一流的品格造就一流的产品。

这是任正非经常对华为人说的一句话，意思是说，华为人必须以高度负责的精神从事产品的研制、生产、测试，华为的产品才能达到一流水平；从某种意义上说，做产品就是树立人品，只有好的人品才能制造出好的产品。

华为的测试人员对这句话的理解最为深刻。

测试是产品的最后一道关卡，关乎产品性能的好坏，一旦不合格的产品被装到网络上，轻则造成故障，重则很可能导致重大事故。面对日益复杂的设备和不断推陈出新的功能，一些自动化的检测设备由于技术条件的限制，并不能全部完成任务，还要依靠部分人力，这是全世界高科技企业都面临的难题。在这种情况下，测试的好坏往往就在“一念之间”，注意力稍不集中，就可能导致测试结果的重大偏差。因此，在重大责任面前，测试工作需要工作人员优良的品格，这种品格可能需要一辈子的积淀和磨砺。

预防谷贱伤农

华为的成本比兄弟厂家高很多，因为华为的科研投入高、技术层次高。1996年以前，华为的科研经费每年都达到8000万元人民币，每年还要花费2000万元用于国内、国外的培训和考察，重视从总体上提高公司的水平。

华为公司人员最多的两个机构是技术研发和市场销售、服务，这两个部门的人员加起来占公司全体员工人数的80％以上。

华为的宽带接入、光传输，包括IP技术，都已进入世界前三名，宽带接入在全球排名第二，光数据ADSL排名第三。

任正非坚信，高投入才有高产出，大规模才能出高效益。因此，华为创立之初就将每年销售额的10％投入技术研发，这与美国众多著名高科技公司在科技研发上的投入比例相同，甚至超过了跨国公司的投入比例。据Gartner的统计，在电信业最不景气的2002年，华为投入研发的资金占销售总额的17％，高于诺基亚、阿尔卡特和思科。但由于华为整体规模尚小，在开发经费的绝对值上远不及跨国公司。1998年，华为的研发经费为9亿元人民币左右，同期IBM投入约60亿美元。2003年，阿尔卡特的研发支出为18亿美元，西门子为22亿美元，华为的研发支出为3.85亿美元。

为了保证足够的研发费用，任正非甚至强迫下属一定要把每年的研发经费用完。

华为在研发上之所以要如此大投入也是不得已而为之，因为信息产业的风险无处不在，企业的兴起与衰落几乎是一夜之间的事情，只有持续不断地加大投入，保持一定的规模，企业才能站稳脚跟。而一个国家也只有不畏艰险，在信息产业上加大投入，才能提升综合国力。

在任正非看来，推动技术进步的市场需求已经启动，人们从温饱开始寻求知识、信息、文化方面的享受，从而使电子技术得以迅猛发展。得到巨额利润的信息产业，以更大的投入引导人们走向新的消费，“这种流动使所有产业都得到利益，互相促进了发展”。由于信息产业的进步与多变，“必须规模化，才能缩短新产品的投入时间”，只有在自主开发上逐步努力提高，中国在21世纪才能有望进入经济大国的地位。

通信产品至少可以使用10年，没有继承性是非常危险的，会造成投资的巨大浪费。华为在产品开发过程中，始终遵循国际上最规范的软件工程化设计方法，增强了产品软件的继承性、可扩充性。工程化设计方法使软件的开发设计摆脱了对人才的依赖，不管谁离开公司，都不会影响公司的正常运作，为产品提供了安全性。

华为的这种大规模的基础建设投资，给公司的资金造成了很大的压力，尤其是员工可支配的资金并不宽裕。虽然华为的工资在国内是属于比较高的，但直到1997年3月，华为98.5％的员工还住在农民房里，许多博士、硕士甚至公司的高层领导还居无定所。“先生产后生活”成为华为人的座右铭。

任正非清楚地知道，若只顾眼前的利益，忽略长远投资，将会在产品的继承性和扩充性上伤害用户，最终失去客户的信任。

> 今天的谷贱伤农与明天的先进目标困扰着我们。要了今天就会误了明天，要顾及明天，今天就难生存。由于公司对员工多年的教育培养，全体员工一致认识到活下去就是胜利。先生产后生活得到大家的谅解。有了这些可爱的员工，相信更多的奇迹会创造出来。

领先要“适度”

任正非重视研发，强调技术的先进性，但绝非一味领先，而是遵循适度原则。也就是说，比竞争对手稍微领先，保持一定的先进性即可，技术过于先进有时候不一定是好事。那么，究竟什么样的领先才算是“适度”呢？任正非认为是能够充分满足用户需求的技术。

华为的产品研究队伍中，从中研到中试、从北研到上研、从信息到电源的人员都很年轻，年轻人少顾虑，敢作敢为，在较短的时间里，华为人把产品提高到了国际先进水平。但是，年轻也是华为最严重的缺陷。很多华为人的好奇心代替了成熟，重视成果，轻视文档，特别是轻视状态文档（生产指导文件、检验文件、用户指导书、培训教材、故障处理路标……）。很多研发人员片面追求技术创新、功能全面，不愿意去做提高可生产性、稳定性、可靠性等的工作。在片面的“技术至上”，甚至将技术领先作为一种资本炫耀的时候，华为内部出现了一个奇怪的现象——在某种复杂的产品上，华为人能够做得很好，但同类技术应用在简单的地方，效果却很差。

这说明了华为人的技术突破能力很强，但把产品真正做好的能力却很差。这就源于华为人价值评价体系的偏差——技术开发究竟是面向客户还是为了满足员工自己的喜好。而早在1993年，郭士纳改革IBM的时候，就已经提出技术开发必须是为了满足客户的理念。另外，华为的技术研发人员严重缺乏成本意识，很多科研人员以为还是在学校写论文、搞实验，没有意识到自己是在进行商品的设计、试验，没有深刻地意识到产品研究要对营销、技术支援、成本、质量负责。

上述种种幼稚现象都说明了华为人还远远不是科学的商人，与竞争对手的差距仍然很大，这种不成熟处处暴露着华为的危机。但是，年轻不是华为原谅自己的理由。

微软同样年轻，为什么人家做得好而我们做不到？

任正非指出，市场没有时间等待华为成长，市场不是母亲，既没有耐心，更没有仁慈。摆在华为人面前的唯一道路是，必须立即推行产品的市场验收标准，必须同时达到日本的低成本、德国的高稳定性、美国的先进水平三项标准。唯有如此，华为才有可能与国际著名公司竞争。

新的产品研究体系的特点：一要保持持续领先；二要以客户的价值观为导向，强化客户服务，追求客户满意度。

ᔕᔕᔕ ᔕᔕᔕ ᔕᔕᔕ

顾客价值观的演变趋势引导着我们的产品方向。

ᔕᔕᔕ ᔕᔕᔕ ᔕᔕᔕ

在选择研究开发项目时，敢于打破常规，走别人没有走过的路。我们要善于利用有节制的混沌状态，寻求对未知领域研究的突破。

为确保客户至上的理念被落实，华为专门设计了客户满意度量表，当客户到公司拜访或华为人去协助客户，结束后都会请客户填写满意度量表。客户满意度量表有多项问题，分值从 1 分到 5 分，5 分代表最满意。量表经过整理统计后，列为个人和部门年度绩效考核的指标之一。

此外，任正非还要求所有负责研发的副总裁要建立每周定时会见客户的制度。他要求研发副总裁们坚持与客户交流，倾听客户的心声，了解客户更多的想法。在任正非看来，华为的进步离不开客户的帮助。只有不断地与客户沟通，才能让客户帮助华为不断进步。

如果嘴上讲 365 天都想着产品、想着市场，实际上连市场人员、客户的名字和电话号码都记不住，这有什么用？

为了让客户享受到最好的培训，华为在深圳总部专门建造了客户培训中心。培训中心设计精巧，设施先进，更重要的是装修豪华，设有休息区、交流区、会议室等多种功能区。

在任正非的强力推动下，华为 CDMA 技术研发，从一开始就从运营商的需求出发，并充分考虑到了移动网络的先进性、实用性，采取了跨越式的技术发展策略，直接进行 CDMA 1X 全系统的开发。CDMA 1X 基站直接采用分组交换平台，全面支持高速分组数据业务，可向 1XEV 平滑演进，且向下兼容 IS95 基站，最大限度地保护了运营商的利益以及建设先进移动网络的需要。

允许对研发体系改革

在 C&C08 的研发过程中，华为逐步形成了研发体系的雏形。

一次，华为与爱立信竞标东南某省的移动通信项目，华为集中了 200 名工程师参与研发，200 名工程师按不同环节严格分工，保障项目测试中不出现任何失误，华为最终中标。不过，华为的工程师事后了解到，爱立信公司参与竞标的技术人员总共不足 20 人。

无线通信是全新的技术领域，华为缺乏研发经验，人均开发效率低，采取人力密集型的体系是华为必然经历的阶段。而当华为向更高层次的研发体系延伸时，有效的研发机制成为提高研发效率、控制质量的关键。更重要的是，在以人力高度密集为特征的研发方式中，研发目标并不能与市场直接挂钩，直接影响了华为的市场反应能力。

任正非反对将研发体系僵化、教条化，主张研发体系的战略队形和组织结构要随着环境变化进行调整和变化。

> 对研发结构继续进行改革是允许的，不能把所有的东西都搞成僵化不变的。

华为的战斗队形是可以变换的。以前，华为过于靠近核心技术，进步快了，而市场却弱了。现在市场变化了，客户需求也变化了，要求华为队伍扁平一点。在攻克新技术时，使队形变得尖一些，集中力量，以期通过新技术获得更多的市场。当新技术的引导作用减弱的时候，要使队形扁平化，多做一些有客户现实需求但技术不一定很难的产品。

1998年，华为与北方电信共同中标某省电信局8000万数据交换合同，这次与国际大公司的合作，促使公司整体管理结构发生调整。

在任正非看来，华为的压强原则与组织结构的方向是一致的。外在形势变化后，华为一定要及时调整组织结构，要根据外部形势来调整团队队形，不能死抱着一定要做世界上最先进的产品的思想，否则只能饿死，成为凡·高的“向日葵”。因此，任正非主张，华为的研发结构调整要完全以商业为导向，不能以技术为导向。他认为此时的华为研发团队规模过大，建议研发系统培训一批团队领导，把管理的团队划小，建立不同建制的团队。这些团队要能够整建制调动，打仗时需要多少个团队就加多少个团队上去，将管理难度降下来。

于是，任正非对此次研发体系改革提出了几点要求：

> 从设计开始构建技术、质量、成本、服务的优势。
>
> 实行集权、分权相结合的矩阵式网络管理体系，以缩短产品的研发周期，延长产品的生命周期。
>
> 华为调整后的研发体系按项目或者产品分为研发小组，采取由研发小组直接向销售经理负责的小组制。
>
> 在研发过程中华为引进集成式研发(IPD)，将研发体系与公司业务流程紧密结合。

在引进IPD的初期，华为的研发系统处于磨合阶段，整个体系还没有完全按IPD运作，实际上存在双轨制上运作的两个研发体系：一个是按IPD的管理体系运行；由于部分流程环节存在不畅的问题，另一个还在按老方法运行。这显然是一种资源浪费。因此，打通流程迫在眉睫。

在任正非的推动下，每个PL-IPMT(产品线)提供一个名单，组成跨部门的小组，先把市场、用户服务、研发打通，然后再把生产、采购捆进来，共同整改流程打通问题，简化程序。这种小组有自主决定权，统管所有的流程，但其职责是理顺产品线全流程,并不是多了一层管理机构。这些跨部门的小组后来成为了华为的PDT,即由来自财务、制造、市场、采购、研发、质量和技术支援等部门的人员组成的一个产品开发团队,PDT负责对产品开发的整个过程进行管理,主要目标是保证产品在财务和市场上取得成功,这是华为的核心支柱。

2004年,华为有30多个大的PDT,100多个小的PDT。2004年,华为开办了第一期PDT经理研讨班,重点是通过理论与实践相结合,以提升PDT的业务执行力和项目管理能力。

华为运作管理部与产品线一起,每季度都对公司所有的PDT排序,公司级排前五名的为红榜,产品线排前三名的为红榜,排名靠后的PDT将受到警告。之后,将逐渐与考核挂钩,并作为选拔干部的参考。

据不完全统计,IPD使华为整体研发成本降低了40%。按照华为北京研究所路由器产品线总监吴钦明的说法,他们在开发路由器时,通过实施IPD,可以把最前端的产品发展趋势直接固化在后端产品开发计划中,并保障在开发路由器时"一板"成功,大大减少了废品率,并缩短了产品开发周期。

IPD也带来了研发人员激励方式的改变。在高人力密度研发时期,基层研发人员实行统一工资制。IPD研发体系要求高度信息沟通,并对项目开发进程做详细记录。研发体系变革后,基础研发人员的个人薪金完全与项目小组的研发成果和个人贡献挂钩,中层研发经理则按项目研发制度和客户满意度进行考评。

研发评价体系要均衡

在研发体系变革后,研发的价值评价体系也要随之变化。任正非认识到,按产品线考核存在一些弊端,很容易出现公司内赚钱的部门趾高气扬,不赚钱的部门垂头丧气的局面,长此以往会对公司造成伤害甚至导致崩溃。作为企业,赚钱是必须的,但是产品进入赢利期的时间不一致,有的产品虽然暂时没有赚钱,却依然关系着公司的长远发展,这样的产品如果不被重视,很可能会造成重大损失。

华为曾经在光网络技术上投入很大,但由于成本居高不下,普及速度慢,一直没有给华为带来什么利润,但任正非坚持做下去,没有放弃。最终,光网络技术使华为的交换机产品获得了重大突破。

华为之所以能超过国内的同业者，是因为华为总是集中优势资源突破一两个产品，而一些被华为超越的对手由于按项目核算，部门之间互不往来，资源分散，很难在某些产品上突破。

任正非认为：

研发评价体系要均衡，华为可以以产品线实施管理，并对产品线进行考核和核算，但一定要防止各个产品线之间割裂，千万不能厚此薄彼。

对整个研发流程的考核，一是考核潜力的增长，二是考核对公司的贡献。潜力的增长是对未来的贡献，现在的贡献就是收益，对整个大团队的考核必须兼顾到这两个方面。对每条产品线的考核不要太偏重利润率，要明确公司给你的目标是什么，给你什么样的资源，要围绕目标来考核。我们要做均衡发展，今天不赚钱的项目也要加大投入，今天赚钱的项目要加大奉献。我们希望长远地生存下去，短期生存下去对我们来说是没有问题，因此，评价要从长远角度来考虑。

任正非主张对华为整体团队要实行动态考核。

一段时间内要眼光短浅一点，多强调奉献，而一段时间内要眼光远大一些，强调潜力增长，交替运用考核标准。要让华为人知道，华为的研发体系内不存在谁养谁的问题，今天是你贡献，明天是他贡献，大家都在贡献。

为此，华为设计了虚拟利润目标，对一些暂时不贡献真实利润的部门进行效益考核。

华为研发系统加班加点已是家常便饭，一度成为华为的"传统"，外界也曾经以此作为学习的榜样。但是2002年以后，任正非并不主张不必要的加班。一些研发机构以员工经常加班为由，要求增加研发人员。为了最大限度地发挥华为研发体系的潜能，任正非一度对研发系统招录新员工实行严格控制，除非研发系统的确需要进人，他一般不给进人指标。

对于研发系统存在加班加点的现象，任正非认为，主要是管理不善，没有做到人尽其用，一部分人的工作量还不饱和。如果这些人认为没有能发挥自己的作用，最终会选择离开华为公司。因此，华为研发系统的管理需要一系列的制度、方法、规划才能实现，这是一门艺术。任正非认为，华为高层管理者的视野可以再开阔一些，但在管理中要注意适当授权，一层一层放松，让每一层都能找到合适的工作量。

任正非要求，公司对研发人员要强调项目目标的考核和工作目标的考核，经理对员工的考核不能简单化，工作时间投入只能作参考，不要仅凭加班来评价职工的优劣。此外，要注意发挥技术体系的女同志的特点，她们在质量、版本管理等方面有自己的优势。

完善竞争性的理性选择程序

华为的研发规划一度难以达到任正非的要求，他认为，这是由于研发规划中缺乏民主作风、不允许大家发言导致的。因此，他要求研发系统要从高层开始广开言路，在研发规划中不要怕有人反对，要多听反面意见，提高研发的准确率。

在任正非的推动下，华为研发系统总体办公室，在每个产品线上都组建了两支队伍——"红军"和"蓝军"，"红军"在对某产品进行规划时，"蓝军"要千方百计钻空子，挑毛病，想尽办法打倒"红军"，即想尽一切办法找出对方研发规划中的缺陷。过了一段时间，"蓝军"中的战士则被调到"红军"做团长，"蓝军"中逆向思维突出、对研发规划挑毛病特别厉害的员工则被逐步培养成为"蓝军"的司令，甚至成为"红军"的司令。

完善竞争性的理性选择程序，确保开发过程的成功。

任正非此举的目的是为了改变华为人在产品研发规划中的惯性思维，打破华为人对现成研发规划路径的依赖。他希望华为人在总体方案的设计过程中，要有比较多的民主作风，把大家的意见进行归纳总结，得出正确的东西后再进行讨论。此前，华为人在产品研发中，总是先干再说，干得不对再改，加班加点地改，造成巨大浪费。他认为，在这一点上，华为的研发人员要向印度人学习，印度人做事虽然慢，反反复复讨论方案，但方案讨论好后再干活，避免了返工。

为进一步提高研发规划的准确性，任正非还要求产品线负责人、研发人员，要到华为的各大地区部搞客户需求调研，量身定制，避免研发规划的盲目性。

第六章　打造职业化铁军

——任正非论华为的人才观

如何打造一支真正职业化的铁军以支撑公司全球化发展，成为公司各级部门和管理者共同的和首要的任务。

——任正非

任正非认为：

华为目前处在全球化发展的关键时刻，公司的战略目标能否有效实现，取决于是否有一大批认同公司文化与核心价值观、具备国际化视野和职业化管理水平、能征善战、敢打硬仗与善打硬仗的各级团队带头人。

干部和后备队培养是全球化的重中之重

为帮助海外一线业务主管理解并掌握人力资源管理的核心理念和基本工具，促进主管人员管理技能的提升，华为人力资源管理部、销售服务体系干部部、华为大学共同开发海外业务主管 HR 实战培训系列课程。该课程包括薪酬管理、职位和任职资格管理、绩效管理以及跨文化高效和谐团队建设四部分内容。

2007 年 4 月至 12 月期间，华为“海外一线主管 HR 实战培训”先后在印度尼西亚、尼日利亚、埃及、摩洛哥、巴西、委内瑞拉、南非等 17 个海外代表处完成推广，培训一线业务主管超过 330 人，平均培训满意度为 89.7%。培训课程邀请代表处代表和业务主管担任主引导员，使用本地化的管理案例；由人力资源专员担任方法论引导员，提供专业性知识指导。

干部和后备队的培养，成为华为全球化发展进程中的重中之重。华为干部队伍建设是华为在这场国际化竞争发展中的“塔山之战”，只有干部队伍能支撑起来，这场竞争才可能获胜。

为了使这种培养规范化、长期化，华为组建了华为大学。华为大学不是学历教育机构，而是一个实战性的企业培训机构，其主要目标是使干部和后备队很好地理解与传承华为的文化与价值观，把握和传承华为成功的核心文化和实践经验，学习借鉴国际先进的管理经验和方法，营造竞争合作的商业环境，建设融洽和谐的国际化员工团队。华为大学对后备队员的培训课程和实践培养的设计与安排，以及学员鉴定中心对后备队员的考核评价，都围绕着这个目标来进行。

在快速迈向国际化的进程中，华为要打造一支真正职业化的铁军以支撑华为全球化发展。为此，华为大学与人力资源部及各业务体系密切配合，不断优化培训内容和方式，改进和提高培训效率、效能。华为大学对后备干部的培养是在华为实践的基础上，瞄准国际前沿，学习业界先进经验，借鉴优秀管理理念、方法、工具，培养出高度职业化、有国际化水准的管理者。

从2004年开始，华为全面推动干部和后备队建设，按照华为干部选拔标准和领导力素质的要求，近千名中基层管理后备干部被选拔出来。2005年以来，系统性的干部培训培养工作全面启动。华为的中基层干部都是来自业务和管理工作一线的优秀骨干。华为干部选拔和培养标准强调责任结果导向，要有好的绩效输出，对于带领团队的干部来说，更是要有优秀的团队绩效输出。不拘泥于资历与级别，按公司组织目标与事业机会的要求，依据制度性甄别程序，对有突出才干和突出贡献者实行破格晋升，但是破格仅仅是种特例，提倡循序渐进。在这种制度下，每个员工通过努力工作，以及在工作中增长的才干，都可能获得职务或任职资格的晋升。华为在公司内部营造公平竞争机制，坚决推行能上能下的干部制度，遵循人才成长规律，依据客观公正的考评结果，建立对流程负责的责任体系，让最有责任心的人担负起重要的责任。

> 我们要求每个员工都要努力工作，在努力工作中得到任职资格的提升。我们认为待遇不仅仅指钱，还包括职务的分配、责任的承担。干部的职务能上能下，因为时代在发展，企业在发展，而个人的能力是有限的，这是组织的需求，个人要理解大局。

在干部政策导向方面，华为提出三优先、三鼓励的政策。

◎ 三优先：优先从优秀团队中选拔干部，出成绩的团队要出干部，不能实现管理目标的主管要免职，免职的部门副职不能提为正职；优先选拔在一线和海外艰苦地区工作的员工进入干部后备队伍培养；优先选拔责任意识好、有自我批判精神、有领袖风范的干部担任各级一把手。

> 不贪污、不盗窃、不腐化。严于律己，宽以待人。坚持真理，善于利用批评和自我批评的方法，提高自己，帮助别人。

◎ 三鼓励：鼓励机关干部到一线，特别是海外一线和海外艰苦地区工作，奖励向一线倾斜，奖励大幅度向海外艰苦地区倾斜；鼓励专家型人才进入技术和业务专家职业发展通道；鼓励干部向国际化、职业化转变。所有干部都要填表自愿申请到海外最艰苦的地区工作，否则不管你是多么优秀的人才均不招聘。

任正非特别强调，要让最有责任心的人担任最重要的职务。华为确立的是对事负责的流程责任制，高层实行委员会制，把例外管理的权力下放给委员会，并不断地把例外管理转变为例行管理。在这种体制下，权力都被下放给最明白、最有责任心的人，让他们对流程进行例行管理。在这个流程中，设立若干监控点，由上级部门不断执行监察控制。

华为选择干部是从两个角度进行考察：一是狭义的社会责任感，二是个人成就感。所谓狭义的社会责任感不是指“以天下为己任”，不是指“先天下之忧而忧、后天下之乐而乐”这种社会责任感，而是指在企业内部，组织目标具有的强烈责任心和使命感要大于个人成就感。以完成任务为中心，为完成任务提供大量服务。有些干部看起来自己好像没有什么成就，但由他负责的目标实现得很好，他实质上也就起到了领袖的作用。在任正非看来，范仲淹所说的那种广义的社会责任感体现的是政治家才能，而华为狭义的社会责任感体现出的是企业管理者才能。

> 我们还有些个人成就欲特强的人，我们也不打击他，而是肯定他、支持他、信任他，把他培养成英雄模范，但不能让他当领袖，除非他能慢慢改变过来，否则永远只能从事具体工作。

在任正非看来，那些没有经过社会责任感的改造，个人成就欲特别强烈的人，进入高层容易导致不团结，甚至分裂。而基层没有英雄，就没有活力。所以，华为把社会责任感（狭义）和个人成就感都作为选拔人才的基础。企业不能提拔被动型人才，允许你犯错误，不允许你被动。

> 管理者应该明白，是帮助部下去做英雄，为他们做好英雄、实现公司的目标提供良好服务。人家去做英雄，自己做什么呢？自己就是做领袖。领袖就是服务。

任正非理解的领袖不重视个人成就感，只注重组织目标的成就感。他说，谁给毛主席发奖章？谁给邓小平发奖章？就是因为领袖没有个人成就感，只有社会责任感，不需要大奖励。当然，英雄也可转化成领袖，领袖就是华为的项目经理、科长、处长、办事处主任等。

任正非让科级以上干部读《胡耀邦平反冤假错案》一书，要求所有干部都要学习胡耀邦胸怀坦荡，对党的事业极端负责任，且敢于坚持真理的精神；要学习革命前辈历经苦难，始至不渝的坚强意志。

> 干部一定要有天降大任于斯人的胸怀、气质。要受得了委屈，特别是做了好事，还受冤枉的委屈。

在华为，当干部是一种责任，一种牺牲了个人欢愉的选择，一种要作出更多奉献的机会。华为要求每一个干部都要有远大的目光，开阔的胸怀，要在思想上艰苦奋斗，永不享受特权，与全体员工同甘共苦。

华为实行的是“任人为亲”与“任人为贤”相结合的干部制度。这里的任人为亲，不是指亲属，而是指认同华为价值评价体系的员工。认同华为文化、价值评价体系，并全心全意为公司服务的干部才能成为华为事业的中坚力量。华为允许一些不认同公司文化，但具有专业知识的人在一定的岗位上工作，但是，不能认同华为文化的员工不能进入中高级管理团队。华为还试图将理解他人的能力、团队领导能力、战略发展能力等能使干部长期成长与发展的DNA复制到每个员工身上。

针对华为干部队伍的现状，华为大学对干部和后备队的培训重点是提升干部带领团队的意识和本领。后备队员们在集中学习和实践锻炼中，要学习如何组织资源、建设流程与平台，学习如何运作团队、积极推进并有效达成团队目标，学习如何关注团队成员成长、有效激励下属，学习如何在跨文化环境中尊重差异、取长补短、凝聚合力等。

任正非对华为大学的作用非常看重，但是，他清醒地认识到了这种集中式培养的局限性。

> 领导力的发展，70％来自挑战性的工作实践，20％来自同事间的互动学习，只有10％来自培训。所以，培训的关键是要学以致用，在实践中不断积累、不断总结和不断反思。

因此，华为各级各类管理干部领导力培训项目的内容和方式，都不是单一的课程或课堂教学，而是包括了理论引导、交流研讨、场景模拟、角色扮演、心得反思等多种形式，还包含了基于岗位的项目实践、导师辅导、为人导师和特殊环节锻炼等多个阶段和环节，以充分调动学员的自我参与、自我管理和自我发展意识。

为检验培训效果，华为人力资源部和华为大学制定和实施了对干部参加员工培训培养工作的分值量化制度，明确干部培训培养工作的指导思想：坚持“实战实用实效”导向和“领导发展领导”原则。也就是说，各级业务部门管理团队是干部培养工作的责任主体，干部培养中除大学培训以外的实践锻炼等培养工作，包括导师制、项目实践等，需要业务部门特别是干部部门切实加以组织协调、检查督促和考评奖惩。

今天，面对全球化竞争更为复杂、更为激烈的形势，我们比任何时候都更需要一支带领华为的千军万马奋斗不息、驰骋四海的领军队伍，各级干部和后备队任重而道远，我们的干部培养工作也任重而道远！

绝不允许“堡垒从内部攻破”

依照华为今天的竞争力和拼搏状态，没有对手能够将华为打倒，华为最大的风险将会来自于内部——来自于内部可能滋生的骄奢淫逸，来自于内部可能出现的贪污腐败，来自于内部可能产生的帮派林立。在可见的未来，打倒华为的可能是华为自己！对此，任正非非常明白：

创业容易守业难，堡垒最容易从内部攻破。我们要时刻保持清醒，强化干部自我监管和组织监管机制的建设，保持干部队伍的廉洁和奋斗，只有这样，公司才有可能长久地活下去。

2007年9月29日下午，华为在总部召开了《EMT自律宣言》宣誓大会，面对与会的200余名中高级干部，EMT成员任正非、孙亚芳、郭平、纪平、费敏、洪天峰、徐直军、胡厚崑、徐文伟集体举起右手，庄严宣誓：

我们必须廉洁正气、奋发图强、励精图治，带领公司冲过未来征程上的暗礁险滩。我们决不允许“上梁不正下梁歪”，绝不允许“堡垒从内部攻破”。我们将坚决履行以上承诺，并接受公司审计和全体员工的监督。

此时，华为正面临非常好的发展时期：行业洗牌，友商重整。2007年，华为总销售额突破160亿美元，海外市场可望达到总销售额的70%，华为的“产粮区”开始从发展中国家覆盖到发达国家，高端运营商已对华为打开大门。

在这种市场形势下，华为能否把握机会并持久成功，关键在于我们的干部队伍。如果我们上不去，要垮就垮在我们内部，所以我们绝对不允许堡垒从内部攻破，塑造一支廉洁、自律与诚信的干部队伍将是我们事业持续成长的基石。

随着华为业务的快速成长，干部个人手中的权力也越来越大，包括EMT成员和宣誓大会所有与会人员。干部权力越来越大，有利的一方面是干部有更好的成长空间，不利的一方面是干部太年轻，大多数是从学校直接进入华为，缺少磨炼。

我们的心理成熟度、自身修养还不够。我们难免受到各种诱惑，尤其是在中国今天这个大环境下，高速经济增长刺激了人们的各种欲望，冲击着我们的价值体系……

在这样的社会大环境下，任正非认为，干部的德行修养显得尤为重要。况且，华为的制度正在完善过程中，到处可以钻空子。在制度不完善和监督制约机制不健全的地方，干部很容易以权谋私。经济收入的改善，很容易滋生惰性，追求物质享受。

外在的诱惑，可能会腐蚀我们整个干部队伍。我们对干部强调自律与诚信、责任意识、使命感，这都是干部的“德”在企业里的体现。

身在高位，更应该严格要求自己，不能利用任何权力为自己和自己的亲属、好友谋利。而要做到自律与诚信的前提是无私，中国有句古话“无欲则刚”，当然这个无欲是需要修炼的。

在有制度的情况下，我们要严格遵守公司的制度；在制度覆盖不到的地方，我们要有自律与诚信意识，要以不损害公司的近期和长远利益来权衡。我们EMT成员已自查了，而且今天宣誓了，下面各级主管要层层自查，层层宣誓。我们这样做是为了华为的明天，绝不允许华为有腐败的空间。

在企业、在团队、在家庭、在社会，责任意识是立足的根本。

我们考察干部的责任意识，最基本的可以从他如何对待家庭看起。对家庭的态度是你最真实和本质的体现。如果一个成年人对家庭没有责任意识的话，何以委以重任？何以相信其会对公司、对客户负责和讲诚信？我们在选拔干部的时候，如果家庭问题处理不好、没有责任感，公司同样可以不任用你。所以，我们希望大家处理这些“小事”的时候，都要担起成人的责任，包括对社区、对周围的人。

华为的发展证明，艰苦奋斗是华为的唯一发展途径，干部更要身先士卒。

在任正非看来，思想上的艰苦奋斗，不是要去吃咸菜，啃萝卜干，而是要去修身养性，三省吾身，与时俱进，提高自身的精神境界，保持开放、进取、持续学习的心态，在全球化的进程中提升自己的职业素养和全球化视野。

任正非强调，各级干部要敢于到全球市场上去建功立业，想守着中国市场、守着舒适区是不可行的。

第一，到艰苦地区是我们考核干部的标准。我们不是有AA吗？AA的条件之一就是你要敢于到艰苦地区去。第二，要在思想上艰苦奋斗。干部不管身处何时、何地、何条件，都要在心中有上甘岭，在思想上保持艰苦奋斗的作风。

只有我们围绕自律与诚信、责任意识、使命感，对各级干部持之以恒地要求，只有我们的各级干部围绕自律与诚信、责任意识、使命感不断修炼，我们才能造就出一支支持公司事业长期发展的干部队伍，迎接公司灿烂的明天。能挡住我们前进的，唯有我们内部的腐败。

注释：

1. EMT(经营管理团队)是华为的领导核心，该团队承诺将所有的力量都聚焦在华为的业务发展上。EMT成员清理自身存在的问题后，团队也会推动和监督各级主管本着“有则改之，无则加勉”的精神，检查并改正自身可能存在的关联交易问题、干部作风问题，并进行持续自我批判能力的建设，使得华为各级管理团队都能成为华为员工可以信赖和依靠的坚强力量。

2. 华为《EMT自律宣言》的承诺：

(1) 正人先正己、以身作则、严于律己，做全体员工的楷模。高级干部的合法收入只能来自华为公司的分红及薪酬，除此之外，不能以下述方式获得其他任何收入：

◎ 绝对不利用公司赋予我们的职权去影响和干扰公司各项业务，从中谋取私利，包括但不限于各种采购销售、合作、外包等，不以任何形式损害公司利益。

◎ 不在外开设公司、参股、兼职，亲属开设或参股的公司不与华为进行任何形式的关联交易。

◎ 高级干部可以帮助自己愿意帮助的人，但只能用自己口袋中的钱，不能用手中的权，公私要分明。

(2) 高级干部要正直无私，用人要五湖四海，不拉帮结派。不在自己管辖范围内形成不良作风。

(3) 高级干部要有自我约束能力，通过自查、自纠、自我批判，每日三省吾身，以此建立干部队伍的自洁机制。

让基层团队有明确的目标

数据显示，中国民营企业的平均寿命只有2.9年。有关机构对200家民营企业的调查结果发现：40%的人正在按照低效的标准或方法工作。这些民营企业失败的根源并不是战略问题，而是执行力问题。

不难理解，企业经营要想成功，战略与执行力缺一不可。执行力是指各级组织将战略付诸实施的能力，反映战略方案和目标的贯彻程度。如果缺少执行力，即便有好的战略，最终也会失败。

基层主管直接带兵作战，如果执行力不到位，就会直接导致公司战略目标的实施不力。闭环管理的方法，可以使基层主管通过传、承、授三方面的教练作用，从目标管理、时间管理、有效沟通、问题处理等方面提高执行力。

执行力的闭环管理六步骤：

◎ 执行力的方向──→目标（明确目标）；

◎ 执行力的基础──→团队（组建有战斗力、能够成功的团队）；

◎ 执行力的前提──→计划（制定周密计划）；

◎ 执行力的手段──→专注（分清工作的轻重缓急）；

◎ 执行力的关键──→贯彻（贯彻执行）；

◎ 执行力的保障──→检查（定期检查、汇报与循环修正）。

执行力需要一个明确目标，只有当目标明确后，执行力才有前进的方向。

对于基层团队，如何形成共同目标呢？首先必须把公司整体经营指标和目标逐层解码到基层团队，形成团队目标，让基层团队有明确的奋斗方向；其次，通过学习和讨论理解，把基层团队的目标分解到每一个员工，使每一个人都有自己的明确目标，清楚自己的奋斗方向。千斤重担众人挑，人人头上有指标，这也使员工的努力能更科学地量化出来。

明确团队目标之后，就必须组建有战斗力、能够成功的团队，同时还必须有执行力很强的人。虽然团队的成员不见得个个是精英，但是个个都应能够充分发挥自己最好的能力，使团队获得成功。这样的团队成员在性格、知识和技能程度等方面可以不一样，但他们都应有一个共同的特点：对自己、对工作有高度责任感。

我们应该相信“时势造英雄”——给员工造势，让他们发挥巨大能量，成为真正的英雄。让他们承担的责任越多，他们就会飞得越高。

计划是执行力的前提。有了这些计划，不仅可以解决“拖”的问题，还可以审视项目进展是否满足期望并降低项目的风险。

要专注，抓住重点。将军如果分散兵力就容易被逐个击败，一个时间关注一件要事，就可能成功。为了解决重要任务未及时完成的问题，应将所有计划任务按照“重要程度”和“紧急程度”两个纬度，设置轻重缓急。第一象限，即A类任务（重要和紧急），要优先完成；第二象限，即B类任务（重要但不紧急），如规划、问题改进措施等。原则是优先完成A类任务，其次B类任务，少做C类任务，不做D类任务。

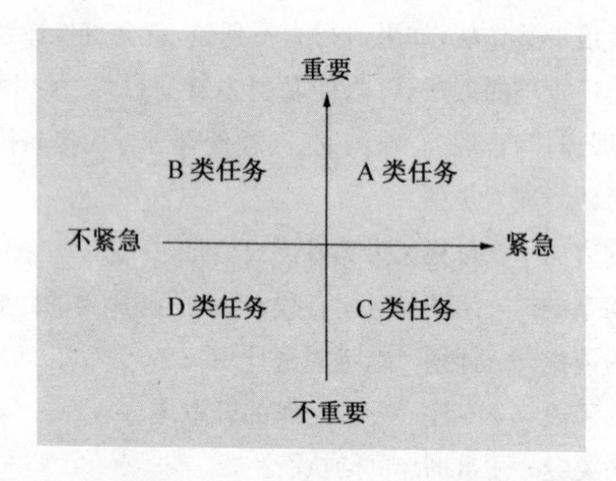

在执行过程中，一定要以身作则，成为带动全局的发动机。

基层主管要不断地认真分析任务的执行情况、团队的问题、员工的状态，找出差距，并进行正确深入的引导。

我们制定了两点措施：1. QAISEE有效跟踪六步骤：Q——明确问题；A——充分讨论；I——现场取证；S——制定措施；E——措施实施；F——效果确认。2. 骨干员工要亲自负责具体任务。在3个月的改进中，我们核心骨干亲自跟踪并解决了多个棘手问题，团队士气也得到提升。

每个计划都应设立监控人，并有效授权给团队核心骨干和其他成员，比如说季度计划监控人、月度计划监控人，同时定期反馈和汇报。一旦发现与目标有偏差，就必须找到问题根源，并提出改进措施。

作为基层主管，要紧盯 A 类任务，不定期地寻求反馈和汇报。检查工作的过程，一是发现与解决问题，二是鼓舞士气。你强调什么，就检查什么，从责任人那儿得到反馈，并与他一起解决问题。千万不要拖延到计划末的时候再检查。

华为一位基层干部总结认为，通过执行力的闭环管理六步骤实践，其团队 2007 年第三季度总共完成了 68 个项目/任务，远超过第一季度的 32 项任务，如果按照人均完成任务数计算效率，则提升了 92%，效益也很明显。

基层主管的领导力就是他的执行力，唯有不断提高执行力，才能实现团队目标，支撑公司长远发展，迈向成功。

职务变动有利于干部快速成长

华为干部轮换有两种：一种是业务轮换，如让研发人员去搞中试、生产、服务，使他真正理解什么叫做商品；另一种是岗位轮换，即让中高级干部的职务发生变动。任正非认为，职务变动有利于公司管理技巧的传播，形成均衡发展，同时有利于优秀干部快速成长。

1996 年，从浙江大学来到深圳的张爱东成为华为（也是深圳市）培养的第一批博士后。张爱东研究的课题是虚拟现实，但他很快发现在华为研究该课题一点都不现实。在华为博士后工作站仅做了一个月的研究，张爱东就接到了 H 产品急需的 T120 协议研究任务，成为开发经理的他开始学习如何进行软件开发项目管理。

1998 年，H 产品进入生死存亡的关头，硬件单板自开发出来后没有进行过一次升级，软件面临国外产品互联互控的问题，整个系统处于不稳定状态。中研总部对 H 产品线进行了一次大调整，张爱东开始负责软件工作。当时，华为在宁夏开了第一个省网，单板时有故障，华为集中所有的软件精英开赴现场，展开“银川鏖战”。此后一个月里，张爱东一个字节一个字节地读程序，与标准作比较，终于发现并解决了这些问题。

回深圳后，张爱东与产品经理协同说服领导，建立大规模、满配置测试环境。在华为 4 号楼的一个房间里，张爱东等软件人员进行了为期一个月的“软件攻关集中营”生活。10 多个人分为开发和测试两组，为集中精力，大家切断

NOTES系统，切断电话线，与外界断绝联系。其间，大家开始学习建立软件版本库，进行版本控制，并首创提出了“虚拟MCU”、“虚拟终端”等大网组建思想，并付诸实施，解决了福建、云南等地的组网问题。从“集中营”出来的时候，熟练的开发人员从2人增加到近10人。

但那之后，H产品在市场上仍然是屡战屡败，华为人则是屡败屡战。同年7月，张爱东接任产品经理和某部门管理办主任，开始扭转市场形势和开发新品，但华为最终在H产品上失败了。

华为人有个传统：项目可以失败，但人不能失败。

于是，张爱东从激烈的一线战场退下来后，领导对其进行了培养。1999年5月至9月，张爱东在研发特别工作小组做技术任职资格工作，制定并推广了工程师级别标准，改进了工作方法，亲身体验到了哈佛MBA教程中“权力与影响”的区别。1999年9月至12月，张爱东被派到浙江催收货款，意志得到磨炼，自信得到增强——从别人手上连钱都拿得到，还有什么做不到呢？催款回来，张爱东随后被调到了X预研项目组，参加新一轮会战。从产品线的摸爬滚打到更高层次的研究开发，张爱东的个人素质和华为团队的战斗力都得到了提高。

为加强研发市场驱动机制的运作，充分理解客户的需求，促进人才在华为内部的轮换和流动，华为每年都要派一些研发干部去市场，让那些一直在实验室里与设备打交道的科研人员到市场一线，直接接触客户，从市场上撤回来的人又回去搞技术。做开发够钻够拼就行了，但做市场不仅要具备够钻够拼，还要斗智斗勇，讲究抓住机会。没有足够的智慧就做不好市场。

在岗位轮换上，华为干部执行副总裁毛生江在华为的职业经历很具有代表性，从1992年进入华为，到2000年升任执行副总裁，8年时间，他的工作岗位横跨了8个部门，职位也呈“波浪形”变动了8次：1992年12月，任项目组经理；1993年5月，任开发部副经理、副总工程师；1993年11月，任生产总部总经理；1995年11月，调任市场部代总裁；1996年5月，任终端事业部总经理；1997年1月，任“华为通信”副总裁；1998年7月，调任山东代表处代表、山东华为总经理；2000年1月18日，任命为公司执行副总裁。

最初提出岗位轮换的是前华为副总裁李一男。李一男当时给任正非写了一个报告，建议高层领导应一年一换，不然容易形成个人权力圈，造成公司发展不平衡。该建议很快得到任正非的认同，并立即在华为推广开来。

任正非主张没有周边部门工作经验的人，不能担任部门正职主管，以此鼓励管理者积累多项业务的管理经验，并促进部门之间、业务流程各环节之间的协调配合。

两条平行的职业通道

儒家思想讲究“学而优则仕”，在传统思想里，“仕”往往代表比较高级的阶层。因此，在企业内，“当官”往往成为众多员工追求的目标。但是，企业里的行政领导岗位毕竟是有限的，而且也不是任何人都适合当领导。那么，该如何给优秀人才一个比较合适的职位并充分发挥他的专长呢？

为此，华为在企业内部设置了两条平行的职业通道：技术类——技术专家；管理类——行政干部。两类职位的级别基本对应，对应的级别享受相同的待遇。这样，华为人就有了更明确的工作目标——选择适合自己或愿意去走的职业上升通道，技术型人才可以走技术专家的道路，管理型人才可以走管理专家的道路。两条职业通道的设置，有效地避免了千军万马走管理独木桥的局面。

由于管理岗位的需求要比技术性岗位的需求好很多，因此，华为在设计职业通道时，有意强化了技术性通道，提倡“学而优则优”，鼓励员工走专业化技术性专家的道路。在行政管理岗位的设置上严格把关，不断压缩编制，尽量做到行政管理人员的规模最小化。另一方面，增加专业及业务工作的队伍人数，引导技术人员不断提升技能，走资深专家的道路。这实际上转变了华为人的观念——以“能力”(角色是否匹配)，而非以“职位”(能否当官)定位自己的职业生涯。

任正非在《干部会议工作》的讲话中明确提出：各领域要重视专家队伍建设，明确职责，树立标杆，技术专家应按任职标准与职位职责要求工作，任职复核没有达到要求的专家将降低到相应等级。

图表：华为的职业发展通道

华为公司为员工提供管理与专业技术双重职业发展通道。员工可以根据自身特点，结合业务发展，为自己设计切实可行的职业发展通道，并通过不断提升自身工作能力，逐步实现职业发展规划。

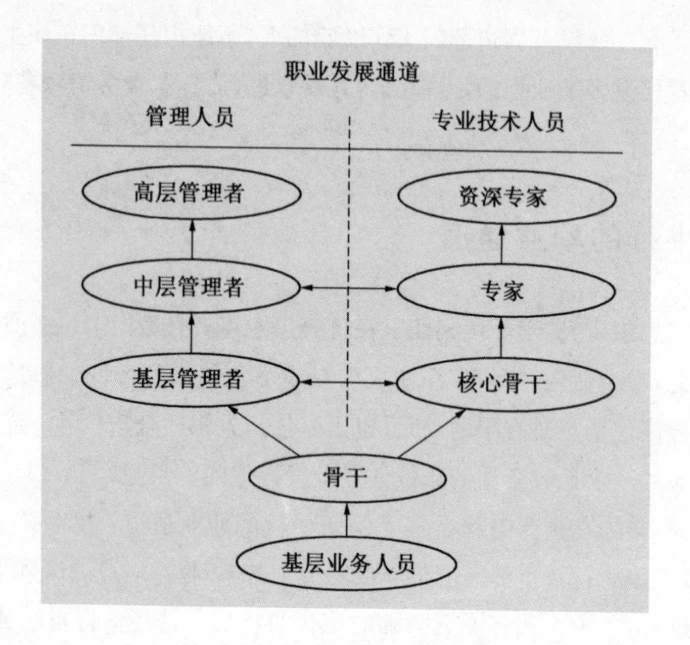

举贤不避亲

任正非主张举贤不避亲。每位华为员工都有责任向公司推荐优秀的合格人才，但华为不主张中层以上干部向公司推荐大学本科以下学历的人员。中层以上干部如果坚持推荐低学历人员，必须承担连带责任。凡被推荐来的低学历人员，报酬给予最低标准，试用期3个月后，经过经营团队讨论通过才可留用，以后每年至少考核一次，如果其成长性跟不上公司的发展（超过半数投不信任票）即可辞退。

任正非所言的举贤不避"亲"，具有更广泛的内涵——他所说的"亲"，是指认同华为企业文化的所有人，甚至包括可以被塑造成认同华为企业文化的人。

> 在任人唯贤与任人唯亲相结合的干部制度下，造就一支融洽的管理团队。我们说这个任人唯亲是指认同华为文化，而不是指亲属。对拥有专业技术的新员工，我们要团结爱护他们，放在一定的岗位上使用，而不因他们暂不具有华为文化而歧视他们。

发展潜力重于经验

很多企业在招聘员工时都非常注重应聘人员的工作经验，在招聘简章上经常可以看到对从业年限的要求。华为公司在招聘、录用过程中，最注重员工的素质、潜能、品格、学历，其次才是经验。

> 人才的发展潜力是最重要的。邀请一名员工加盟我们的团队首先要看他的成长潜力。不唯学历、不唯经验，只唯发展潜力。我们认为一个可发展的人才更甚于一个客户或一项技术，宁愿牺牲一个客户或一项技术换一个人才的成长，因为一个有创造性的人才可以为公司带来更多的客户。

1991 年，胡红卫从中国科技大学毕业。当年华为刚好去他们学校招聘新员工，胡红卫顺利通过了招聘考试，成为一名华为的正式员工，他的工号是 31 号，即华为的第 31 名员工。虽然顺利进入了华为，但胡红卫心里还是有点忐忑不安，他在中国科技大学学的是精密仪器专业，而华为主要做通讯，他在华为工作，显然专业上不太对口。但专业问题并没有成为胡红卫晋升的阻碍。胡红卫从最基层干起，以技术员和助理工程师的身份，参与了华为 C&C08 数字程控交换机的开发，又先后担任了产品试制段长、计划调度科长、仓库部主任、生产部经理等职务。不足 4 年的时间，因能力出众，胡红卫就被提拔为制造部总经理、计划部总经理。1995 年，胡红卫荣任华为副总裁，完成了令人惊叹的职务“大跃进”。

胡红卫从一名“外行”成长为华为副总裁的经历，是华为在用人上不唯经验、注重潜力的典型实例。

华为市场部门有一句话：“天下没有沟通不了的客户，没有打不进去的市场。”为让新员工得到锻炼，华为一度派一些刚从学校毕业，没有任何社会经验，尤其是没有任何市场开拓经验的新员工去做市场，其目的就是要训练新员工陌生拜访、开辟新路的勇气和能力。这与很多公司只相信老员工的能力，对新员工十分不放心，不敢委派任务的做法刚好相反。华为的这种策略使大批新员工在实践中得到了锻炼，一批批新员工在磨炼中成长为经验丰富的老员工。这样，华为员工的整体能力越来越强，综合素质越来越高，避免了新老员工两极分化的现象。

由于新员工经验不足，潜力需要通过培训发掘，华为公司十分重视对员工的培训，每年在员工培训方面的开支都非常庞大。一定意义上说，华为承担了部分社会培训职能。这是因为中国还未建立起发育良好的外部劳动力市场，华为所需要的人才还不能完全依赖于市场来解决；二是中国的教育还未实现素质教育，毕业生上手的能力还很弱，需要培训；三是信息技术更替周期太快，老员工要不断地充电。

虽然外界称华为的待遇很高，但实际上，华为的待遇标准仅是中国业界最佳标准的80%，华为最吸引人才的地方除了相对高薪外，恐怕就是良好的培训体系了。2000年以后，华为每年在新员工培训上的支出就达数亿元。华为在深圳总部以及全国各地甚至海外建立了众多员工培训基地。这种对员工培训特别重视的理念，吸引了包括众多外资企业员工在内的大量人才，也使那些想干一番事业的人愿意加入华为。

除通过培训基地进行员工培训外，华为还有一个普遍培训原则，那就是员工之间的相互培训。员工之间相互培训在华为已逐渐形成制度。

华为还建立了思想导师的培养制度，这是从中研部党支部设立以党员为主的思想导师制度对新员工进行指导开始的。任正非要求，没有担任过思想导师的员工，不得提拔为行政干部；不能继续担任导师的，不得晋升，要把培养接班人的制度固化。

注释：华为公司录用员工规定

各部门如因工作需要必须增加人员时，应先依据人员甄选流程提出申请，经本系统总经理或主管副总裁批准后，由人事部门统一纳入招聘计划并办理甄选事宜。

员工的甄选，以学识、能力、品德、体格及适合工作所需要的条件为准。采用考试和面试两种，依实际需要任择其中一种实施或两种并用。

新进人员经考试或面试合格和审查批准后，由人事部门办理试用手续。原则上，员工试用期为3个月，期满合格后，方得正式录用；但成绩优秀者，可适当缩短其试用时间。

试用人员报到时，应向人事部送交以下证件：

一、毕业证书、学位证书原件及复印件。

二、技术职务任职资格证书原件及复印件。

三、身份证原件及复印件。

四、一寸半身免冠照片两张。

五、试用同意书。

六、其他必要的证件。

凡有下列情形者，不得录用：

一、剥夺政治权利尚未恢复者。

二、被判有期徒刑或被通缉，尚未结案者。

三、吸食毒品或有其他严重不良嗜好者。

四、贪污、拖欠公款，有记录在案者。

五、患有精神病或传染病者。

六、因品行恶劣，曾被政府行政机关惩罚者。

七、体格检查不合格者。经总裁特许者不在此列。

八、其他经本公司认定不适合者。

员工如系临时性、短期性、季节性或特定性工作，视情况与本公司签订“定期工作协议书”，双方共同遵守。

试用人员如因品行不良、工作欠佳或无故旷职者，可随时停止试用，予以辞退。员工录用分派工作后，应立即赴所分配的单位工作，不得无故拖延推诿。

名牌学校前几名学生华为不要

1997年之前，华为由于没有人事权，主要是去人才市场招聘员工，每次都要事先在报纸上打广告，然后派人去现场面试。当时，电信人才异常缺乏，社会上的人才市场根本无法满足华为所需要的专业人才，往往是派去了五六个工作人员，面试了上百人，最终只有五六个符合要求。1998年之后，已经取得了人事权的华为公司，每年都要启动大规模人才招聘计划，在北京、上海、西安等地主要媒体做广告，在著名高校召开招聘专场。1998年，华为一次性从全国招聘了800多名毕业生，这是华为第一次大规模招聘毕业生；1999年，一次性招聘2000名大学毕业生；2000年，总共招聘了4000名毕业生；2001年，华为到全国著名高校招聘最优秀学生，最后实际招聘了5000多人。

尽管华为对人才十分渴求，并在招聘的时候主要集中在著名高校，但华为对著名高校的学生还有个特殊要求，那就是“名牌学校前几名学生华为不要”。这个原则似乎伤了国内众多知名高校“尖子生”的自尊心，但任正非有自己的理由。他认为：

> 名牌高校的前几名学生知识储备很好，能力自然也很强，但是，这种学生对自身的期望也很高，甚至有着严重的自恋、自大情结。经常以自我为中心的学生，到华为后很难适应华为的艰苦生活，很难做到以客户为中

心，很难按照华为的要求，从基层做起，从小事做起。这个规律在华为多年来的招聘经验中已经有所证实。但是，这并非是绝对的，仅仅是华为招聘应届生的一个参考。

任正非这样教导新员工：

> 华为公司是一个以高技术为起点，着眼于大市场、大系统、大结构的高科技企业。以它的历史使命，它需要所有的员工必须坚持合作，走集体奋斗的道路。没有这样一种平台，你的聪明才智是很难发挥，并有所成就的。因此，没有责任心，不善于合作，不能集体奋斗的人，等于丧失了在华为进步的机会。那样，你就会空耗宝贵的光阴，还不如在试用期中，重新决定你的选择。

很多企业更多地注重人的经验，而华为更看重人有无发展培养的潜力、素质、品格。华为认为，对人的选拔，德非常重要。要让千里马跑起来，就得给予充分的信任，在跑的过程中进行指导、修正。从中层到高层，品德是第一位的；从基层到中层，才能是第一位的。选拔人的标准是变化的，在选拔人才中重视长远战略性建设。

华为对人才录用有严格的面试流程，一个应聘者必须经过人力资源部、业务部门的主管等四个环节的面试，以及公司人力资源部总裁审批才能正式加入华为。为保证招聘质量，公司针对主要的岗位建立素质模型，对素质模型中的主要素质进行分级定义，统一各面试考官的考核标准，从而提高面试考核的针对性和准确性。华为有“面试资格人”制度，对所有的面试考官进行培训，合格者才能获得面试资格。每年对面试考官进行资格年审，考核把关不严者将取消面试资格。

为了使大学毕业生能够顺利进入华为，华为还与国内几所在业内具有领先科技水平的高校建立了定向培训关系，院校负责专业知识和技能的培训，华为负责为院校提供经济资助和企业文化培训，学生毕业后到华为工作。华为还在几所知名大学里设有专门的奖学金（奖励学业优秀的学生）、奖教金（奖励教学有突出贡献的老师）、贷学金（帮助那些经济困难的学生），并与中国科技大学、华中理工大学、北京邮电学院等多所名牌高校合作培养研究生。此外，华为还在高校里设立了华为科研开发基金，只要开发的项目对华为有利，就会得到支持。

华为经常让员工进行岗位轮换，在欢送华为电气研发人员去生产用服部门锻炼的酒会上，任正非说：

> 我们公司正在构筑大发展的基本格局，将有更大规模的人才补充，目前我们已经进了大量新员工，正在招聘一大批专业人才，还要招聘大批客户经理、大批产品研发经理。我们将向他们提供优厚的待遇，以支持他们与我们共同构筑今后公司大发展的势头。
>
> ∽∽∽　　∽∽∽　　∽∽∽
>
> 未来3年，我们要抓住中国国内市场大发展的大好时机，同时，我们也要大力开拓国际市场，这为每一位真正想努力发展的员工提供了难得的机会，就看你努不努力，就看你是来真的还是来虚的。你来真的，你就一定会大有希望，希望寄托在你们身上！

华为还成立了华为网络学院，推出华为网络学院教育计划，在全国范围内与高校进行广泛的合作，培养专业务实型网络人才，推动中国网络技术教育。在网络学院，在校学生不出校门就能直接接触到当前实际网络运行的主流设备，学习当前构建中小企业网络使用的主流技术。华为网络学院的目标是按照“专业务实，学以致用”的理念培养实用型专业网络技术人才。

华为网络学院依托其完全自主的知识产权和强大研发实力的优势，确保持续为培训学员提供最前沿的网络技术；网络学院教学用网络实验设备也都采用了华为当前实际网络运行的主流设备产品，并且能够随时更新，以顺应当前技术的发展。

针对实用性和动手能力等当前网络技术教育的关键，华为网络学院的培训课程突出强调了充足的实践机会，培养学生的动手能力。所以，通过华为网络学院的学习，学生不仅可以掌握专业的网络技术，而且将掌握如何利用这些技术设计、构建和维护中小企业网络，成为真正意义上的“实战高手”。

“牛犊精神”

随着华为事业的发展，越来越多的年轻人加入华为的队伍，其中大部分是“80后”的新员工。截至2007年6月30日，华为国内市场部出生于20世纪80年代的新员工已占总人数的1/3。这些“80后”新员工在中国社会市场改革进程中出生，在与国际社会接轨中成长。他们个性鲜明、多元化，既延续了70年代的保守成分，又有敢于突破陈规的创新意识。看着这支日益庞大的新员工队伍,许多人在担心:他们能行吗?不断涌现的优秀"80后"新员工已用事实证明"I can",他们中的许多人甚至已经成为部门的业务骨干,以自己的业绩证明自己的社会价值。

新员工的培养,应该相信他们是可以"艰苦奋斗"的,关键是帮助他们在团队中找到自己的价值所在,找到自己成功的起点,切不可主观地给"新新人类"贴上"不能吃苦"的标签。

年轻员工另一个比较突出的优点是可塑性强。所以,只要我们能从内心真正地去欣赏他们,去信赖他们,我们是能真诚地团结在一起的。那么,我们作为一个整体,必将有所作为!

生于80年代的他们被称为幸福的一代,虽然生活中没有太多的挫折和磨难,也没有亲身经历老华为人在公司创业、发展和海外市场拓展最困难时期的艰辛,但他们在工作中用自己的方式找到快乐和成就感,在华为这个大平台上展现他们这代人的职业化和奋斗精神。但是,这些年轻人身上也存在明显的缺陷。

当然,尽管年轻人有着敢冲、敢说、敢战的"牛犊精神",但也有一些不足之处,确实需要自省。比如说可能在人际理解力、平和心态、日常礼节上有所欠缺。如何培养尊重别人,为别人多考虑,应该也放在一个比较高的层面来看待。

以贡献定报酬,凭责任定待遇

以贡献来评价员工,而不是以知识来评价,这是企业价值评价体系和价值分配体系公正性和公平性的客观基础。

华为尊重有功劳的员工,给他们更多的培训机会,但岗位的设置一定要依据能力与责任心来选拔。进入公司以后,学历、资历自动消失,一切根据实际能力、承担的责任来考核识别干部。

华为每年都会投入庞大的经费和较长的时间对新员工进行培训,培训合格者才能上岗,否则只能继续培训或遭到淘汰。学校和企业是两个性质完全不同的机构,学习成绩、学历是学校评价学生的重要依据,但企业不是如此,华为是以员工的贡献来进行评价的。

> 进入华为并不意味着高待遇，因为公司是以贡献定报酬，凭责任定待遇的。对新来员工，因为没有记录，晋升较慢。

在任正非看来，员工进入华为之前学习的公共基础知识，只是为接受华为的技术培训提供了良好的基础，有知识、有学历并不等于已经具备了上岗的能力，只有通过培训，掌握了相应的技术工具、产品结构、行业标准，具备了华为的企业文化特质，符合了华为的要求，才能正式上岗。

正式上岗的新员工，基本工资是按照其学历、成绩等所受过的基础训练确定的。正式上岗后，员工的工资则是按照其对公司作出的贡献来确定的。这时，华为不再考虑员工的学历、进公司前的学习成绩或经营业绩，只看他在华为能做出什么成绩。学历再高、知识再丰富，不能为华为作出贡献，就不能得到相应的评价。如果一名员工满腹经纶，长期学习，也善于学习，但就是不能作出相应的贡献，只能被华为辞退。

华为内部实行的是淘汰制，员工年淘汰率在5%左右。由于华为也在面临市场的淘汰，故华为要求员工必须适应公司的淘汰体制。

任正非告诫华为新员工，不要希望速成，不要什么都想做，一定要踏踏实实、集中精力重点突破某些领域，成为某个领域的专家。

> 希望丢掉速成的幻想，学习日本人的踏踏实实、德国人的一丝不苟的敬业精神。真正能把某一项技术精通是十分难的。你想提高效益、待遇，只有把精力集中在一个有限的工作面上，不然就很难熟能生巧。你什么都想会、什么都想做，就意味着什么都不精通，任何一件事对你都是做初工。努力钻进去，兴趣自然在。我们要造就一批业精于勤，行成于思，有真正动手能力、管理能力的干部。机遇偏向于踏踏实实工作者。

任正非认为，员工应当是一个“开放系统”，善于吸取别人的经验，善于与人合作，借助别人提供的基础，这样进步才可能会很快。如果员工封闭、自私，怕自己的贡献得不到合理的报酬，害怕自己吃亏，奢望华为的考核十分精确，则需要较长时间才能适应华为的工作环境。

事实上，华为也是一所学校，也在改造人、培养人和造就人。但这所学校与真正意义上的学校在培养目的和方式上截然不同。

在任正非看来，新员工必须在实践中才能发现自己的不足，才能进步。

实践是提高水平的基础，它充分地检验了你的不足，只有暴露出来，你才会有进步。实践再实践，尤其对青年学生十分重要。唯有实践后善于用理论去归纳总结，才会有飞跃的提高。有一句名言，“没有记录的公司，迟早要垮掉的”，多么尖锐。一个不善于总结的公司不会有什么前途，个人不也是如此吗？

不轻易放弃任何一名员工

尽管坚决实行末位淘汰制度，但华为从不轻易放弃任何一名员工。

华为的制度也以适应自由雇佣制来制定。比如，公司每年向每位员工发放退休金，建立他的个人账户，离开公司时这笔钱可随时带走，使员工不对企业产生依赖。越是这样，员工越是稳定，所有的员工都会想办法不要让上级把自己“自由”掉了，上级也担心与员工处不好，因不能发挥他的作用而做不出成绩来。一旦员工要被“自由”掉了，可先转入再培训，由培训大队对员工进行再甄别，看这个员工是不是确实不行，还是领导对员工的排斥、打击，所以领导也不能随意挤对一个员工。任正非认为，对人才没必要一味迁就、承诺，随意承诺是灾难。

在华为，人人都有可能成为优秀者，包括曾经下岗的华为人；在华为，落后和优秀都是相对的，是时刻转换的。

我们要创造更多的机会，给那些严于律己，宽以待人，对工作高度投入，追求不懈改进，时而会犯小错误和不善于原谅自己的员工。只有高度的投入，高度的敬业，才会看破“红尘”，找到改进的机会，才能找到自身的发展。敢于坚持真理，敢于讲真话，敢于自我批判，在没有深刻认识事物的时候不乱发言，不哗众取宠的员工是我们事业的希望。每一个员工都要立足本职，有所作为。那些一心想做大事而本职工作做不好的员工要下岗。

认真负责和管理有效的员工是华为最大的财富。尊重知识、尊重个性、集体奋斗和不迁就有功的员工是华为事业可持续成长的内在要求。华为要求员工要认真负责，但认真负责不是财富，还必须管理有效。市场部集体大辞职开创了华为公司内部岗位流动制度化，使职务重整成为可能，因为创业期间这些员工的功劳最大，连这些元老都能上能下，别人还不能吗？

华为公司容许个人主义的存在，但必须融于集体主义之中。Hay Group公司曾问任正非如何发现企业的优秀员工，任正非说他永远都不知道谁是优秀员工，就像他不知道在茫茫荒原上到底谁是领头狼一样。企业就是要发展一批“狼”，狼有三大特性：一是敏锐的嗅觉；二是不屈不挠、奋不顾身的进攻精神；三是群体奋斗。企业要扩张，必须要具备这三要素。所以，要构筑一个宽松的环境，让大家去努力奋斗，在新机会点出现时，自然会有一批领袖站出来去争夺市场先机。

华为市场部有一个狼狈组织计划，就是强调了组织的进攻性（狼）与管理性（狈）。当然，只有担负扩张任务的部门，才执行狼狈组织计划。其他部门要根据自己的特点确定自己的干部选拔原则。生产部门要是由狼组成，产品就像骨头一样，没有出门就让人扔了。

任正非认为，机会、人才、技术和产品是公司成长的主要牵引力，四种力量之间存在着相互作用。机会牵引人才，人才牵引技术，技术牵引产品，产品牵引更多更大的机会。员工在企业成长圈中处于重要的主动位置。要重视对人的研究，让他在集体奋斗的大环境中充分释放潜能，更有力、有序地推动公司前进。

当然，华为重视人才、重视技术的最终目标，还是要摆脱对这些因素的依赖，进入自然状态的良性循环。任正非说：

> 我们要逐步摆脱对技术的依赖，对人才的依赖，对资金的依赖，使企业从必然王国走向自由王国，建立起比较合理的管理机制。
>
> ∽∽∽　　∽∽∽　　∽∽∽
>
> 对人的管理才是最大的财富。当我们还依赖于人才，依赖于技术，依赖于资金时，我们的价值评价体系就存在一定程度的扭曲，我们还不能说是获得了自由。

给员工当老板的机会

2000年下半年，华为出于发展战略的需要，鼓励内部员工走出华为，开公司、当老板、做代理，帮助有这方面志向的人实现个人意愿。为此，华为出台了《关于内部创业的管理规定》，规定凡是在公司工作满两年以上的员工，都可以申请离职创业，成为华为的代理商。公司为创业员工提供优惠的扶持政策，除了给予相当于员工所持股票价值70%的华为设备之外，还有半年的保护扶持期，员工在半年之内创业失败，可以回来重新安排工作。

任正非把华为鼓励内部创业的目的概括为：

> 一是给一部分老员工以自由选择创业做老板的机会；二是采取分化的模式，在华为周边形成一个合作群体，共同协作，一起做大华为事业。

为做好内部创业工作，华为专门成立了一个名为“员工内部创业办”的机构，李国镒被调到该办公室，专门负责协助内部员工创业，为想创业的员工提供咨询服务。为了将有关精神传达到所有员工，华为还在自己的网站上设立了宣传报道专栏，组建了“创业者俱乐部”，很多希望参加内部创业的员工甚至已经走出华为的创业员工都纷纷报名。在这种氛围下，包括李一男、聂国良两名常务副总裁在内的大批华为人辞职创业。

任正非大力提倡内部创业，不仅仅是为了满足员工们自己想当老板的愿望，更主要的是使华为顺利度过新老领导交替，完成组织转型。

2000 年是华为在 IBM 帮助下进行业务流程变革的第二年，华为正从职能型组织向市场导向的流程型组织转变。这种转变的结果之一是管理层级减少和中层管理编制压缩。内部创业实际上是给一批被压缩下来的中层管理者寻找一个良好出路，这样既保护了离职创业员工的基本利益，也为华为未来发展培育了良好的周边关系，可谓一举多得。

不能让员工贪得无厌

在国内，华为对员工的激励以中长期为主，多采用期权等方式，而在海外，激励主要采取中短期方式。华为在报酬与待遇上，坚定不移地向优秀员工倾斜。华为的工资分配实行基于能力主义的职能工资制；奖金的分配与部门和个人的绩效改进挂钩；退休金等福利的分配，依据工作态度的考评结果；医疗保险按贡献大小，对高级管理和资深专业人员与一般员工实行差别待遇，高级管理和资深专业人员除享受医疗保险外，还享受其他健康待遇。

华为推行在基层执行操作岗位，实行定岗、定员、定责、定酬，以责任与服务作为评价依据的待遇系统，以绩效目标改进作为晋升的依据。坚决执行不断继承与发展，以全面优质服务为标准的管理体系的绩效改进的评价系统。在产品与营销体系推行向创业与创新倾斜的激励机制。创新不是推翻前任的管理，另搞一套，而是在全面继承的基础上不断优化。从事新产品开发不一定是创新,在老产品上不断改进不一定不是创新,这是一个辩证的认识关系。一切以有利于公司的目标实现成本为依据,要避免进入形而上学的误区。

任正非在德国考察时发现了一个有趣的现象:第二次世界大战结束后,德国一片瓦砾,经济困难,德国工会起到了很大作用,工会联合起来要求降薪,从而增强企业的活力。这个故事让任正非很感动,德国工人把企业的生死存亡看得很重,是真正的与企业共存亡。华为公司也规定,在经济不景气时期或事业成长暂时受挫阶段或根据事业发展需要,启用自动降薪制度,避免过度裁员与人才流失,确保公司渡过难关。

不经磨难,何以成才

任正非在《致新员工书》中,告诫那些正在经受培训“煎熬”的新员工:

> 实践改造了人,也造就了一代华为人。你想做专家吗?一律从工人做起,这已经在公司深入人心。进入公司一周以后,博士、硕士、学士,以及在内地取得的地位均消失,一切凭实际才干定位,这已为公司绝大多数人接受,希望你接受命运的挑战,不屈不挠地前进,不惜碰得头破血流。不经磨难,何以成才。

华为专门设有新员工培训大队,还分了若干中队,由不少高级干部包括副总裁担任小队长。新员工要关起门来学习半个月的企业文化,在思想上形成统一的认识。华为以同样的标准来要求所有的学生,从一开始就培养团结合作、群体奋斗的精神,从而推动实现集体奋斗的宗旨。将来在工作中,会更多地放松一些对个性的管理,有了集体奋斗的土壤,个性的种子才能长成好的庄稼。

1996年,华为开始建设人力资源体系(HR)。华为的人力资源管理实行委员会制,分为五级,公司层面由总裁、副总裁组成,二级委员会由业务部门主要决策层的经理们组成,如此往下,直到由事业部的主任、副主任,业务经理组成的五级委员会。公司层面的人力资源部包括招聘配置部、薪酬考核部、任职资格管理部、员工培训部,此外,还有荣誉部和人事处等。人力资源委员会是决策和评价的机构,让每一个人都可以发出声音,通过集体决议来贯彻公正、公平的理念。

华为的人力资源管理总部和各系统干部部是行政与业务关系分离的关

系。各级干部部的行政隶属事业部或职能部门，其个人的业绩考核、工资与奖金由所属部门直接负责，而其人力资源业务管理归人力资源管理总部直接领导。

在这种管理模式下，各级部门的HR们在业务归属上被认为是人力资源总部自己的人，这令他们能够更好地融入人力资源总部中，加强其归属感。此外，各系统的考核指标由本系统的干部部确定，考核更有针对性。

华为很多员工都是“80后”，这代人的个人价值观非常强，有强烈的创造性，但工作上没有受过严格的职业素养训练，职业化水平偏低，比较注重自我，往往过于强调自我，以自我为中心。同时，由于生活中受到的挫折少，遇到挫折时容易受打击。

2000年元月14日，任正非在与身处逆境的员工的对话中讲到：

> “烧不死的鸟就是凤凰”，有些火烧得短一些，有些火烧得长一些；有些是“文火”，有些是“旺火”。它是华为人面对困难和挫折的价值观，也是华为挑选干部的价值标准。经过千锤百炼的干部是第二次创业的希望，我相信会有许多新老干部担负起华为的重任。

华为形成了一套完善的人才培训培养体系。从1997年开始，招聘的大学生报到后，首先要在华为大学进行为期半年的封闭式入职培训，包括军事训练、企业文化、车间实习、技术培训、市场演习等5个部分。新员工到华为后，6点半起来跑操，迟到要扣分，而且还要扣同宿舍员工的分。

负责训练的主教官是中央警卫团的退役教官，训练标准严格按照正规部队的要求，凡是在训练过程中遭到淘汰的员工将被退回学校，经过几轮筛选，幸存的员工才能正式进入公司。

新员工的文化课程有4门，每门课程内容都很多，包括各种文章和案例，有专门的老师授课。每个新员工到华为都要配一个导师，导师就是老员工，给新员工讲文化，讲传统，讲流程，解决思想问题和业务问题。华为对导师有严格的奖惩措施，新员工出了问题要追究导师的责任。新员工看电影也是有讲究的，华为指定了包括《被告山杠爷》这类激发人们对权威治理进行反思的电影。

在培训阶段，华为就给新员工灌输华为文化、价值观。首先进入一个大队，接受企业文化以及相关制度法规的综合性培训。通过普通员工和高层领导多次现身说法，让员工成为一个正直诚实的人，一个有远大理想的人。之后是技能培训。做市场进入培训一营，不是教授销售技巧，而是教授产品。即使是文科生都要接受产品技术培训，从通讯原理开始，直到工厂参观。在华为看来，新员工仅仅自己知道技术原理是不够的，关键是要知道客户在想什么。

大约3个月后，新人就将被派到用户服务一线，与用户服务工程师一起亲身体验什么是客户服务。再过3个月，进入二营，培训内容主要是市场和客户服务，之后会被安排到展厅向客户宣讲产品。

华为禁止员工从事容易上瘾的休闲活动，严禁赌博，凡参与赌博的干部，一律开除。打牌的高级主管一定要处分。华为建立了员工个人信息系统，记录员工在诚信方面的信息，包括奖、罚、晋升、任职能力、绩效等。任何一个新进华为的员工都会被告知：

> 在公司的进步主要取决于你的工作成绩，一个高科技产业，没有文化是不行的。业余时间可安排一些休闲，但还是要有计划地读些书。不要搞不正当的娱乐活动，绝对禁止打麻将之类的消磨意志的活动。为了使你成为一个高尚的人，受人尊重的人，望你自律。

在整个培训过程中，新员工工资、奖金照拿。但很多员工在总结这段漫长的培训过程时用的是这几个字：苦、累、考试多。“如同高考冲刺阶段一般，这一段时间的考试次数远远超过了大学4年的总和。”这5个月的生活就像炼狱，“幸存”下来的人则有获得“新生”的感受，之前取得的学位、资历将都被抛在脑后，变成了一个普普通通、从零开始的华为人。很多学员对这种痛苦的煎熬铭记终生，这也是他们日后向他人炫耀的资本，并受用一生。

> 公司永远不会提拔一个没有基层经验的人做高级领导工作。遵循循序渐进的原则，每一个环节对你的人生都有巨大的意义。你要十分认真地去对待现在手中的任何一件工作，积累你的记录。

任正非时刻提醒华为人，危机并不遥远，死亡却是永恒的，这一天一定会到来。华为的危机以及萎缩、破产是一定会到来的。他告诉华为人，虽然现在是春天，但冬天已经不远了，在春天与夏天要念着冬天的问题。要抽一些时间，研讨一下如何迎接危机。IT业的冬天对别的公司来说不一定是冬天，而对华为可能是冬天。华为的冬天可能来得更冷、更冷一些。华为还太嫩，经过10多年顺利发展没有经历过挫折，不经过挫折，就不知道如何走向正确道路。

> 磨难是一笔财富，而我们没有经过磨难，这是我们最大的弱点。我们

完全没有适应不发展的心理准备与技能准备。

华为通过这种先入为主、强行灌输的方式，使新员工在短时期内就对华为有了强烈的归属感，对华为的企业文化理念有了强烈的认同感，以此培养忠于华为、认同华为价值观念、能够长期服务华为的大批员工。

任正非认为，国际化时代的网络营销专家、技术专家要从现场工程师中选拔。1998年，华为动员了200多个硕士到售后服务系统去锻炼，凡是到现场的人月工资比中研部高500元。一年后，这200多名硕士，有的分流到各种岗位上，有的留下成了维修专家。这些人由于有实践经验，在各种岗位上进步很快，又推动新的员工投入这种循环。这种技术、业务、管理的循环把优良的东西带到了基层。

华为主张没有周边工作经验的人不能当主管，没有基层工作经验的人不能当科长，对基层操作人员实行相对固定的政策，提倡爱一行、干一行，干一行、专一行。基层主要是业务轮换，如研发人员去搞中试、生产、服务，使他真正理解什么叫做商品，只有这样才能成为高层资深技术人员，如果没有相关经验，他就不能被称为资深。

> 在我们华为公司，博士当工人已不是第一次，现在你们也不是最后一次。黄埔军校第一期学员不是最优秀的，延安抗大第一期学员也不是最优秀的，最优秀的都是第四期学员。后来人比先行者更优秀，在于后来人是踏着先行者探索的足迹前进，更容易成功。

∽∽∽　　∽∽∽　　∽∽∽

> 我们现在的很多管理实际上是在发扬20世纪50年代、60年代党的优良作风，那时毛主席提出科技人员要走与工农相结合，与生产实践相结合的道路，如今华为公司的工人、农民就是生产线上的博士、硕士。

这样的培养方式显然是高成本的。这是华为在人力资源上的一个策略，那就是人力资本的增长优先于财务资本的增长。

华为除了招揽国内优秀人才，还不惜重金聘请国外优秀技术工作者。1996年，华为以10万美元年薪，聘请了一批"海归派"开发技术。华为开出10万美元的年薪去挖一位从事芯片研发的工程师，这位工程师到岗后，华为发现他的价值远远大于当初的价格，立刻将其年薪涨到了30万美元。华为如此豪放的人才战术让外资企业都望而生畏。

任正非深知高薪的重要，但同时也注意到，高薪金、高福利对公司的发展并不利。加拿大、北欧都是高福利国家，但先后都遇到了税收过高、福利过好、优秀人才大量流失的困境；日本则因为福利好，工资高，竞争力度不够，导致创新不足。他提醒华为人，一旦富裕起来，可能产生的福利社会的动力不足问题，要提早预防。

任正非深知，吸引人才不仅仅靠高薪，更要靠先进的企业文化。因此，任正非一开始就注重塑造华为独特的企业文化，以文化凝聚人心。他很善于从精神上征服员工，让员工从心底觉得自己所从事的是一项崇高的事业，值得为之奉献。

曾任《华为公司基本法》起草小组组长的中国人民大学前教授彭剑锋接受媒体采访时认为，华为人力资本优先的意识现在看来仍具有超前性。因为信息通讯业是个新兴产业，人才市场上该行业成熟人才比较稀少。从社会零星招聘的效率很低，招聘来的员工因以前的工作经历，对华为的文化认同感存在一定的问题，那些营销行业的业余选手，在中国本土营销市场上沾染了很多恶习，许多习惯性行为改造难度很大，比直接培养大学生成本更高。而刚毕业的大学生如一张白纸，可塑造性强，容易接受公司的价值观和创新性的营销理念与模式，虽然缺乏工作经验，上手较慢，但是一旦进入状态成长很快，潜力很大。因此，华为侧重于直接从高校里大量招聘新人，并加大培训投入。华为最早在企业内部依据业务需求与人才成长特点建立各具特色的培训体系，如在各业务系统分别建立管理者培训中心、营销培训中心、研发培训中心、客户培训中心等。

队形不乱是最后胜利的基础

任正非将华为海外人才分成了几个梯队：非洲是海外人才培训中心，一些在非洲工作过一段时间、有丰富经验的员工被抽调到欧洲、西欧和东太平洋地区部，再从国内调一些人到非洲。

但是，很多华为人觉得非洲经济十分落后，工作生活条件很艰苦，都不太愿意去非洲。为此，2003 年 11 月，任正非要求部下号召、推荐一些人到海外，特别是到条件比较艰苦的非洲去。他对华为高层干部们说：

> 希望你们能放放你们的员工，到那里去，越是艰难的地方，越是能锻炼人，越是成长得快。

他告诉华为人：

> 国际市场艰苦的地方比好的地方更能锻炼人。所以我认为年轻人，在你生命非常旺盛的历史时期，勇敢地走向国际市场，去多经风雨，多见世面，对你一生受益匪浅。

为让华为人踊跃报名去非洲，任正非以自己多次往返非洲的体验告诉华为人，非洲其实并不像很多人想象的那么艰苦。华为南非地区代表部的办公环境比华为现在龙岗总部都漂亮得多，就连华为在美国硅谷的研究所也比不上它。

除去生活条件、交通条件，非洲其他方面的资源其实都优于国内。在任正非看来，长江三角洲地区要追赶南非地区，至少需要10年、20年，津巴布韦就很富有，华为的产品在那里有很大的市场前景。任正非还准备在博茨瓦纳建一个旅游景点，作为将来华为人度假的地方。

非洲市场上的华为负责人并不觉得非洲条件差，甚至害怕华为人都集中到那里去。任正非与胡厚崑到南非开会，胡厚崑在散步时对任正非说，坚决不准南美地区部的同事从南非转飞机，宁可让大家去看看欧洲，“非洲这么好，这么漂亮，都跑非洲来了，我这个南美如何干？”

任正非认为，在海外市场大发展的时候，华为一定要保持一个稳定的组织，不能自己乱了阵脚：

> 这个时候队形不能乱。看看国家的战争片电影，关键历史时刻，一个队伍的组织不乱，队形不乱，就是最后的胜利基础。在队形不散的情况下，我们可能在未来两三年内能在国际市场上取得极大的胜利。希望已经很明显了。

重视普通员工和普通岗位培训

1994年，中国与韩国航空分别发生了两起空难事件，但结局迥然不同。

韩国航空公司的班机降落时已发生事故，几分钟后就会发生爆炸，而在该机组空姐的疏导下，两分钟内全体人员全部撤离飞机。最后一名空姐检查确认机上已无人后才跳出机舱。这时飞机已陷入大火之中，接着是一连串的爆炸。此次空难，虽然发生突然，但是，由于韩国航空公司空姐训练有素，基础技术扎实，没有重大人员伤亡。

中国西北航空公司的图154飞机，在西安机场检修时，自动驾驶仪的偏航回路导线被错接到倾斜控制系统上，而倾斜回路的导线被错接在偏航控制回路上，结果导致160人当场丧生。实际上，如果该飞机飞行前做一次严格的检查，很容易发现那个明显的错误，避免空难事故的发生；即使错误没有检查出来，如果当班飞行员基础训练扎实，处乱不惊，在塔台工作人员的指挥下，果断处理，也可以避免这场惨剧。遗憾的是，这两次逃生的机会都没有被抓住。

两起空难的不同结局，在很大程度上是由于当班员工基本素质的差异，说到底还是基础训练的差距。任正非注意到了这两起空难，并马上联想到了华为的员工培训。

> 如果我们的员工素质不高，培训不严，因经验不足，处理不当，造成全网瘫痪，这是多么可怕的局面。
>
> 我们生存下去的唯一出路是提高质量，降低成本，改善服务。否则，十分容易被外国垄断集团一棒打垮。

任正非去过很多国家，考察过众多工厂，无一不对资本主义国家的员工的敬业精神所感动。他发现，国外企业十分重视基层员工的培训。在员工教育会上，任正非多次提出，华为要赶超发达资本主义国家的优秀企业，就应向他们学习长处。因此，他要求从难从严，从实际出发，各级组织要加强员工培训，在一两年内，通过员工现场报告，将工作水平提高到国际水平。

关于组织中普通成员的作用，本·富兰克林有一个经典的说法：

> 由于缺少一个钉子，浪费了一个铁蹄；
> 由于缺少一个铁蹄，浪费了一个骑手；
> 由于缺少一个骑手，失去了一个口信；
> 由于缺少一个口信，输掉了一场战斗；
> 由于一场战斗的失利，输掉了整个战争。

任正非很清楚，员工培训是一项长期的艰巨任务。为此，他指出：

> 当然，华为要培养优秀的科学家、营销专家、管理家，但我们整个培养工作要实行"低重心"战略，要重视普通员工和普通岗位的培训。要苦练基本功，培养过硬的钳工、电工、厨工、库工……工程师、秘书、计划员、统计员、业务经理……每一个人、每一件工作都有基本功。

在这样的思想指导下，华为建立起了完善的员工培训体系，包括新员工培训系统、管理培训系统、技术培训系统、营销培训系统、专业培训系统、生产培训系统。华为培训集一流的教师队伍、一流的技术、一流的教学设备和环境为一体，拥有专、兼职培训教师千余名。建在深圳总部的培训中心占地面积13万平方米，拥有含阶梯教室、多媒体教室在内的各类教室110余间，能同时实施2000人的培训。教室的装备和设计满足教师授课、TBT（Technologies Based Training）辅助教学等多种教学手段的需要。培训中心还拥有三星级学员宿舍、餐厅、健身房等生活娱乐体育设施，为培训学员提供舒适的学习生活条件。

华为员工培训方式多种多样：课堂教学、案例教学、上机操作、工程维护实习和网络教学等多种教学形式，Multimedia CD-ROM Training、Video Training、Audio Training 等教学手段的采用使培训更加生动、灵活。此外，华为还逐步发展基于 Internet 和电视网络的远程培训，使学员随时随地均可得到华为系统化、个性化的培训。

需要指出的是，华为的培训对象不仅包括公司本身的员工，还包括客户方技术维护、安装等相关人员。

图表：华为员工培训体系

华为公司员工培训体系致力于建设一个学习型组织，促进员工学有所用，不断提高自身技能，从而提升工作绩效。

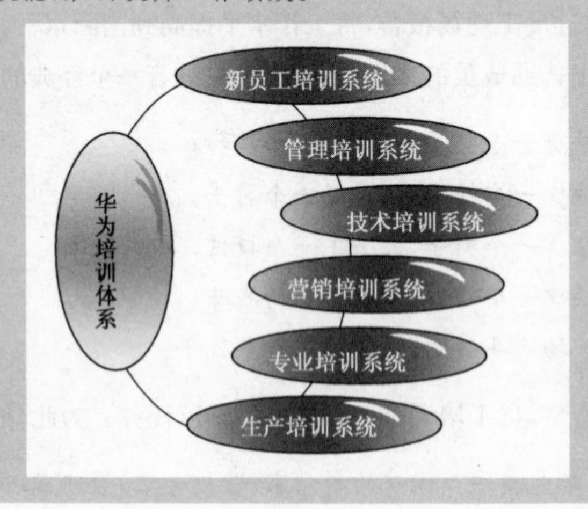

走出去的是好汉，留下来者亦是英雄

在华为的文化里，从华为走出去的是好汉，留下来者亦是英雄。

华为承认并允许员工有个成长过程，对于考核不合格的员工，华为不是立即遗弃，而是采取下岗培训的方式，积极地帮助员工进步。下岗再培训是华为提高员工整体素质的重要手段。对于那些身处逆境的员工，任正非往往会亲自出面与之对话，教育他们经历挫折是最好的锤炼，鼓励其继续奋进，并提醒那些身处顺境的华为人要倍加注意。

2000 年元月 14 日，任正非在与身处逆境的华为人对话时讲到：

> 一生走得很顺利的人，你们要警惕一点，你们可能把华为公司拖进了陷阱……人的一生太顺利也许是灾难，（处于逆境中的员工）你没有注意看，你注意看后你就会认为你受挫折是福而不是灾难。

对遭遇过挫折并吸取了教训的员工，任正非主张可以考虑重用：

> 华为录用干部，最主要是要考虑这个人曾经是不是在外面受过重大挫折，且已经认识到该挫折并进行了改进。

在任正非看来，越是逆境，越能去除年轻的华为人身上的缺点和浮躁，越能激发其潜在的优点和能力。越困难，越乐观，越能成长，越能战斗。

上下同欲者胜

激发员工是管理者面临的一个永恒课题，但在团队能力建设的实践中，不少管理者对员工的工作积极性感到困惑。

> 提升团队能力的基础是关注下属的成长，其中重要的一点是对下属的激励。

华为某产品硬件经理兼资源部门主管，他根据自己前一阶段的工作实践，在这方面有一些体会。2006 年 10 月，他正式接管了一个 50 多人的硬件开发团队。当时团队的状况是：人员分散、异地开发、新员工比例高，入职不到一年的员工比例超过 70%。一般在一个项目组内部，除了项目经理外，几乎都是新员工，但与之对应的任务却很具有挑战性。由于该产品的特殊性，所开发和维护的单板复杂度高，要求员工技能过硬。同时，由于该产品刚刚转产销售，网上问题比较多，维护工作量也很繁重。开发工作需要老员工带队，维护工作也需要有经验、有能力的员工攻关。因此，为数不多的老员工工作压力大、加班多，士气有所下降；而新员工由于辅导力度不够，成长速度缓慢。

在困难的情况下,"如何提升团队的战斗能力,使之与当前的工作相适应"成为该主管要解决的焦点问题。他根据其团队的特点来分析,认为重点是让老员工发挥更大的作用。越是在老员工稀少的情况下,越要重视对老员工的激励,只有把老员工的积极性充分调动起来,才能形成团队的骨干力量,新员工也才能有一个良好的成长环境。

对于团队中的老员工,他们的技术水平相对比较高,但是由于长期作战,工作热情逐步减退。同时,工作对他们来说也比较得心应手,挑战性慢慢在消失,但这些人是团队的技术骨干,对团队绩效起到重要作用,如何激发他们的工作激情是摆在团队面前的最重要的问题。

尊重和自我实现是对老员工很有效的激励。还有就是欣赏个体差异,让合适的人做合适的事;对于技术能力强的老员工,将来的发展方向不一定是非得让他走上管理岗位。

∽∽∽　　∽∽∽　　∽∽∽

对老员工有效的激励手段,对新入职的员工不一定是适用的。新员工需要的是建立共同目标、委派有挑战性的工作、提供学习和提高的机会。另外,调薪也是很有效的激励手段。

新员工是团队的未来和希望,需要细心加以培养,但数量庞大的新员工,从某种意义上来讲,对团队的冲击也是明显的。培养不好,一方面可能导致高的离职率,影响团队士气;另一方面,技能不熟练的新员工一旦走上开发岗位,可能会对产品的质量造成隐患。

根据团队的实际情况,该主管调整了团队的结构,把绝大部分新员工集中在维护项目组,由两个老员工带领,负责转产单板的维护。这样做,可以一举多得:第一,新开发的单板质量有保证,不会出现老员工在排雷,新员工继续埋雷的情况;第二,可以对新员工进行集中式培训,减少了老员工的辅导时间和人力投入,节约了资源;第三,从培养过程的科学性来看,有利于培养员工的实际动手能力,避免了理论与实践分离的问题,能加速其成长。

团队建设和员工的激励,是研发团队主管的主要责任。激励员工的手段是多种多样的,要具体情况具体分析,但都遵循相似的原则:

◎ 要有同理心,站在对方的立场上考虑问题。

◎ 开放心态,注意倾听,不要自以为是,以平等、关注、尊重的态度与下属沟通。

◎ 老员工是团队的宝贵财富，是团队的骨干和支柱，以合适的方式激发他们的工作热情，会达到意想不到的效果。

◎ 加薪确实是激励手段，但不是万能的。

◎ 对待新员工，重点是培养，提供成长的机会。新员工自己感到能力的提升往往是最好的激励手段。

职业化是必然之路

日本管理大师大前研一对"专业"的定义是："他们不单具备较高的专业知识和技能以及伦理观念，而且无一例外地以顾客为第一位，具有永不厌倦的好奇心和进取心，严格遵守纪律。以上条件全部具备的人才，我才把他们称为专业。"

当有员工问，与外国竞争对手相比，华为的最大优势与劣势在哪里？任正非这样回答：

> 华为的最大优势和劣势都是年轻，因为年轻，充满生命活力；因为年轻，幼稚病多，缺乏职业化管理。
>
> 华为曾经是一个"英雄"创造历史的小公司，正逐渐演变为一个职业化管理的具有一定规模的公司。淡化英雄色彩，特别是淡化领导人、创业者的色彩，是实现职业化的必然之路。只有职业化、流程化，才能提高一个大公司的运作效率，降低管理内耗。第二次创业的一大特点就是职业化管理，职业化管理就使英雄难以在高层生成。公司将在两三年后，初步实现 IT 管理，端对端的流程化管理，每个职业管理者都在一段流程进行规范化运作。

职业化，就是需要情感的投入，需要勤奋，需要钻研，需要敬业，需要作出额外的努力。职业化，并不是做到普通的标准就行，而是精益求精，追求卓越，做出不凡的成绩。无论喜欢与否，只要接受了这份工作，就是一种承诺，就要做好。

营造归属感

2004 年中秋，数千华为儿女还奋战在世界各地，不能在中秋月圆之夜与家人团聚。华为国际营销部向每一位常驻或出差海外员工的家属，寄去了一封慰问信和一盒月饼，代表公司对他们节日的慰问及衷心的谢意。这件看似不起眼的小事，却让千万华为人及他们的家属感到无比温暖。

很多华为人的家属以不同方式向华为公司反馈了他们的感想，有一封家属来信是这样写的：

华为公司国际营销委员会：

你们用特快专递寄来的信函和一盒月饼，我们已于9月17日下午收到。礼轻情重，你们寄来的是一片深情和无价之宝，倍感亲切，谨表谢意。

每逢佳节倍思亲，在又一个中秋佳节来临之际，华为公司为我们而想，替我们远在哥伦比亚工作的儿子带来了问候，带来了关怀，我们深感欣慰。儿子能在这样的单位工作，我们十分放心和满意。

一遍又一遍地阅读了公司的慰问信，了解了公司艰苦的创业史，信中把公司的发展与每一位员工的努力、员工家属的支持紧密地联系在一起，我们看了后十分感动。我们的儿子仅仅做了应该做的，我们会不断地鼓励他努力工作，不断进取，为公司的发展尽一份力量。

再次感谢华为公司对我们的慰问！

夏海宁　范玉清

2004年9月19日

要让员工真正尽心尽力地工作，只有高工资是不够的，只有严格的管理也是不够的，还必须为员工营造一个极具人性色彩的工作氛围，使其有强烈的归属感。

华为总是在一些细节上给员工意想不到的惊喜，让员工感觉到作为华为人、生活在华为是极其幸福的。就拿这次邮寄月饼，华为没有花费多少钱，却博得了员工家属们的喝彩，更主要的是，任正非希望通过这次沟通的机会，让华为人的家属更多地了解华为的过去、现在和将来，让他们知道，自己的亲属在一家极其有前途、值得为之牺牲很多团聚时间的企业工作。有了家庭的支持，华为人工作能不来劲吗？

第七章　没有新陈代谢，生命就会停止

——任正非论华为的人力资源管理

任何一个民族、任何一个组织，只要没有新陈代谢，生命就会停止。

——任正非

任正非认为：

在全球化经营的环境下，公司内部管理必须持续保持激活状态，任何时候我们都不能放弃艰苦奋斗。为此，自2006年以来，我们推行“以岗定级、以级定薪、人岗匹配，易岗易薪”的薪酬制度改革，用制度保障奋斗者得到合理的回报，落实公司“以奋斗者为本，不让雷锋吃亏”的价值导向。

主管是人力资源管理第一责任人

公司面临难得的发展机遇，同时也面临队伍快速扩张、国际化运作、跨文化管理带来的人力资源管理挑战。领导者的责任就是“布阵、点兵、陪客户吃饭”。“布阵”就是组织建设和组织行为建设；“点兵”就是干部选拔、使用、考核的路线落实和干部新陈代谢的和谐解决；“陪客户吃饭”就是了解客户需求。“布阵、点兵”的要求就是各级主管要成为人力资源管理的第一责任人。

但从现实情况来看，华为各级主管在团队建设和干部培养上过于依赖干部部等进行管理，思想意识上有意无意会把人力资源工作和业务工作分离开来。为保证各级主管成为人力资源的责任主体，华为认为，各级主管要勇于自我批判，不断反思自己对人力资源管理的认识和态度。各级主管不是独立贡献者，而是要带领团队创造优秀绩效的领头人，有责任指导、支持、激励与合理评价下属人员的工作，帮助下属成长，全面承担起本部门团队选、育、用、留的各项人力资源工作。业务工作和团队管理是靠人去完成的，忽视人力资源管理的责任，把个人成就感置于组织托付之上，沉醉于自己的轰轰烈烈，无心帮助下属成长，是不合格的。

其次，要从文化导向和责任考核上，牵引和推动各级主管重视人力资源管理工作。要把组织建设、带团队、培养后备干部的结果，作为各级主管的重要绩效考核指标。任正非不断重申，不能有效承担人力资源管理责任的主管，要调整其岗位；没有培养出接班人的管理者，不得被提拔。打造优秀的团队，培养后备干部，培育成功的作业规范和积极进取的工作作风，才能保证业务持续成功。这是公司未来可持续发展的长期效益之源。

必须修正今天

1995年12月26日，是毛泽东诞辰102周年纪念日，任正非以一篇题为《目前形势与我们的任务》的发言报告，拉开了市场部"集体辞职"的序幕。递交辞职报告的当天，任正非专门做了动员讲话：

> 为了明天，我们必须修正今天。你们的集体辞职，表现了大无畏的、毫无自私自利之心的精神，你们将光照华为的历史！

1996年1月，华为发生了一件被内部人士称为"惊天地、泣鬼神"的重大事件——市场部集体辞职。当时，华为市场部所有正职干部，从市场部总裁到各个区域办事处主任，都要提交两份报告：一份是述职报告，一份是辞职报告。然后按照竞聘方式进行答辩，公司根据其表现、发展潜力和公司发展需要，批准其中的一份报告。在竞聘考核中，包括市场部代总裁毛生江在内的约30%的干部被替换下来。表面看来，这是华为市场部的一次重大人事变动，而任正非的真实用意却更加深远。在接下来进行的竞聘上岗答辩中，华为根据个人实际表现、发展潜力及公司发展需要进行选拔。

创业时期的华为，依靠的是一群"土狼"的拼命精神，那时的华为，员工基本上没有休息日，晚上加班更是家常便饭。由于长期过度的疲劳，许多高层领导都患上了各种慢性疾病。"华为的成功，使我失去了孝敬父母的机会与责任，也侵蚀了自己的健康。"任正非在《我的父亲母亲》中所讲的这番话，是对华为艰苦创业历史的真实写照。

1995年，随着华为自主开发的C&C08交换机市场地位的提升，华为的年度销售额达到15亿元，这标志着华为结束了以代理销售为主要赢利模式的创业期，进入了高速发展阶段。创业期涌现的一批个人英雄，随着企业的转型，许多已经无法跟上企业快速发展的步伐，企业管理水平低下的问题，也逐渐暴露，成了制约公司继续发展的瓶颈，此次运动的目的正是为了实现从创业期到发展期的新老接替。正如任正非所说：

> 华为初期的发展，是靠企业家行为，抓住机会，奋力牵引，而进入发展

阶段,就必须依靠规范的管理和懂得管理的人才。

华为当时所面临的是整个中国社会的一个普遍问题:官只能越做越大,工资只能越升越高,免掉或降低职位,都意味着彻底的失败。因此,选择什么样的变革模式,尽量减少对人们心理所造成的冲击,是解决问题的关键。集体辞职,让大家先全部"归零",体现了起跑位置的均等;而竞聘上岗,则体现了竞争机会的均等。这种看似"激烈"的方式背后,实际隐含着一种"公平"。2000年1月,任正非在"集体辞职"4周年纪念讲话中,对那次历史事件给予了高度的评价。

> 市场部集体大辞职,对构建公司今天和未来的影响是极其深刻和远大的。任何一个民族,任何一个组织只要没有新陈代谢,生命就会停止。如果我们顾全每位功臣的历史,那么我们就会葬送公司的前途。如果没有市场部集体大辞职所带来对华为公司文化的影响,任何先进的管理、先进的体系在华为都无法生根。

集体辞职开了华为干部能上能下的先河,也被业内视为企业在转型时期顺利实现新老接替的经典案例。

实行人员内部流动和平衡

随着华为在国际市场上的突飞猛进,华为在瑞典、美国、印度、俄罗斯以及中国的深圳、上海、北京、南京等地设立了研发机构,通过跨文化团队合作,实施全球异步研发战略。华为员工队伍也从2001年年底的不到2万人增加到2006年年底的将近5万人。但此时,华为的人力资源管理已经有条不紊,并没有随着人员的激增出现管理断层。这一切都源于华为很早就开始的人力资源与薪酬管理变革。

从1997年开始,华为与国际著名管理顾问公司合作,改革人力资源管理制度,逐步建立起了以职位体系为基础、以绩效与薪酬体系为核心的现代人力资源管理制度,使员工的职业化素质得到了明显加强。

1998年,华为聘请了国际著名人力资源管理咨询公司HAY公司,为华为设计以岗位价值为导向的薪酬体系。这种薪酬体系的最大特点是坚持"与职位分开"原则,即知识能力(投入)、解决问题(做事)、应负责任(产出)。经过这样的评估后,把计算出的每个职位的分数制成职位系列表,得出哪些职位等级是平行的，哪些职位是重叠的，在平行职位上的就可以实行同等薪酬。这样，工资的分配依据不再是年龄、工龄或学历等个人自然因素和历史因素，而是依据个人的职务执行能力和实际贡献。对员工工资的支出不再表现为简单的人工成本，而成为人力资本投资。当时，这是世界上最先进的价值评价体系。自 1998 年开始，HAY 公司每年对华为人力资源管理制度的改进进行审计，找出存在的问题，交给华为解决。在 HAY 公司的帮助下，华为建立了职位体系、薪酬体系、任职资格体系、绩效管理体系及员工素质模型。在此基础上，华为形成了对员工的选、育、用、留原则和对干部的选拔、培养、任用、考核原则。

华为的秘书基本都是大学本科学历，但很多秘书觉得自己的工作就是打杂——收发传真、起草文件、记录会议内容。秘书工作给人的感觉是机械化的重复，不需要太多技能和知识。在这种情况下，秘书本身的技能提高也很慢，甚至很多秘书不愿意提高自己的工作能力，因为秘书本身就缺乏上升空间，缺乏成就感和事业心，一些秘书转行去了市场部门。再后来，人力资源部在专业机构的协助下，制定了秘书任职资格体系，从打字速度、会议通知、会议所用的文具、会议过程管理、做会议纪要的方法、办公室信息管理、各个部门的流程连接等给予了明确的职业化标准。以此标准，还对秘书进行了五级分类。秘书任职资格体系的实施，使华为秘书的职业能力迅速提高。比如，电脑管理、文档管理、电话处理等事务，其他公司需要三个人去做，但华为只需要一个秘书。

随后，华为人力资源部成立了两个任职资格研究小组，开始制定其他人员的任职资格体系。华为从全国各地选出 20 名优秀销售人员，研究小组人员跑到各办事处，与这些优秀销售人员吃、住在一起，看他们怎么拜访客户，怎样谈判，最后制定出一到五级任职资格标准。后来，华为正式成立了任职资格管理部。为了使员工不断提高自身的工作能力和价值，有一个更大更广的发展空间，任职资格管理部设计了管理与专业技术双重职业发展通道，同等任职的管理者和技术专家能享受同等待遇，但研发人员的工资高于同部门的行政人员。员工可以根据自身特点，结合业务发展，为自己设计切实可行的职业发展通道，逐步实现职业发展规划。

1999 年，华为的人力资源管理架构基本成形，绩效管理体系、薪酬分配体系和任职资格评价体系互通互联，三位一体形成动态的结构。这套标准的优越性在于，华为对员工的评价、待遇和职位不一定具有必然的关联性，在摆脱利益连带关系之后，职位只是企业中做事的一个简单标志。去除了官本位后的任职机制，员工上升通道自然打开。

华为人力资源管理的变革，形成了完整的人力资源管理体系和干部培养与选拔体系，同时也使得员工做任何事情都有章可依。

全公司一定要建立起统一的价值评价体系，统一的考评体系，才能使人员的内部流动和平衡成为可能。比如，有人说我搞研发创新很厉害，但创新的价值如何体现，创新必须通过转化变成商品，才能产生价值。

华为强调以流程型和时效型为主导的体系。当时，在流程上运作的华为干部还习惯于事事都请示上级。但任正非认为，已经有规定，或者已经成为惯例的东西，不必请示，应快速让它通过去。执行流程的人，是对事情负责，这就是对事负责制。事事请示，就是对人负责制。华为要简化不必要确认的东西，要减少在管理中不必要、不重要的环节，否则公司怎么能高效运行呢？秘书有权对例行的管理工作进行处理，经理主要对例外事件，以及判别不清的重要例行事件作出处理。例行越多，经理就越少，成本就越低。

我们公司在推行激励机制时，不要有短期行为，我们要强调可持续发展。既要看到他的短期贡献，也要看到组织的长期需求。不要对立起来，不要完全短期化，也不要完全长期化。

在职业化管理和核心业务流程重整的基础之上，从2003年开始，华为又进行组织机构的重大调整，将公司组织向产品线、准事业部制改变，化小利润中心，加快决策速度，适应快速变化的市场，增强“以小搏大”的差异化竞争优势。

各级干部要认清责任

自愿降薪只是大家理解压力传递的一种形式。最重要的是各级干部要认清责任，点燃内心之火，鼓舞必胜信心。

2002年年末，《华为的冬天》发布一年多后，华为遭遇了创业15年以来首次业绩下滑，公司合同销售额从上年的255亿元下降至221亿元，利润更是从上年的52亿元大幅减至12亿元。

2003年春节过后，华为人力资源部收到公司总监级以上干部自愿降薪10％的454份申请书。经审核后，华为批复了其中的362人。华为当时的副总裁洪天峰曾在内部讲话中谈到：“总监级以上干部自愿降薪，并不能在多大程度上改善公司的财务状况，我想，其深层次的意义在于，它体现了公司各级管理者在当前的行业环境下对公司面临的困难的一种认知态度，表达了我们中高层管理者与公司同舟共济、共渡难关的信心和决心。”

同一时期，比自愿降薪谈得更多、更广泛的则是号召广大员工提高人均效益。华为内部统计，按2001年全球各大电信巨头的销售额统计，华为当年的人均销售收入与跨国公司相差3.5倍以上，在公司业绩与利润同时遭受行业不景气冲击的时候，提高人均效益成为华为2002年前后最为重要的管理目标。

2005年10月，任正非在广东省政府一次沟通会上谈到华为自2002年确立的公司愿景、使命和战略时，他认为，经历了2000年IT泡沫之后，世界将来不会缺少高科技，缺少的是自然资源。

任正非说：

> 华为成功的经验在于我借用了中国古时候婆婆给媳妇说的一句话“新三年，旧三年，缝缝补补又三年”，来说明华为对技术与产品的看法。我们认为客户一般都是希望在已安装的设备上进一步改进功能，而不会因新技术的出现而抛弃现在的设备重建一个网。因此，当IT泡沫疯狂的时候，全球的主要通信设备制造厂家放弃了对现有的交换机的研究开发，而全面转入了未来的下一代NGN交换机研究时，我公司仍然继续对传统交换机的研究投入不动摇。不幸的是全世界的运营商在IT泡沫破灭后，都与中国电信的观点一致，不再盲目追求新技术，而更多地考虑网络的优化与建设成本，结果我公司在传统交换机供应量上，成了世界第一。

华为在IT的泡沫中准确地抓住了“上帝之手”。而泡沫经济破灭后，西方公司对过去技术领先的战略产生怀疑，同时财务因陷入紧张而不得不大量裁员。此间，华为却坚信NGN一定会取代传统的交换机，只不过这是一个漫长的过程，在NGN上也一直加大投入往前冲，结果下一代交换机占有率进入了世界前列。至2005年年底，华为传统交换机占全球份额的16%，而下一代交换机则占到世界总量的28%。

2002年，经历了IT泡沫，谨慎前行的华为明确了与西方公司“技术至上”相悖的竞争策略——“质量好、服务好、运作成本低、优先满足客户需求”，从而加速了公司对管理流程、人均效益的再造。一方面，流程再造加速了华为对客户的快速反应能力；另一方面，追求人均效益使华为在拥有中国本土低成本优势的同时得以继续挤压成本空间。

激活“沉淀员工”

截至2007年年底，华为员工在6万人以上。华为于1987年创立，到1990年，员工人数仅为600人。1995年，员工上升至1800人。此后，华为在全国高校内开展了多年的“掠夺性”招聘，至2001年快速壮大到2万多人。2002年前后的电信业“冬天”，华为人员有所收缩。2004年，华为的收益开始回升，人员再次高速扩张至3万人左右。2005年后，华为在海外业务急速攀升，其公司员工规模也随之膨胀。据知情人士透露，2005年至今的3年间，华为内部员工招聘计划每年均为1万至1.5万人，照此推算，目前华为员工在6万人以上。

2007年9月底，华为出台一项调整规定，包括任正非在内的所有工作满8年的华为员工在2008年元旦之前，都要办理主动辞职手续，再与公司签订1年至3年的劳动合同，同时废除现行的工号制度，所有工号将重新排序。所有自愿离职的员工将获得华为相应的补偿，补偿方案为“N＋1”模式。

据了解，经济补偿税前总额＝(N＋1)×员工月补偿工资标准(税前)。但月补偿工资标准不仅仅是员工的月标准工资，还包括员工上年度奖金月均摊值。N为员工在华为连续工作的工作年限，此外还额外支付一个月工资。此补偿标准优于《劳动合同法》的规定。离职员工还将保留所持有公司的虚拟受限股资格。

从2007年9月底开始，华为共计7000多名工作满8年的老员工相继向公司请辞，辞职员工随后竞聘上岗，职位和待遇基本不变，唯一变化是再次签署的劳动合同和工龄。全部辞职员工可获得华为公司赔偿总计高达10亿元。

任正非称，这次薪酬制度改革重点是按责任与贡献付酬，而不是按资历付酬。

> 根据岗位责任和贡献产出，确定每个岗位的工资级别；员工匹配上岗，获得相应的工资待遇；员工岗位调整了，工资待遇随之调整。人力资源改革，受益最大的是那些有奋斗精神、勇于承担责任、冲锋在前并作出贡献的员工；受鞭策的是那些安于现状、不思进取、躺在功劳簿上睡大觉的员工。老员工如果懈怠了、不努力奋斗了，其岗位会被调整下来，待遇

也会被调整下来。公司希望通过薪酬制度改革,实现鼓励员工在未来的国际化拓展中持续努力奋斗,不让雷锋吃亏。

此时,距我国2008年1月1日起实施的《劳动合同法》还有两个月的时间,全国一些地方出现了企业解约潮,有些企业一次性解除数百人的劳动合同,甚至有企业因为《劳动合同法》即将生效而关闭。该劳动合同法规定:劳动者在满足"已在用人单位连续工作满10年"或"连续订立两次固定期限劳动合同"等条件后,便可以与用人单位订立"无固定期限劳动合同",成为永久员工。

有报刊认为,华为在如此敏感的时期,颁布自动办理辞职手续的规定,显然是为了应对《劳动合同法》带来的挑战。但其特殊之处在于,它将通过全员自动辞职、竞争上岗,解决企业人力资源浪费现象,缓解企业人力资源经营中出现的惰性,进一步提升企业的竞争力。

华为对此次"集体辞职事件"是否为了规避新《劳动法》有不同的理解,其辩称:这样做是为了对公司的"沉淀员工"进行激活。

事实上,华为在成立初期为了给予员工长期激励,建立了股权激励计划,员工根据工作时间长短可以获得一定的内部股,由于股权与工作时间以及员工的工号间接相连,这就形成了华为独特的"工号文化"。但随着事业的发展,"工号文化"的弊端也开始显现,部分老员工单凭内部股票就可以每年获得不错的收益,与新员工的收入形成鲜明对比,严重打击了员工的积极性。因此,进行薪酬改革也是华为源于生存和发展压力。

华为内部通告称:我们已进入竞争最为激烈的国际市场腹地,近期发生的全球电信几次大整合将决定未来3年至5年的格局;未来几年也将决定近20年来,我们艰苦奋斗的成果是否会付之东流。当前,大家应更清醒地认识到内外环境给我们的巨大挑战和压力。自2002年来,公司为了避免濒于崩溃,系统性地进行了一系列内部管理机制和人力资源的变革,其目的就是提升竞争活力,适应外部这种压力和挑战,构筑面向未来可持续发展的基础。

作为国内最大的通信设备企业,华为面临着巨大压力:在全球设备市场饱和的大背景下,华为要做的是蚕食爱立信、诺基亚、西门子等强敌的领土,其难度可想而知。而让这家拥有7万员工的企业保持永远前进的步伐,是其成功的要义。

配发股票期权等历史原因,一些进公司较早的员工有了一定的物质积累,却在一定程度上影响了华为"狼性"的发挥。

任正非希望在破除工号制度后，再次体现天道酬勤的发展思路。

不搞终身雇用制

任正非说过：

> 不管是干部还是普通员工，裁员都是不可避免的。我们从来没有承诺过，像日本一样执行终身雇佣制。

新《劳动法》第十四条规定："可订立无固定期限劳动合同"，这显然与华为强调"保持激情"、"危机意识"、"来去自由"的企业文化相左。

实际上，华为为了顺利推行此次改革，已经做了充分准备。

首先，华为开出的解除劳动合同的条件远远高于《劳动合同法》所规定的条件，具有极大的吸引力。华为不仅按照职工连续工作年限支付补偿费用，而且还额外支付一个月的工资；不仅支付劳动合同解除前12个月的平均工资，而且还支付企业职工上年度奖金月平均分摊数额；更重要的是，解除劳动合同之后，所有离职员工都可以通过竞争上岗，重新找到工作，在此期间他们持有的虚拟的公司受限制股份仍然保留。换句话说，虽然与员工解除了劳动合同，但是仍然与员工保持股权关系。

其次，华为实行集体主动辞职制度，包括华为董事长任正非在内的所有符合条件的职工都向公司提交了自动辞职的申请，这使得这项人力资源制度改革具有强烈的道义色彩。在优厚的解除合同条件面前，职工面临的选择并不多。如果借此机会重新选择自己的职业，将会付出巨大的机会成本；反过来，如果选择再次竞争上岗，不仅表现出了对公司的信心，还体现出了对公司的忠诚。恰恰是这种科学的制度设计，让华为的人力资源管理者可以从容地调整自己的人力资源结构，重新建立企业人力资源运营和储备模式。

华为的做法显然具有特殊性。假如用人单位不能按照《劳动合同法》的规定支付经济补偿，或者不能为劳动者重新提供就业岗位，那么，直接解除劳动合同就是最理性的选择。

很显然，在固定期限劳动合同与无固定期限劳动合同之间，劳动合同当事人争取的不仅仅是双方之间的利益，还包括政府依照法律规定应该提供的社会保障。在这种情况下，单靠劳动合同当事人双方相互谈判来实现权利和义务的平衡显然十分困难。华为利用解除合同的权力，规避有关法律规定，显然是不得已之举。

备受关注的华为“辞职门”事件在2007年12月底终于落幕，华为人力资源部2007年12月29日向全体员工发布的一份《关于近期公司人力资源变革的情况通告》将此次事件总结定性为“7000人人事变革事件”，并称这将与“1996年市场部集体大辞职”、“2003年IT冬天时部分干部自愿降薪”一样，永载华为史册。

据通告透露，此次人事变革并非如外界所传是“强制性”的，而是允许员工进行两次自愿选择。这一决议于2007年11月26日获得通过到现在，没有任何员工提出要退回N+1经济补偿、领回原来的工卡，使用原来的工号。

该通告中明确指出，此次事件共涉及6687名高中级干部和员工，同时声称，任正非曾在此次人事变革活动中提出退休申请，但经过董事会的挽留协商，任正非将继续返聘担任CEO的职务，从12月14日开始重新上任。该通告中还表示，所涉及的6687名高中级干部和员工中，6581名员工已完成重新签约上岗，共有38名员工自愿选择了退休或病休，52名员工因个人原因自愿离开公司，16名员工因绩效及岗位胜任等原因，经双方友好协商后离开公司。

第八章　胸怀大志，放眼世界

——任正非论华为的国际化

我们这艘目前不大也不强的战舰已经驶向国际商战的汪洋大海，经历着国际竞争的惊涛骇浪，我们在全球上百个国家和地区的运营、数千名国际化和本地化的员工队伍、跨文化跨种族的管理与融合，都已经实实在在地对我们的管理工作、对我们的干部队伍提出严峻的挑战，如何在当前和未来全球竞争格局中生存、发展？我们应该胸怀大志，放眼世界，超越自我。

——任正非

2006年，华为技术全年销售收入达到656亿元人民币，海外销售额所占比例突破65%，其中，在移动网络、固定网络、业务软件和IP等业务领域表现出良好的增长态势，综合优势逐渐显现。华为规模性突破高端市场，得到包括Vodafone、Telefonica、KPN、FT/Orange、希腊电信、意大利电信等在内的多家世界一流运营商的认可。截至2007年1月，华为服务于“全球电信运营商50强”中的31家，并实现规模性进入日本、欧洲、美国等发达国家市场。华为在全球累计获得78个3G商用合同，WCDMA合同数目达到47个，其中有16个来自欧洲。

从以上数据我们不难看出，正如任正非说言：

> 华为这艘目前不大也不强的战舰已经驶向国际商战的汪洋大海，经历着国际竞争的惊涛骇浪。

国际化是任正非多年以来梦寐以求的目标，但是华为的国际化不是噱头，不是赶时髦，而是生存、发展之必须。在任正非看来：

> 华为不尽快使这些产品覆盖全球，就是投资的浪费，机会的丧失。

从华为的发展轨迹来看，与国际接轨、实现全面的国际化是华为二次创业的主要任务，是华为的管理体系、企业文化、组织架构、市场营销、技术研发等全面提升，达到国际水平的过程。任正非预计用10年时间完成这一过程，即从1998年到2008年左右。二次创业后，华为的管理水平达到国际标准，市场营销跨国化，具有国际竞争能力，在多个产品、领域达到世界著名公司同期水平，在资本构成上也具有国际化特征，成为一个真正国际化的企业。

从市场角度来看，在传统电信设备市场风光不再、3G市场前景尚不清晰之际，华为改变以往的经营思路，希望通过专业化和国际化来维持其领先形象。

早在1995年，任正非就清楚地认识到，国内通信骨干网络已经基本铺设完成，国内电信基础设施大规模投入期即将过去，届时，国内市场将很难支撑华为这么大规模的企业发展,华为必须找到新的快速增长的市场空间,向国际市场进军是必然的选择。

管理上,与国际巨头在部分市场上直接竞争的单一市场格局下自发形成的创业型管理体系,已不能适应国内外市场左右开弓、与国际巨头在各个市场层次上全面竞争的复杂格局中的成长型企业的发展要求;技术上,原来的模仿、跟进,已经发展到了与国际巨头并驾齐驱,甚至在某些领域适度领先,进入世界产业的第一阵营。

这一切都决定了,华为不能仅仅局限在国内,必须走出去,在全球市场上打拼。因此,在管理上必须真正与国际巨头看齐,技术开发必须与国际巨头同步甚至领先,企业文化必须重新构造,人才必须要更加多元化,广泛吸纳世界顶尖人才。

研究华为的国际化可以发现几个明显的特点:

◎ 发展的必然需求拉动,不是为国际化而国际化。

◎ 有足够的资本实力支撑,这来自于多年来国内市场持续大规模增长,使华为渡过国际市场迟迟没有大规模启动的难关。

◎ 国际化是立体的、全面的一个系统工程,不仅仅包括抢占国际市场,雇佣一些国际员工,还包括管理体系、研发、文化建设、资本运作等所有企业发展要素与国际一流企业看齐。职业化管理和国际化人才是成为世界一流企业的必要条件,那些以为抢占了一些国际市场份额,雇佣了一些外国人,设立了几个境外机构就认为自己是国际化的企业是极端幼稚的。

◎ 华为的国际化是以拥有自己的核心技术为前提的。华为以自主研发的设备抢占国际市场,赚取核心技术所带来的最大比例的利润,而不是购买其他厂家的核心设备,简单组装之后出口。在与众多国际巨头结成广泛合作时,华为因其技术的先进性,摆脱了对国际巨头的技术依赖,在这种情况下,华为与之缔结的合作才是真正平等的、双向的,才是真正的优势互补。企业的技术能力代表着与合作企业交换许可的话语权。从这个意义上说,核心技术是华为国际化过程中最为关键的因素。

华为国际化采取引进来与走出去相结合的策略。引进来,即引进先进管理经验、国际人才、世界先进技术;走出去,即参加各种大型展览,在海外设立研发基地、办事处,开拓海外市场等。

华为的国际化不是西方企业巨头的国际化,而是华为特色的国际化,是中西智慧结合之下的国际化。华为的国际化过程实际上就是在企业规模和管理上，迅速与跨国巨头缩短距离的过程，当然，随着华为越来越国际化，其与跨国公司相比的成本优势也在迅速弱化。目前，华为的研发已经基本实现了全球化，这意味着在研发领域，华为的成本与跨国公司已经基本持平。目前，成本优势更多体现在制造、营销与服务环节。但是，终有一天，华为的这些成本也会与跨国公司持平。到那时，华为只好向管理要效益，这样管理水平的高低，将直接决定华为的成败。也只有到那个时候，华为才真正与跨国公司形成全面竞争。当然，也只有到那个时候，华为才能称得上是一家真正国际化的公司。

寻找生存平衡

1995年11月16日，在第四届国际电子通信展华为庆祝酒会上，任正非表示，华为正在奋力开拓国际市场，努力扩展生存空间。

1996年，华为员工达到2000多人，绝大部分员工受过高等教育，硕士、博士生占60%以上，而且华为每年都要在国内名牌大学选拔毕业生。华为走过了8年艰难的创业历程，已渐渐成熟，成为一个颇具影响力的高科技企业。

1996年3月16日，在国家邮电部组织的用户接入网研讨会上，华为汇报了自己研制的产品。当时参加该会的有朗讯、爱立信、诺基亚、富士通等5家公司。华为的产品被评价为“适合中国市场的接入网产品第一名”。任正非随后宣称，华为将大规模地推出包括HONET用户光纤接入网在内的新技术、新产品。同时，华为开始大规模进行硬件设施建设。这一年，华为建设了一栋超大规模的工厂，厂房长300米，宽180米，总面积达13万平方米。同时，华为投资2.5亿元，引进了先进的加工生产设备，以及与研发、制造相结合的各种调试、测试设备。另外，华为还投资1000万元人民币引进了一套MRPII的软件。任正非希望通过对该管理软件一两年的消化，使华为的企业管理水平和生产管理水平达到国际水准。

在做好这些准备工作的同时，任正非把华为的国际化问题提上了议事日程。

1996年5月2日，任正非在深圳华为通信股份有限公司与云南电信器材厂通信电源合作签字仪式上，发表了题为《加强合作，走向世界》的讲话，正式提出华为实现国际化的规划：

在下一步的发展中，我们已制定了第二次创业规划，我们将在科研上瞄准世界第一流的公司，用10年的时间实现与国际接轨。这个目标我们分三步走：3年内生产和管理上实现与国际接轨；5年内营销上实现国际接轨；10年内科研上实现国际接轨。

任正非所理解的国际化，不是在国外建几个工厂，把产品卖到国外去就够了，而是要拥有5个至6个世界级的营销专家，培养50个至60个指挥战役的“将军”。

1998年，任正非将“成为世界级领先企业”写进《华为公司基本法》，表达了要走向国际化的雄心。

2001年，国内电信运营商分拆，加上对小灵通的判断失误，华为面临着企业发展历史中的一个重大困境，海外业务的迅速增长却成为华为走出电信“冬天”的关键因素之一。

2003年，任正非在动员华为人奔赴海外开拓市场的会议上说：

希望大家在这一方面也多做努力，这样的话，我们东方不亮西方亮，黑了北方有南方，我们公司的生存平衡就会变得更加好。

Gartner亚太区副总裁Robin Simpson在2003年告诫国内的电信制造企业：仅仅依靠国内市场，将来是危险的，因为将来不会有仅仅依靠区域市场存在的电信设备商，所有的电信设备商都必须是国际化的。

与海外友商共存双赢

在海外市场拓展上，我们强调不打价格战，要与友商共存双赢，不扰乱市场，以免西方公司群起而攻之。我们要通过自己的努力，通过提供高质量的产品和优质的服务来获取客户的认可，不能由于我们的一点点销售来损害整个行业的利润，我们决不能做市场规则的破坏者。

从国际电信运营商，尤其是发达国家的电信运营商来说，让华为成为自己的供应商，可以在一定程度上摆脱那些百年老店的长期掣肘，让自己在采购设备的时候有一个压价的砝码。中国人说，店大欺客。在国际贸易中同样如此，那些掌握了核心电信技术、垄断了电信设备市场的老牌电信设备提供商，在服务电信运营商，尤其是一些规模不够大的电信运营商的时候，难免会有架子，而一旦某些电信运营商过于依赖某个电信设备制造商，就会很被动。比如，电信设备制造商会提高价格，而电信运营商别无选择，只能被动接受；电信设备制造商的服务质量和响应速度跟不上，电信运营商也只能忍气吞声。因此，任何一个电信运营商都不希望自己过分依赖于某个电信设备制造商，最好的状态是，保留几个实力相当的电信设备提供商，让他们互相竞争，自己坐收渔利。这就是华为发展壮大的契机。

但是，华为能否挤入国际电信运营商的视野，最终取决于华为综合实力的增强，技术研发能力的飞跃，市场开拓与服务能力的提升，供应链的优化，管理的国际化，这些都是重要因素。

在某些时候，国际电信运营商适当推出华为这家后起之秀，高调发布与华为合作的消息，一定程度上是向那些老牌电信设备制造商发出这样一个信号——不要再向我们耍横，在遥远的中国，已经有了一家可以替代你们的合作伙伴，再让我不高兴，我们可以把你们从我们的供应商名单中去掉。

但是，由于华为的产品尚不能完全取代国际老牌电信设备制造商，这些国际电信运营商还不能把自己的路子堵死，不能把与国际老牌电信设备制造商的关系搞僵。

华为也很清楚自己的角色，所以，在最初进入欧洲电信市场的时候，是从与当地小型电信运营商合作开始的。这些小型电信运营商长期受到大型电信设备制造商的垄断折磨，一旦发现华为可以代替那些令自己头疼的大佬们，怎么不欢欣鼓舞呢？

但是，当时华为扮演更多的是配角。随着华为市场拓展的深入，服务质量的提高，逐步获得了主流电信运营商的信任。华为的角色由配角逐步上升为可以与众多百年老店平起平坐的主流供应商。

任何事物都有两面性。正是由于这种复杂关系的存在，华为才能够在国际市场上迅速成长起来，但华为不可能完全取代所有的主流电信设备提供商，其市场份额也不可能无限制地扩大，最终只能在一个动态平衡中维持自己的市场份额。任正非显然对这个局面早有预见，他在华为创始的时候就说，世界电信市场三分天下，华为必有其一。

华为的国际化进程中，还体现了“竞合”的思路。合则通，“竞合”已成为强者公认的生存法则。“竞合”尤其是合作，已成为本土企业国际化战略的最优选择。一方面，通过展开不同层次的合作，有利于开拓海外主流市场；另一方面，合作有利于资源的充分利用和博弈的合理化。

利益共享只是竞合的单一层面内容，而非全部，华为对此颇有领悟。华为的一系列“远交近攻”充分诠释了竞合的深度含义。比如，华为通过让利吸引西门子与华为3Com的合作，在利益分配上与西门子和3Com两家通信巨头达成平衡，其专注开拓主流市场的长远谋划则具有远见卓识。

关于合作战略的多层次演绎构筑了华为的强大生命力。比如，技术层面的深入合作，华为与摩托罗拉、英特尔、SUN、微软等跨国公司建立联合实验室，开发应用性先进技术，与松下和3Com建立了“3G开放式实验室”；与摩托罗拉捆绑销售的合作模式，在无线通信领域，华为与摩托罗拉强劲的基站系统和薄弱的交换系统正好形成互补，双方后来在这方面进行了捆绑销售；直接合资模式，西门子既与华为在中国成立了针对中国市场的TD-SCDMA合资公司，同时也在欧洲帮助华为销售其数据通信产品。

在海外，华为以合资建厂方式通过当地化生产，嵌入当地市场。从1998年开始，华为先后在俄罗斯、巴西、埃及等国家建立合资厂。在俄罗斯市场，与当地合作伙伴将产品成功应用到周边的10多个独联体国家。华为还在沙特、伊朗、印度等国，通过当地合作伙伴，成功实现了当地生产。通过与一些国际著名公司的合作，华为走出了一条联合道路，有效弥补了海外市场的渠道营销劣势，达到国际市场的成功扩张。

2004年9月15日，一串清脆的电话铃声，非洲通讯历史翻开了新的一页。由华为承建的突尼斯WCDMA实验局成功实现了首次通话，这也是非洲历史上首次CDMA电话。根据协议，华为为突尼斯提供了全套端对端的WCDMA解决方案，包括WCDMA无线基站系统、核心网，到3G移动智能网、3G移动数据业务平台，同时也将提供3G移动终端。该项目在短期内取得重大进展，源于华为与突尼斯邮电部中央研究院的通力合作，华为与突尼斯电信在无线、固网、宽带接入、光传输网、数据、多媒体业务等领域全方位合作，建立了紧密的战略合作伙伴关系。

2004年，华为在欧洲市场实现了1亿美元的销售额，其中1/4是由于与法国第二大固定网络运营商Neuf电讯公司的合作而获得。法国最有影响的《费加罗报》和《回声报》等多家媒体在《华为的国际野心将变成现实?》的报道中称，华为以低于竞争对手20%的价格赢得了欧洲运营商的青睐。

2005年1月27日，华为、爱立信、摩托罗拉同时参与泰国国有电信公司(CAT)3G项目电子的竞标。CAT是泰国两家国有电信运营商之一，按照合同规定，华为将为其修建一个覆盖230万CDMA手机用户的网络，使其网络最终能覆盖泰国51个府。之前,CAT的CDMA网络已经覆盖了曼谷和其他25个府,拥有约70万用户。参与竞标的3家公司均符合所有技术资质条件,爱立信出价约2亿美元,摩托罗拉出价约2.45亿美元,最终,华为以极具竞争力的价格——1.87亿美元拿下CAT公司3G网络建设大单。

美国《商业周刊》报道:“全球经济不景气使得客户预算跟着缩减,也让华为的产品更具吸引力,特别是华为强调产品和其他厂牌的兼容度高,可以直接替换。”

除以极具竞争力的价格给用户让利、让合作方获得满意的经济回报外,华为还在适当的时机直接投资、参股合作方或被对方参股,在资本层面上与合作对象互相融合。比如,华为投资1亿港元入股持3G牌照的香港电信运营商Sunday,并为其提供了巨额销售贷款。

对任正非的这种战略比较熟悉的华为高级管理顾问吴春波先生认为:“华为与跨国公司成立合资公司不是为了具体某个市场,更多的是战略上的考虑。这是双赢的结局。”

与国际巨头的合作对华为品牌在全球知名度的提升具有重大意义。截至2005年1月,华为已经与全球50家顶级运营商中的20家建立起合作关系。“国际伙伴越多,你在市场上的信任度就越高”已成为华为人的共识。

合作与竞争是矛盾的,也是统一的。可以预见的是,基于对“竞合”这一商业智慧的深度解读,华为在国际化道路上将越走越顺。

建立全球性商业生态系统

任正非对奔赴海外市场的华为人说起过海外市场对华为的重要性:

你们背负着公司生死存亡的重任,希望寄托在你们身上。

你们为挽救公司,已付出了你们无愧无悔的青春年华,将青春永驻。

20世纪90年代的中国,“摸着石头过河”的改革开放已经进行了15年,中国经济正以前所未有的速度向前推进,基础设施建设规模一浪高过一浪。在宏观经济形势大好的背景下,中国通信产业也正以惊人的速度发展。1980年以来,中国通信产业持续10年的大发展,催生了中国的通信制造业,并孕育了一大批包括华为在内的中国民族通信企业。

1994年,华为参加亚太地区国际通讯展,获极大成功。

1995年年初，华为成立北京研究所，产品从单一的交换机进入移动通信领域，开始研究CDMA技术，产品初步多元化。当年，华为的销售额达到14亿元，在全国电子行业百强中排名第二十六位，注册资本增至7005万元，员工达到800多人。国内通信设备市场方兴未艾，华为在国内市场纵横驰骋，市场地位和行业影响力迅速提升。

1995年，基于对国内和国际电信市场前景的认知，任正非开始准备冲击国际市场。此时，华为在国内已经声名鹊起，但在国外尚没有多少知名度。华为此后积极参加各种大型通信展览，展示实力和形象，以改善国外电信行业对华为的认识，接近客户。

但是，1995年之后的3年，中国通信行业进入了竞争最为激烈的时期。西方发达国家的电信业已经日趋成熟和完善，基础设备市场基本上已经走到了尽头，除中国外，亚洲、非洲、拉美等国家和地区的电信市场还没有充分启动，中国电信市场已成为当时世界最大、发展最快的市场。

经过多年的发展，中国国内一大批电信设备制造商成长起来了，世界各大电信设备厂家也蜂拥到了中国。一时间，中国电信市场由原来的产品极度短缺、供不应求，发展到了中、外产品撞车，市场严重过剩的尴尬局面。各个企业为了能抢占一份市场，不得不拼死争夺，使出各种招数。拼命削价、相互压价，成为众多国内厂商惯用的计策，竞争环境日趋恶化。外国厂家凭借巨大的经济实力，已占领了大部分中国市场，中国厂家如果仍然维持分散经营模式，必然会困难重重。

任正非告诉华为人，大家要有信心渡过这个困难时期，并获得较大规模的发展。但是，他明白，市场经济最终会要求所有的产品薄利经营。因此，他认为：

> 只有提升产品的先进性、实用性，实行产品多元化，实行超大规模生产，才能降低成本、提高质量，除此再没有其他办法可以抗衡内外交困的巨大压力。超大规模生产的充分必要条件是市场的吞吐，只有市场才能孵育出大产业。

通信行业的用户群非常集中，是典型的大市场、少客户特点。任正非将华为定位为吸纳市场参股，组建产业集团，扩大市场占有，平滑供需矛盾。随着中国加入WTO，中国经济融入全球化的进程加快，加速了华为走向国际市场的进程。

在这个背景下，任正非将目光投向了海外。任正非对于华为走向国际市场还带有强烈的民族情结，他认为，华为必须进行大公司战略，拥有13亿人口的大国必须要有自己的通信制造产业。作为民族通信工业的一员，华为公司拼尽全力向前发展，争取进入国家大公司战略系列：

我们不仅允许外国投资者进入中国，中国企业也要走向世界，肩负起民族振兴的希望。

在这样的时代，一个企业需要有全球性的战略眼光才能发愤图强，一个民族需要汲取全球性的精髓才能繁荣昌盛，一个公司需要建立全球性的商业生态系统才能生生不息，一个员工需要具备四海为家的胸怀和本领才能收获出类拔萃的职业生涯。

我们要泪洒五洲，汗流欧美亚非拉。你们这一去，也许就是千万里，也许10年、8年，也许你们胸戴红花回家转。但我们不管你是否胸戴红花，我们会永远地想念你们，关心你们，信任你们，即使你们战败归来，我们仍美酒相迎，为你们梳理羽毛，为你们擦干汗和泪……

除了从市场角度考虑外，任正非还从华为长远发展、培养华为人的角度来看待进军海外市场的目的。

华为队伍太年轻，而且又生长在顺利发展的时期，抗风险意识与驾驭危机的能力都较弱，经不起打击。但市场的规律，常常不可以完全预测，一个企业总不能永远常胜，华为总会遇风雨，风雨打湿小鸟的羽毛后，还能否再飞起。总是在家门口争取市场，市场一旦饱和，将如何去面对。

虽然，任正非满腔热血地鼓励将士们出征海外，但是，他也清醒地认识到了华为内部的危机，更严重的是，很多华为人对自己身处危机之中，却意识不到危机的存在。

他说：

前方浴血奋战，后方歌舞升平。机关不能以服务为宗旨，而成为前方的阻力，使流程执行困难重重。

针对上述情况，任正非口气坚决地表示，欢送将士奔赴前方时，要使后方全力为前方服务，不能实现这种服务的员工要下岗。

在艰苦的地方奋斗

上甘岭一定会出很多英雄……你们要加快自己成长的步伐，在艰苦的地方奋斗，除了留下故事，还要有进步……新时代比以前提供了更好的条件，每分钟都要学，一直都要努力奋斗，去敢于斗争，努力学习，一定会进步的。

ᔕᔕᔕ　ᔕᔕᔕ　ᔕᔕᔕ

不要说我们一无所有，我们有几千名可爱的员工，用文化连接起来的血肉之情，它的源泉是无穷的。我们今天是利益共同体，明天是命运共同体。当我们建成内耗小、活力大的群体的时候，当我们跨过这个世纪，形成团结如一人的数万人的群体的时候，我们抗御风雨的能力就增强了，可以在国际市场的大风暴中搏击。

巴基斯坦代表处作为华为海外最大的代表处，员工超过千人，本地化程度高，人员和业务布局在全国30多个专区，华为在这里有巨大的市场机会和众多的交付项目。虽然这里条件相对较差，但这里的华为员工并没有表现对生活艰苦的不满、对工作压力的抱怨，反而时刻保持乐观、积极向上的精神面貌。

代表处的华为员工们认为，工作的确是很艰苦，但也获得了更多的经历及体验。比如，在1494号站附近，据说那是巴基斯坦最热的地方。有一次，代表处员工的车开到水里去了，员工们就只好下去推车，没有想到水居然非常烫，像开水一样；在山顶上，能欣赏到在地面、峡谷刮起的龙卷风，由远及近，有时会同时看到四五个龙卷风，飞沙走石，场面非常壮观。这些都是工作给华为员工带来的奇妙经历。

在华为巴基斯坦代表处的员工，面对艰苦的环境和高强度的工作压力，没有被吓倒，而是以一种乐观、积极、自然的心态去面对，并从工作、学习、奋斗、追求、进步中去领悟自己的那份成就感与幸福感。

改变全球竞争格局

在具有较完备的技术能力和产品线后，华为正频繁地以OEM方式获得占领国际市场的机会。

美国是全世界最发达的国家，电子工业占其总产值的1/3强，而且还在迅速增长。为了寻找和发展更大的市场，发达国家精心策划了全球电信私营化与信息产品零关税，即ITA。其目的就是要长驱直入发展中国家，企图长期占据世界市场。

华为一直在考虑以自有品牌与贴牌并行的方式开拓国际市场。在国际市场开拓初期，华为就在俄罗斯成立合资公司，以双方共有的品牌进行销售，但当时主要还是采取自有品牌方式。几年的探索证明，即使在发展中国家市场，品牌建立的过程也相当漫长，而在欧美等发达国家市场，自有品牌建立的难度和投入都非常巨大。

创业初期，残酷的竞争环境曾使任正非希望与竞争对手合作，但那时没有一个跨国公司肯把名不见经传的华为作为自己的合作伙伴。当华为成长为中国最大的电信设备制造商，并开始走向国际市场时，任正非发现，从电信设备到数据产品，从传输到移动终端，华为的产品线越来越长，而单凭自己的渠道、品牌以及对全球市场的把握能力，根本无法全线作战。

1998年以后，华为开始考虑与许多国际著名公司洽谈贴牌方式的合作，但华为在海外寻找合作伙伴并非一帆风顺。华为先是与摩托罗拉公司洽谈在GSM产品方面的合作，由于在无线通信领域，摩托罗拉强劲的基站系统和薄弱的交换系统正好与华为形成互补，华为希望将自己的移动交换机与摩托罗拉的基站设备捆绑，在国际市场上以摩托罗拉的品牌进行销售。由于双方力量对比存在明显差距，谈判进展非常缓慢，于2002年达成协议，但成效不是很大。

2000年，华为与朗讯洽谈以OEM方式提供中低端光网络设备，以朗讯品牌在全球进行销售，由于当时朗讯“内外交困”的处境，没有把心思放在与华为的合作上，同时，朗讯对华为逐渐壮大的力量也有所戒惧，合作最终流产。

与竞争对手的合作丝毫没有影响华为与竞争对手在其他领域的直接竞争。而华为日益强大的实力也让越来越多的同业者产生强烈的畏惧。目前，除思科已经明确将华为列为其全球最具威胁的竞争对手之外，业内大部分国际一流企业也均把华为列为第一阵营的竞争对手，不愿意仅仅因为短期利益的考虑而“引狼入室”，将华为带入北美发达国家市场。

尽管如此，华为始终没有放弃寻求合作。

2001年，任正非提出联盟策略：

> 以合作联盟等方式，改变全球市场竞争格局。

此时，华为的竞争对手，在数据通讯上主要是思科，在固网上主要是阿尔卡特，在光网络上主要是西门子和北电。

这个时候，合作共赢已成为电信产业的主流，任何一家企业都不可能解决所有的技术问题，更不可能独霸市场。在刚刚兴起的3G领域，无论是后起之秀华为，还是老牌巨头西门子都处于技术探索阶段，技术标准不统一，市场没有大规模启动。大家所能做的就是携起手来，在技术上集体攻关，共同推进市场，使3G大规模应用的时代早点到来。同时，华为在3G等诸多技术研发上已经具备了国际领先水平，成为国际巨头们无法回避、无法轻视的力量，华为与国际巨头们站在了同一起跑线上，具备了与国际巨头们平等对话、平等合作的权利。

2003年开始，华为与国际巨头们的合作大规模启动。从这年开始，一些来自欧洲、美国的同行主动找到华为，商讨OEM、销售捆绑等各种合作方式。

2003年，华为以拥有51%股权的方式，与3Com成立合资公司。3Com可以利用华为在中国市场的销售渠道以及产品成本方面的竞争优势，华为则可以利用3Com在国际市场的品牌和地位，以3Com的品牌销售合资公司生产的数据通信产品，实现“借船出海”的目的。之所以能够与3Com实现合资，主要原因还是双方的规模实力比较接近，同时，华为在国际市场的渠道营销方面一直处于劣势，而3Com正面临比较大的经营困境，迫于思科强大的竞争压力，也希望寻找一条“联合抗战”的生路。

2003年8月29日，华为和西门子宣布共同投资1亿美元，成立西门子华为TD-SCDMA合资公司，共同研发TD-SCDMA无线系统。西门子160多人的研发队伍、相关专利，都被纳入合资公司，华为上海研究所和北京研究所负责开发TD-SCDMA系统及终端的几十人也将并入合资公司。这标志着华为挥师TD-SCDMA标准。在TD-SCDMA领域，华为之所以选择西门子作为合资对象，主要还是因为西门子拥有比任何其他厂商都要多的核心专利。华为显然不想把TD-SCDMA的目标仅仅锁定在国内市场上，类似印度、巴基斯坦、孟加拉国等人口相对稠密的国家，都是潜在市场，组建上述合资公司，是规避潜在专利纠纷的最佳捷径。

2003年9月17日，华为又与欧洲著名的半导体公司英飞凌科技公司合作开发低成本的WCDMA手机开发平台，把简化版的WCDMA手机控制在CDMA手机同等价位水平，打破此前关于WCDMA手机价格居高不下的局面。

目前，华为与这些国际企业的合作由浅到深，形成了多种层次：单纯的产品销售（NEC通过贴牌在日本市场销售华为的数据通信产品），产品制造（日本京瓷是华为小灵通终端产品的OEM制造厂商之一），资本合作与研发、销售（西门子与华为在中国成立了针对中国市场的TD-SCDMA合资公司，同时在欧洲帮助华为销售其数据通信产品）。

上述合作不论方式如何，显而易见的事实是，华为选择与NEC、松下合资成立宇梦公司，使华为在日本快速实现了数据通信产品的销售，华为通过3Com成功打开了美国市场，借助西门子成功打开了欧洲市场。

争夺一个一个小点

华为对欧洲等发达国家市场觊觎已久。但是，华为的技术一度难以被欧美高端市场所接受。任正非曾说：

> 我们公司在市场上还面临着巨大的艰难，在低端产品上我们与外国公司还有品牌效应的差距，在高端产品上我们还有技术差距。由于历史的原因，我们在市场上还处在低层次网上，要在外国公司已全覆盖的网中，争夺一个一个的小点。我们的先进产品STP、智能网、支撑网还得不到用户的信任，尽管有些产品在境外已经开局成功，国内一年多了还无人使用，怎么让用户信任我们。

世界电信高端市场中，欧美地区占了70%的比例。对华为来说，欧美是华为最重要的、也是开拓难度最大的市场之一。为突破欧洲市场，华为先后在欧洲成立了4家研发中心和20多个地区办事处。在西欧，从2001年开始，以10GSDH光网络产品进入德国为起点，通过与当地著名代理商合作，华为产品成功进入德国、法国、西班牙、英国等发达国家和地区，2003年取得了3000万美元的销售业绩。但是，这些项目规模都很小，华为的欧美战略并无实质性突破，华为仍旧徘徊在欧洲电信核心市场之外。

自身的基本功练好之后，华为人积累的经验教训逐渐上升为一种质变。

2003年，任正非作出了一个改变华为命运的重大决定——进军主流市场，与主流大公司正面交锋。任正非看好美国的通信与网络设备制造业，把产品打入欧美主流市场，直接挑战思科。这一年，华为宣布与3Com及西门子开展两个重大合资项目。

为让更多欧洲客户了解自己，华为在欧洲开展了大规模的宣传造势活动。从2003年开始，以“You profit，Our goal”为主题的华为“东方快车”巡回展活动在欧洲拉开序幕，该活动旨在同客户交流3G建网中的经验及网络演进问题。“东方快车”巡回展行程几千公里，历经波兰、德国、英国、法国、捷克等多个国家，在欧洲刮起了一股华为“旋风”，该巡回展没有确定具体截止时间，而是视运营商需求而定。2004年下半年，华为与一家国际知名公司合作，对自身品牌进行了一次全面评估和规划，为打造一个国际主流电信制造商品牌做准备。

华为充足的准备和足够的耐心在2004年年末终于有了回报。

2004年12月8号晚，美国CNN财经新闻当天破天荒地接连播发了3条有关中国企业的新闻：联想宣布以12.5亿美元收购IBM全球PC业务；华为将为荷兰移动通信运营商Telfort建设第三代（3G）网络，将为美国NTCH公司承建CDMA2000移动网络。

当晚，在荷兰海牙，在中国政府总理温家宝和荷兰政府首相巴尔克嫩德的见证下，华为总裁任正非与荷兰移动通信运营商Telfort的CEO Tonaande-Stegge正式签订了价值数亿欧元的合同。Telfort是荷兰一家发展迅速、业务领先的移动运营商，该公司向荷兰全国提供移动电话服务。根据合同，华为将为荷兰移动通信运营商Telfort建设第三代（3G）网络，产品包括目前业界领先的基于R4软交换架构的WCDMA核心网、基站系统及覆盖荷兰全国3G网络的相关工程和服务，该网络可以和爱立信建设的现有网络共同管理。这是华为在欧洲的首份合同。

欧洲是GSM、WCDMA的发源地，美国是CDMA技术的发源地，华为的3G产品能成功地在这两个地方投入商业应用，是欧美对华为3G系统领先性的全面认可。此外，欧洲不仅是全球最发达的电信市场之一，而且是阿尔卡特、诺基亚和爱立信等电信巨头的老巢，华为突然杀入这些电信巨头的传统势力范围，标志着华为已跻身一流电信设备供应商之列。

道琼斯通讯社在报道华为承建荷兰全国WCDMA网这一新闻时，评论说：“华为技术正努力扭转当前西方国家通信设备制造商独霸市场的局面。这些制造商大举进军中国，以期在丰厚的中国市场分得一大杯羹，而华为则决心在由爱立信、诺基亚、西门子和阿尔卡特等主导的欧洲市场夺得一席之地。”

此前，中国产品在欧美市场主要以服装、鞋帽、玩具等劳动密集型产品为主，通信信息类高科技产品一直无法打入欧美市场。此次华为3G产品在欧美市场成功商用，也是中国的3G设备首次在欧美成功商用，对欧美通信界和财经界的震动显然非同小可。

在签字仪式上，任正非表示：

> 在华为成为全球规模的移动解决方案供应商的道路上，这是向前迈出的一大步。

任正非这句看似平淡的话语，饱含着华为几年来与强大对手斗智斗勇的艰辛。

2002年，华为正式进军美国市场，随后遭遇了众所周知的思科官司。一些评论家认为，这是思科企图阻挠华为进军美国市场的步伐，但官司并没能阻挡住华为的脚步，反而大大提高了华为在全球的知名度。

为美国NTCH公司承建CDMA2000移动网络，是华为进入美国市场的一个重要里程碑，标志着业界对华为CDMA2000系统领先性的全面认可。NTCH成立于1999年，是美国一家从事运营CDMA无线网络的运营商，其移动网络服务品牌是ClearTalk。华为承建的美国NTCH公司CDMA2000移动网络，首期工程网络应用在美国加利福尼亚州和亚利桑那州，华为向ClearTalk提供CDMA2000全套端到端系统，包括MSC、BSC、BTS、HLR、PDSN以及终端，除提供基本的语音业务之外，还将提供短消息、多媒体短信以及1X数据等业务。

在CDMA2000领域，华为产品目前应用于全球37个国家、52个运营商的网络中，服务用户超过1700万户。在450M频段的CDMA2000市场，华为已经成为领跑者，市场份额超过65％。此前，华为在葡萄牙建立了西欧第一个CDMA2000网络。此次签约NTCH公司前，NTCH公司对华为的产品进行了长达一年的全面测试，最终，华为战胜了朗讯、摩托罗拉在内的强手顺利签单。

从2003年开始，华为产品不仅在传统市场销售稳步增长，而且规模挺进西欧、北美等发达国家，实现了国际各大主流市场的全线突破，成为国际电信市场的主流供应商。

美国《商业周刊》文章评论："华为正成长为具有更强技术实力的公司。"

2004年年末，两张来自欧美的订单，对于华为来说仅仅意味着开始。2004年是华为市场国际化的分水岭，这一年，海外市场销售额达到20亿美元，占公司总收入的40%，所占比例之高为华为创立以来之最。这标志着华为的国际化战略取得了战略性的转折。

华为2005年重点发展欧洲市场，2005年和2006年在欧洲市场取得较大突破，2007年重点进攻美洲市场。北美、西欧等发达国家都是成熟度很高的市场，电信巨头们主导制定的行业规则也已相当规范，且形成了非常强势的品牌地位。北美市场既是全球最大的电信设备市场，也是华为最难攻克的堡垒。

不需要利润最大化

华为公司不需要利润最大化，只需将利润保持一个较合理的尺度。我们追求什么呢？我们依靠点点滴滴、锲而不舍的艰苦追求，成为世界级领先企业，来为我们的顾客提供服务。也许大家觉得可笑，小小的华为公司竟提出这样狂的口号，特别是在前几年。但正因为这种目标导向，才使我们从昨天走到了今天。

自2006年以来，全球运营商和设备商纷纷进行大规模的整合或转型以应对严峻的挑战，通信运营业和制造业正在进入微利化精细运营时代。以华为为代表的新生力量则迅速崛起，已经成为全球移动产业的新领导者。

根据华为最新披露的数据，华为2007年移动网络设备销售额达到70亿美元，而2007年也成为华为改变全球移动设备市场格局的一年。在这个最具战略意义的市场，除了爱立信的表现可谓中规中矩之外，与很多厂商的平淡甚至惨淡相比，华为可谓势如破竹，在欧洲、拉美、独联体、亚太、北美等市场取得了一系列重大进展，包括继西班牙UMTS项目成功交付之后，接连突破Vodafone匈牙利、希腊、罗马尼亚等多个欧洲子网；GSM/UMTS首次大规模应用于德国TelefonicaO2，进入GSM腹地——西欧；分组域核心网产品全面突破英、法、德、奥、捷等欧洲最发达市场；跻身拉美最大移动运营商AmericaMovil3G网络三大供应商行列；CDMA/GSM网络大规模应用于印度，服务全球最具发展潜力的新兴市场；UMTS全面进入澳洲及独联体核心市场，打破西方供应商独大格局；CDMA规模进入美国最重要电信市场芝加哥大区。

业内人士认为，华为近年来的快速成长反映了全球移动通信市场的两个内在逻辑：

首先，语音产品的迅速平民化，让电信运营商不得不面对大量中低端用户的急剧涌入，必须不断创新业务、提升数据业务能力以应对新的市场需求。

其次,从 GSM/EDGE 到 WCDMA/HSPA 再到 LTE,从 CDMA 到 EV-DO 再到 UMB,移动通信技术的更新换代正在呈现愈来愈频繁的态势。2007年,曾经被认为是"4G"技术的 WiMAX 进入 3G 阵营,让业界为之震动。以 NGMN 组织为代表的国际一流运营商正在抱团应对未来的技术演进趋势,代表不同区域利益、立场的设备商也正在根据自身能力和资源优势做出战略抉择。

近年来,随着大量投资涌入通信行业,电信运营业竞争日趋激烈,运营商的数目增长可以反映出这一趋势。据 CDG 统计,2004 年 1 月,全球 19 个国家建设了 27 个 CDMA 商用网络,到了 2007 年 12 月,全球 99 个国家共有 243 个 CDMA 运营商,平均每个国家差不多 2.5 个 CDMA 运营商。据 GSMA 统计,截至 2007 年 11 月,全球 218 个国家和地区建设了超过 700 个 GSM 网络,每个国家的 GSM 运营商超过 3.2 个。

竞争的激烈也导致美国、欧洲等发达市场上运营商之间的并购行为日益频繁,并波及通信设备行业,通信业无论是运营业还是制造业由此均进入了微利化、精细化运营的时代。

华为之所以能够在移动领域快速崛起,成为不断适应变化着的市场的"快鱼",主要依赖于三大制胜因素:稳、准、狠。稳:持续投入,不断创新,产品研发必须路标清晰,市场拓展必须一步一个脚印;准:保持对市场需求的高度敏感,以市场需求驱动开发;狠:集中优势资源,与高端市场一流运营商持之以恒地沟通、合作。

自 1995 年起,华为就开始了对无线的战略投入;1998 年,在 3G 局势还不明朗的情况下,华为开始投入 3G。而在全球设备制造商都将主要精力转到 3G 时,华为准确把握 GSM 并非夕阳产业,集中优势力量加大投入,并不断将 3G 及 IP 技术引入到 2G 领域,终于在 2007 年中国移动集采项目以及拉美、亚太、欧洲等全球 GSM 市场取得了质的突破。

稳和狠代表了华为清晰的战略目标,准则代表了其快速决策的生产组织方式,辅以强烈的客户导向和危机意识,华为成功抓住了这样的机会。2007年下半年以来,其 GSM、UMTS、CDMA 频频突破西欧、拉美、亚太等区域的一流运营商,标志着华为移动产品已经得到了全球高端市场和客户的普遍认可。

国际化拒绝机会主义

华为在海外经历了漫长的等待，初期的增长十分缓慢，甚至一度停滞不前，直到1999年，华为的海外业务收入占其总营业额还不到4%。但是，在“国际化拒绝机会主义”的信念下，华为始终没有放弃，最终一个个突破，赢得了市场的认可。

任正非在考察拉美市场时，负责拉美市场的华为高层胡厚崑向任正非汇报说，“国外有些公司看到拉美地区有合同，呼啦啦都去了，没有合同后，呼啦啦又都走了，机会主义很严重，但实际上拉美市场是拒绝机会主义的”。

任正非随即指出：

> 那些机会主义公司的客户关系是不巩固的，至少普遍客户关系不巩固。华为公司在拉美、在任何国际市场都要坚决杜绝机会主义，坚持普遍客户关系原则。
>
> 在海外的华为干部要下到市场第一线，海外华为办事处要“多配车，跑起来”。在海外，华为员工不要自己开车，多雇一个当地的司机，语言又熟悉，还作为半个保镖，解决安全问题。

2000年，华为刚进入泰国时，本希望在泰国销售GSM相关设备。但是，当时的泰国移动通信市场，GSM网络已经被国外几家大的设备商瓜分得差不多了，华为只能做一些边际网的补充解决方案。这种情况下应该怎么办？按照一般厂商的做法，肯定是暂时撤出，等时机成熟后再进行市场开拓。那是典型的机会主义，是任正非禁止的。

分析形势后，华为发现，当时泰国的移动运营商AIS面临与中国移动差不多的市场形势：虽拥有180万用户，但第二大移动运营商DTAC紧随其后，竞争趋于激烈，急需新业务促进用户数的增长。于是，华为找到了一条需要充足耐心和毅力的、曲折迂回突破的途径。

华为从做试验局开始，说服AIS投入智能网建设，并且在45天内为其建成智能网。5个月内，AIS便收回了投资，AIS对华为有了初步的信任。由于用户数发展很快，每隔3个至5个月AIS的智能网就扩容一次，华为的解决方案帮助AIS实现了滚动发展。结合当地旅游业的特色，华为帮助AIS开通了在手机上进行“小额投注”的博彩业务。在3年多的时间里，AIS的用户数从200万户发展到了1200多万户。在这个过程中，华为一步步赢得了AIS的信任，一点点赢得了市场，完成了一件看似不可能的任务。

正是从AIS开始，华为陆续与泰国其他电信运营商都建立了业务关系。2005年1月，华为又中标承建泰国CDMA移动通讯网络项目，合同总值72亿泰铢(合1.86亿美元)。该项目是CAT Telecom利用CDMA 20001X技术建设网络，覆盖泰国76个府中51个府的计划的二期工程。

目前，泰国市场已成为华为在海外的第二大市场，年销售额超过1亿美元。

像孩子与狼一样搏斗

海外市场毕竟与国内市场有着很多不同，尤其是在西方发达国家，一些国际老牌电信运营商对设备商的准入门槛很高，华为在国内行之有效的、单纯的利益驱动策略已经很难奏效，这就要求华为必须有真正的实力作为后盾。

> 我国加入信息技术协定，意味着中国信息工业被推到了市场竞争机制的最高形式，完全要凭公司的实力，参与跨国集团在中国市场上的竞争，一点国家保护都不会有了。这就像孩子要与狼搏斗没有母亲的帮助一样。中国电子工业100强的总和，只及IBM公司的1/5，生死存亡，一下子就压在了我们年轻的没有国际管理经验的公司身上。

英国电信的招标异常严格，甚至到了苛刻的地步。从2002年开始，英国电信对华为进行了长达两年的认证，完全符合条件后，华为才进入到其“符合资格的供应商短名单”中，这时，华为才算是有资格进入英国电信的招标程序。在此期间，英国电信首席技术官Matt Bross两次到华为，英国电信的采购团、负责技术方面的CEO、公司各个级别的领导和地区领导，几乎都对华为进行了考察。在经过对华为异常严格的全方位认证和审视后，Matt Bross在一次国际会议上宣称：“不选择华为会是一个错误。”华为由此进入英国市场。

2002年，华为开始参与香港持有3G牌照的移动运营商Sunday的项目招标。当时国际上共有8家公司参加投标。第一个试点是在香港的铜锣湾，那里是全世界地形最复杂，环境最杂乱的一个区域。人口异常稠密，在一平方公里的面积上居住着25万人口。高楼密布，多达630栋，平均楼高是45米。华为的3G测试手机在该地域内的表现非常好，覆盖质量比其他设备厂商的好。

经过近一年的试验与测试，华为终于击败中兴、爱立信、西门子和阿尔卡特等同业者。2003年12月18日，华为成功与Sunday签下1亿美元的订单，作为后者3G网络与业务设备的独家供货商，共建香港WCDMA网络（基于GSM的3G技术），覆盖区域包括香港岛、九龙、新界以及各离岛。2004年年底，Sunday推出3G网络，华为提供相应的3G手机。

阿联酋WCDMA的商用合同是华为在海外开通的第一个WCDMA商用项目，也是全球第一个R4商用项目。当时包括华为在内，一共有5家厂商在争夺该项目。大家都把自己的设备放在运营商那里做测试，时间长达一年多。仅在阿联酋的一线现场，华为就配备了近200名工程师，后方的支持人员更是不计其数。在R4版本上，华为和其他几家跨国公司都是在同一个水平线上，不过，更加勤奋的华为利用这一年的宝贵时间把自己的R4产品率先完善。最后的技术测试结果显示，华为产品的性能排在第一。

在拿下阿联酋的项目之后，华为的声势大振，又接连拿下了中国香港、马来西亚、毛里求斯、荷兰的3G项目。从此，华为奠定了自己在WCDMA上的地位。

华为每年都要参加几十个国际顶级的展览会。1999年，华为开始参加ITU的展览会。2003年，华为在ITU展览会上租下一个505平方米的展台，成为当时面积最大的厂商展厅之一，给西方电信运营商强烈的震撼。同时，华为还不断地利用国际展览会和论坛发言的机会，显示自己的技术实力，争取国际话语权，积极参与国际标准的制定，让国际同业者了解华为对3G、对未来电信发展趋势的理解。另一方面，华为还经常组织自己的客户交流经验，比如说在文莱讲解NGN、在曼谷讲解彩铃、到巴西讲解光网络技术。

在残酷的竞争中学习

要进军国际市场，首先要有进军国际市场的实力。在任正非看来，华为的国际化道路注定是曲折艰险的。他说：

> 日本的企业相比亚洲其他国家已经比较国际化，但他们在总结失败原因时，还是说他们不够国际化。想想华为比松下、NEC的国际化还差多少，有什么可以值得盲目自豪的。亚洲企业的国际化本来就难，我国在封闭几十年后，短短20年的发展，还不足以支撑国际化。

在任正非看来，此时的华为游击作风还未褪尽，国际化的管理风格尚未建立，员工的职业化水平还很低，还不完全具备在国际市场上驰骋的能力。华为的帆船一驶出大洋，就发现了问题，比如说华为远不如Lucent、Motorola、Alcatel、Nokia、Cisco、Ericsson有国际工作经验，华为的技术研发、国际市场开拓能力、服务水平都比不上那些国际巨头。

> 我们没有像Lucent等那样雄厚的基础研究，即使我们的产品暂时先进也是短暂的，不趁着短暂的领先，尽快抢占一些市场，加大投入来巩固和延长我们的先进，否则一点点领先的优势会稍纵即逝。不努力，就会徒伤悲。我们要该出击时就出击。一切优秀的儿女，都要英勇奋斗，决不屈服，去争取胜利。

既然华为尚不完全具备综合性的国际化能力，是否应该延缓进入国际市场的时间？任正非的回答是否定的。他认为，华为应该在进攻国际市场的过程中学习、成熟，而不是等待、观望。

> 我们总不能等待没有问题才去进攻，而是要在海外市场的搏击中，熟悉市场，赢得市场，培养和造就干部队伍。我们现在还十分危险，完全不具备这种能力。若3年至5年之内建立不起国际化的队伍，那么中国市场一旦饱和，我们将坐以待毙。我们在国外更应向竞争对手学习，把他们作为我们的老师。

其实，为了向国际市场进军，华为从1996年开始就启动各项准备工作。华为龙岗基地建设是华为进军国际化市场的一个重要准备工作，任正非的目标是把龙岗基地建设成为国际最先进的通讯产品产业园，打造出一个包括通讯产品的研发、试验、制造、培训、服务等在内的产业链。当时，华为同时找了国内的和国外的两家设计公司设计方案，国外公司的方案造价要高很多，但任正非最终还是选择了国外公司的方案。因为他发现，国外公司很注重细节，最重要的是，国外公司对整个工程项目负责，保证建设出来的是精品工程；而国内公司只对设计的图纸负责。

这次基地建设，从一个侧面也锻炼、教育了华为人，让华为人初步认识到什么是国际化，华为的各项工作在国际接轨方面还存在多大的差距，还要作出怎样的努力。

不克服困难，华为可能昙花一现

到 2001 年，语言问题一直是困扰华为国际化的一大难题：

> 华为的国际化步伐更难，大量的外籍员工，读不懂中文的文档，大量的国内员工英文也没过关，这就足以看到华为的国际化是多么的困难。如果不克服这些困难，华为也可能是昙花一现。

随着华为国际化水平的不断提高，对员工的英文能力也提出了更高的要求。为帮助员工学好英文，各体系、各部门根据自身业务状况，推出了相应的举措和办法。2008 年 1 月，华为就推出财经体系的英文化活动报道。

海外市场的拓展首先面对的就是交流和沟通方面的问题。众所周知，国际商务活动第一语言就是英语。为了能够更好地支撑海外业务活动的顺利进行，华为财经系统干部员工自发开展英语学习。财经干部部根据财经体系的业务要求，专门开发了三个类别的财经专业英语学习小册子——《账务管理类》、《财经管理类》和《资金管理类》。每个员工在学习相应类别的专业英语之后，都要参加部门组织的闭卷考试，满分 100 分的试卷 90 分才算达标，不合格的必须参加补考，直到达标为止。

各种测试和达标付诸英文化活动的实践当中，并非像高考一样作为选拔尖子生的淘汰考试。作为一种对员工的有效牵引，测试和达标更加积极地促进了英语学习风气和热情在财经体系的传播。

华为财经体系的英文化活动还有其他不少措施，在公司堪称首创：2006 年，公司尚未提出"掺沙子"计划之时，财经体系就已经开始了海内外员工轮换交流。当年完成了 10 人次的交流计划，2007 年也有 11 名本地员工回总部进行了为期 5 周的工作。海外优秀骨干回总部承担一些具体工作，促使在他们周边工作的人使用英语；中方干部到海外工作也促使其个人英语水平在实践中提升。总部与 12 个海外二级部门往来沟通的函件、文件完全使用英语拟制的比例也越来越高，现在大家已经达成默契，至少是文件要用中英双语同时发布。

> 华为的国际化之路还很长，也注定充满坎坷，我们在英文化过程中也不会是一帆风顺的。财经体系将继续努力研究分析自己体系的业务特

点，有针对性地、富有成效地走好英文化之路。

∽∽∽　∽∽∽　∽∽∽

号角在响，战鼓在擂。前方没有鲜花，没有清泉……一切困难正等着我们去克服。

实现可持续发展

联合国为了应对全球化出现的有关人权、劳工标准和环境保护等方面的问题，于1999年提出“全球盟约”(Global Compact)计划。“全球盟约”要求各公司在各自具有影响的范围内，遵守、支持和实施一套人权、劳工标准及环境等方面的基本原则。

华为加入了联合国“全球盟约”(United Nations Global Compact)，并将其倡导的企业公民权利与义务融入公司文化与商业活动之中：

◎ 为欠发达地区开发建设低成本通讯基础设施，并提供客户化的解决方案以适应恶劣环境的需要。

◎ 通过遍布全球的代表处、研发中心、培训中心和工厂，为当地经济发展贡献力量，提供培训和教育机会，提高当地人员的技术水平。

◎ 积极参与自然灾害的救助工作，支持贫困地区教育事业，为当地社会作贡献。

◎ 成立“爱心协会”，在全球开展助残、捐助、助学等公益活动。

◎ 将环保设计融入研发流程中。

◎ 遵守国际环保标准和当地的法律法规。

◎ 对我们的供应链合作伙伴进行社会责任的培训与认证。

◎ 为我们的员工提供平等的机遇和健康的工作环境，以及充分的劳动保护。

作为全球领先的下一代电信网络解决方案供应商，华为的经营活动与当地的社会、经济和环境密切相关。因此，在稳健经营的同时，华为坚持为所在国家和地区作出贡献。

我们今天所拥有的自然资源正在加速消耗，我们坚持通过对资源的有效利用，实现可持续发展，以使我们的子孙后代能够享受到充足的自然资源。

鼓励我们的员工积极参与社会捐助及社区志愿者活动，引导我们的供应链伙伴达到社会责任体系的要求。

随着全球化和现代化步伐的加快，不同的群体和地区电信接入普及程度的差距在不断加大，即产生所谓的数字鸿沟。华为希望通过提供有竞争力的通信解决方案，使不同收入、不同地区的人能更方便地接入信息社会，消除数字鸿沟，为当地社区多作贡献，帮助欠发达地区的人们过上更好的生活。

第九章　棉袄就是现金流

——任正非论华为的财务管理与资本运营

大家总说“华为的冬天”，那棉袄是什么？就是现金流。存在银行、仓库的钱算不算现金流呢？算，但总是会坐吃山空的。所以必须要有销售额。大家有时对销售额的看法存在问题。

——任正非

在日趋激烈的市场竞争中，一个企业是否具有可持续发展能力，在很大程度上取决于它的成本水平、资本周转速度和卓有成效的财务决策。而资本运营则是企业实现财务战略普遍使用的有效手段之一，是一种专门的财务策略，更是一种复杂的公司经营活动。

人无远虑，必有近忧。任何组织或个人要想健康长久地生存和发展，都要居安思危，未雨绸缪。

华为开拓海外市场的时候，首先遇到的就是海外回款期长、风险大的问题。对于只进入局部海外市场的小企业来说，这种风险更容易防范，所需要的资金也少，但对于华为这种业务遍布全球，市场拓展又十分迅猛的企业来说，企业现金流的压力更大，财务风险也非常突出。为此，华为特别注重保持充裕的现金流。华为采取如下方式获取资金支持：与银行合作，直接从金融机构贷款；与国内外银行合作，采用银行授信的办法支持海外客户；出售非核心业务获得自筹资金；与国家外交等政策相结合，取得政府的相关支持。

一直维持较充裕的现金流，是华为在海外市场突飞猛进的最基本保障，是华为持续发展的物质基础。

家有粮，心不慌

现金流一般是针对企业而言的，指某一段时间内企业现金流入和流出的数量，比如说企业销售商品、提供劳务、出售固定资产、向银行借款、上市等都会取得现金，形成现金流入；购买原料、支付工资、构建固定资产、对外投资、偿还债务等都需要支付现金，从而形成企业的现金流出。所以，通常企业现金流又可分为经营性现金流、投资活动产生的现金流、筹资活动产生的现金流三大主要部分。

华为发展初期，一直被资金匮乏、融资渠道单一的问题所困扰，并严重制约了华为早期的发展。为此，任正非不惜借高利贷，带头只领取一半的工资等，采取这些非常措施帮助华为渡过难关。

创业初期对资金的巨大需求，使得任正非在经营华为的过程中，一直非常注意保持充裕的现金流。他曾经对同事说：

> “家有粮，心不慌”，在深圳口袋里有钱，心就不慌。在最关键的历史时刻，我们一定要重视现金流对公司的支持。在销售方法和销售模式上，要改变以前的粗放经营模式。我宁肯卖得低一些，一定要拿到现金。这个冬天过去，没有足够现金流支撑的公司，在春天就不存在了。这个时候我们的竞争环境就会有大幅度的改善。
>
> 西方公司由于巨大的财务泡沫对他们已产生了打击的影响，他们自己已经乱了阵脚。乱了阵脚我们做什么呢？乘胜追击，争取更多的市场，更多的机会，我们就能活到春天，活到春天，我们存的粮食吃光了，再种。

当时，任正非预见全球IT泡沫即将破裂，大规模的电信设备制造商及运营公司即将破产，在此背景下，支撑华为走下去的最大资本就是充裕的现金流。出于对现金流的重视，任正非要求财务部门必须时刻监测公司的现金流状况，在市场低迷的2000年前后，他指示销售人员，为保持充裕的现金流，华为在特定的时期甚至要赔钱做销售。

华为有时候的做法令华为人自己都看不懂，比如说原来价值100元的设备，华为90元卖掉就亏10元，这种生意本该坚决不做，但任正非认为，在特定时期也要做。如果不做，公司就亏损了23元，因为所有的费用，包括开会用的桌子、椅子的费用都分摊进去了，还要多拿23元贴进去，甚至可能还不止这个数。亏了10元钱卖掉就是消耗库存的钱，但可以回收现金，对华为暂时渡过难关是有帮助的。当然，在这种情况下，谁能耗到最后，谁消耗得最慢，谁就能活到最后。这就是市场规律。所以，任正非反复提醒华为人，要把握好现金流。

以守为攻

2001年2月，华为与爱默生电气签下秘密协议，将非核心业务华为电气(Avansys)卖给全球电气大王爱默生(Emerson)，并改名为安圣电气，就此，华为获得了7.5亿美元(65亿元人民币)的现金。

这是华为第一次通过出售公司资产获得资金，以防备公司可能遇到的危机。

任正非关于现金流的提醒绝非是耸人听闻。

经过几年的过度繁荣后，2000 年前后，全球网络投资极度过剩，大批企业倒闭。在业内大名鼎鼎的马可尼与银行谈判再借 30 亿英镑渡过难关，马可尼承诺 2004 年后把毛利提高到 24%（这个数值是很低的），但银行没有同意再借 30 亿英镑的请求，马可尼最终宣布破产。在通讯设备制造商之间的竞争愈演愈烈之时，即使是行业执牛耳者如北电、朗讯、摩托罗拉、诺基亚等企业也已经感受到了资金的压力。

但更惊人的消息是，2002 年年初，Global Crossing（环球电讯）向美国纽约南区法院和百慕大最高法院申请破产保护，该案以 224 亿美元公司资产和 124 亿美元债务，成为全球电信史上最大破产案、美国破产法第十一章生效以来的第四大破产案（前三位分别是安然、德士古公司和美洲金融公司）。

任正非警告华为人：

> 大公司都没有生存空间了，小公司更加困难。大公司为什么死不了？是银行不让它死，不是它自己不想死。如果它死掉了，银行就被套住了。这种连环性的社会影响还要相当长一段时间内才能完成。在这种情况下，我们公司要以守为攻。

在任正非看来，华为出售业绩良好的华为电气，保持充裕的现金流就是以守为攻。这使得华为在全球电信业“寒冬”到来之前，有了一件厚厚的现金流“棉袄”。任正非承认，出售华为电气获得的资金可以支撑华为两年。

> 我们现在账上还有几十亿元现金存着，是谁送给我们的，是安圣，人家给我们送来棉袄够我们穿两年的啊！

2006 年 12 月 5 日，美国 3Com 公司正式宣布，以 8.82 亿美元收购旗下合资公司华为 3Com（以下简称 H3C）中华为公司所持有的 49%股份。此次出让也是华为为国际化提供支持资金。

充分利用出口信贷

2004 年 2 月 13 日下午，很少在公开场合露面的华为总裁任正非破例出席了在深圳举行的一个签字仪式——华为技术有限公司与中国进出口银行签署了 6 亿美元的出口信贷框架协议。签字现场，中国进出口银行行长羊子林与任正非言谈甚欢。这笔资金主要用于解决华为在海外市场拓展过程中遇到的资金瓶颈问题。

中国进出口银行并非华为唯一的合作伙伴。

2004年11月12日，华为与汇丰等9家银行签署总值3.6亿美元贷款协议，该贷款为期3年，将全部用于实施华为公司的全球发展规划。

2003年，华为全球市场销售317亿元，海外销售达10.5亿美元，所占比例上升到27%，增长约80%，名列中国电子信息百强企业第七名，利润名列第一。此时，华为已在美国等40多个国家设立了代表处和分支机构，产品已进入40多个国家和地区，涉及交换、接入、传输、移动、智能网等一系列产品。

随着华为的摊子越铺越大，资金的压力也越来越明显。华为卖掉华为电气之后所获得的40亿元资金在国际化进程中的巨大投入下显得颇为单薄，尤其是在国内3G牌照发放仍然不明朗之时，利用一切可以利用的手段拓展海外市场迫在眉睫。

出口信贷是华为开拓国际市场的重要手段之一。

> 因为在国外做销售有两个条件：一是把技术澄清，讲清楚是怎么一回事；二是把商务讲清，商务澄清就是商务承诺，讲好融资条件和手段。现在国外销售前景越来越清晰，证明几年前进行市场财经部的建设是正确的。

出口信贷是国际贸易中常见的融资措施：卖方同意买方在收到货物后可以不立即支付全部货款，而在规定期限内付讫由出口方提供的信贷。通常将1年至5年期限的出口信贷列为中期，将5年以上的列为长期。中、长期出口信贷大多用于金额大、生产周期长的资本货物，主要包括机器、船舶、飞机、成套设备等。国际贸易中，出口信贷是垄断资本、争夺市场、扩大出口的一种手段。第二次世界大战后，出口信贷发展迅速。20世纪70年代初，主要资本主义国家提供的出口信贷约为110亿美元，到70年代末已增至320亿美元以上。

华为采用的出口信贷方式主要有几种方式：

由华为(出口方)向国外进口商提供的一种延期付款的信贷方式。一般做法是在签订出口合同后，进口方支付5%至10%的定金，在分批交货、验收和保证期满时再分期付给10%至15%的货款，其余的75%至85%的货款，则由华为在设备制造或交货期间向出口方银行取得中、长期贷款，以便周转。在进口商按合同规定的延期付款时间付讫余款和利息时，华为再向出口方银行偿还所借款项和应付的利息。

出口方银行直接向进口商提供的贷款，而在华为与进口商所签订的成交合同中则规定为即期付款方式。出口方银行根据合同规定，凭华为提供的交货单据，将货款付给华为，同时记入进口商偿款账户内，然后由进口方按照与银行订立的缴款时间，陆续将所借款项偿还出口方银行，并付给利息。

另外一种方式是，由出口方银行向进口方银行提供信贷，以便进口方得以用现汇偿付进口华为设备的货款。进口方银行可以按照进口商原计划延期付款的时间陆续向出口方银行归还贷款，也可以按照双方银行另行商定的还款办法办理。至于进口商对进口方银行的债务，则由它们在国内直接结算清偿。

海外竞标目前大都遵循这样的路径：先技术标，再商务标，即先参与技术测试，通过后进入运营商选择的“短名单”，继而再参与商务标的竞争，中间包括价格因素以及设备供应商能否提供相应的融资服务，即买方信贷。

2005年之前，华为的海外市场中相当一部分属于欠发达地区，为一些贫穷而政局不稳国家的电信运营商提供买方信贷，寻找担保银行时难度大、成本高。

华为一般采取三种方式避免海外贸易的回款风险：一是在签订项目之前，让对方预付30%的款项，抽样产品后再付40%，剩下的到全部交货后再支付；第二是针对一些特殊的国家，可以利用政府的协议，如某石油国家和中国有一项20亿元的石油框架协议，中国可以此将各个产品，包括通信产品与它进行贸易，然后华为再从政府那里获得资金；最后一种方式是针对非洲一些国家，利用当地的资源，华为跟其他公司结合，进行易货交易。

2002年以后，除了品牌、技术、质量、价格、服务竞争之外，融资条件越来越成为全球通讯设备制造商之间竞争的重要砝码，某些时候，政策性金融机构的支持和融资方式的选择，甚至在国际电信项目招标中起到了关键作用。华为与中国进出口银行、汇丰等著名金融机构的合作，正是要充分利用政策性支持，在融资条件上提高与跨国通讯设备企业抗衡的能力。

项目在竞标前后，甚至在中标后由于各种不可控因素会带来损失。如参与竞标实验局，每次华为必然免费提供一整套完整的测试设备。一般结果有三种：竞标失败，设备撤回国，那么损失的是运输费及折损费；第二种为转赠，考虑长远的合作关系，这是华为经常使用的商业技巧，完全损失；第三种为转销售，这是最好的结果。更大的风险在于一旦竞标成功，由于突发原因运营商在交货后无法付款，这是最大的损失，除了资金，还有时间和人力。

任正非很早就注意到了这个问题，他要求公司进一步开拓买方信贷利用外资的渠道，以增强市场竞争能力和有效加大货款回收力度，以减缓公司财务发展的压力，同时，按照国际惯例利用各种融资渠道，以支撑公司的发展。

为了更好地回款，华为专门设立了市场财经部（华为负责货款回收的部门）。当时，很多华为人不愿意去这个部门，觉得它是一个非核心部门，去哪里就等于被发配到了边远地区。但几年后，市场财经部的重要性显示出来，于是市场财经部的干部被提升得很快。

任正非对华为人解释了这个问题：

大家看市场财经部的人升得很快，心里不舒服。没办法，不升他升谁呀？不升他，在国外那么大的合同，钱拿不回来怎么办？那是“棉衣”啊！大家（的思想）一定要转变啊！现在有市场经验的人也可以转到市场财经部，用你的思维方法做这个事的话，你会更有前途。纯粹的财务人员就没有市场人员有前途。

必须要有销售规模

在任正非看来，现金流必须要有销售规模的支持。

存在银行、仓库的钱算不算现金流呢？算，但总是会坐吃山空的。所以必须要有销售额。

随着技术门槛的降低，市场竞争的加剧，高科技产品的利润率也在直线下降。华为也不例外。尽管华为的利润率在国内同业中算是较高的，但下降趋势也很明显，各种令人不安的因素都在侵蚀着利润。华为在成本上的优势越来越小，利润率一度降至很低的水平。BDA 于 2003 年 1 月发布的报告显示，华为利润率收缩近半，从 2001 年的 10.4%锐减至 2002 年的 5.6%。而在 2000 年之前，华为的毛利率最高达 50%，甚至更高。

2001 年以后，华为在价格上的优势已经不是很明显了。任正非承认，华为的价格优势在一定程度上正在消失和衰退。在薄利经营的情况下，华为必须做大销售规模才能够保证充足的利润总额。

现在一投标，西方公司的价格与我们差不多，我们有什么优势？我们没有优势。我们以前说我们的优势是质量高、价格低，现在价格低不敢说了，再说价格低就亏得厉害了。我们的优势在一定程度上在消失和衰退。但是，我们还是有比较好的方法手段。只要多（接上）几口气，我们就活过来了。

正是在做大销售规模的思想指导下，除了2001年前后外，华为的销售增长速度一直比较快。2004年，华为的销售额达到313亿元人民币。2005年，华为销售额达到453亿元，其中海外市场达到32.8亿美元，海外市场首次超越国内市场。2007年，华为的销售额已经突破千亿元大关。

实现财务四统一

财务管理是复杂多变的、操作性极强。如果没有完善的财务管理流程，是很难保证财务工作到位的。

华为请KPMG（普华永道）和PWC（毕马威）设计了财务体系，力求实现财务制度与账目统一、代码统一、流程统一和监控统一。财务四统一目标的实现，为建立集中统一、高度分权的全球运作体系奠定了坚实的基础。

华为通过与PWC、IBM的合作，不断推进核算体系、预算体系、监控体系和审计体系流程的变革，在以业务为主导、会计为监督的原则指导下，参与构建完成了业务流程端到端的打通，构建高效、全球一体化的财经服务、管理、监控平台，更有效地支持公司业务的发展。

华为公司IT系统已覆盖到公司主要业务运作以及整个公司的办公自动化操作。华为Internet网络专线连接了国内所有机构及拉美、独联体、南部非洲的海外研究所等海外机构。华为总部可以随时随地了解每一个海外分支机构的财务数据。

通过落实财务制度流程、组织机构、人力资源和IT平台的“四统一”，以支撑不同国家、不同法律业务发展的需要；通过审计、内控、投资监管体系的建设，降低和防范公司的经营风险；通过“计划—预算—核算—分析—监控—责任考核”闭环的弹性预算体系，以建立有效、快速、准确、安全的服务业务流程，利用高层绩效考核的宏观牵引，促进公司经营目标的实现。

在《华为公司的核心价值观》中，任正非说：

华为公司在国内账务上已经实行了共享，并且实现了统一的全球会计科目的编码，海外机构已经建立财务服务和监控机构，实现了网上财务管理。建立了弹性计划预算体系和全流程成本管理的理念，建立了独立的审计体系，并构建了外部审计、内部控制、业务稽核的三级监控，来降低公司的财务风险和金融风险。

华为要求每个财务管理人员每天都要写工作日记，主管领导审批后拿到数据库，有专门的部门定期抽查，这样，财务部门就不敢作假。财务每天还要写自查报告，3个月后，每个主管经理都要向公司保证报告数据的真实性。

华为制定了严格的计划、统计、审计流程，并在流程中设立众多监控点、审计点，要求各级干部对不同的监控、审计点负责任，亲自审核数据。

任正非这样要求：

相比我们产品研究与市场营销进行国际接轨的目标是瞄准世界一流公司，我们财经系统的目标是否低了一些，我们能否迎接大发展的风暴，人们心存疑问。我们的管理远远滞后于市场的发展，不断超速发展撕裂管理的弥合，以及计划、统计、审计系统的科学性、弹性还有待时间来考验。这些系统预测、分解、弹性的相互关系是否已吸引了为之献身的人们去深刻研究与实践。计划系统综合平衡、统筹安排的能力还显得力度不够。

ᔕᔕᔕ　　ᔕᔕᔕ　　ᔕᔕᔕ

组织构架、管理流程还需要不断优化。要在流程中设立监控点、审计点，各级干部要对不同的监控、审计点负责任，要深入实际，亲自审核数据，不要浮在水面上，要让自动审计成为可能。审计是否已去剖析流程的合理性，深刻认识与分析计划模型在实践中的实时控制和调节能力。计划、统计、审计是否充满在每一个环节，使之形成管理的三角形。如果每个管理环节都为三角形叠加，公司的稳固性与在大发展中的适应性就有了很好的基础。

华为通过专门的资金计划部控制资金流向，资金计划部下设有国际融资部，专门分析海外项目的资金风险问题。

成本控制是铁律

企业做大的基础一定要居于成本控制的基础上，这是企业经营的铁律。

成本控制良好情况下的成长才是健康成长，否则风险太大。华为正处在从销售拉动型转变为精细运营的关键时期，未来的利润会更多来自我们的效率提升和成本控制。

一直秉承大投入大产出的华为，在研发和人力资源等方面的投入是巨大的，要保持技术优势、留住优秀人才，没有大投入是很难实现的。但是投入不是盲目的，不该花的钱，坚决不能花，不该多花的钱也坚决不能多花。

根据咨询公司的报告，全球电信设备市场虽然保持了6%左右的年增长，但电信设备的价格呈快速下滑的趋势。从2004年到2005年，GSM-BSS和CDMA-BSS用户价格平均每年下滑44%和43%，宽带接入下降速度稍缓，平均每年下滑29%。这样的价格下滑速度意味着什么呢？意味着在2003年年底100美元的GSM-BSS，在2005年年底只能卖31美元！这样的价格下滑速度与我们的铺张浪费形成鲜明的对比。

由于成本效率并非仅仅来自于研发业务，而是多种因素的综合结果，因此，华为的成本优势将在一定时期内仍然存在。但任正非早在1997年前后就认识到了规模化以后，华为将面临的成本问题。他说：

大规模不可能自动地带来低成本，低成本是管理产生的，盲目的规模化是不正确的，规模化以后没有良好的管理，同样也不能出现低成本。一个大公司最主要的问题是两个，一是管理的漏洞，二是官僚主义。因此，我们在管理上要狠抓到底，我们不相信会自发地产生低成本。

华为的财务管理在1997年全面达到国际、国内高水平规范化的账务管理水准。任正非要求，在这个基础上，要加强成本控制管理。从预算管理入手，以成本管理为基础来优化财务管理制度与经济指标考核制度。要努力去实现核算体系规范化、科学化；财务管理制度化、流程化；组织建设专业化、国际化；业务处理模块集成化、标准化，为财务走向规范管理打下基础。要坚决地在财务系统推行ISO 9000及MRP II，建设符合华为特点的流程控制及管理框架。

如何在庞大开支的同时，控制合理的成本，对华为来说，需要的是高超的平衡能力。

加强全员成本意识

在成本控制方面，华为遵循以下要求：

◎ 要建立全员成本文化和成本意识。华为公司长期以来确定了客户优先的客户战略和产品质量文化，但一直缺乏系统性的成本文化和意识。在通信行业日益趋向成本行业的时候，建立全员成本文化和成本意识极为迫切和重要。

◎ 按照业务需求，建立严格的财务预算和审核机制，改变目前宽松的花钱机制，使预算之外的资金从申请到审批更为困难。

◎ 确定各重要经营单位（如地区部和产品线）的成本经营基线、效率基线，并明确每年的提升目标。尤其是要控制薪酬占贡献毛利的比例，提高人均赢利水平，提升人均效率就是最大程度地控制了成本。

◎ 对于海外产品降低成本、提高库存周转率、降低非正常损失、降低空运费用等重要影响公司成本的关键工作，要成立专项的小组进行持续而深入的分析和推动，从而取得明显的成效。

从 1997 年开始，华为在行政与外事工作中开始推行规范化管理，建立人力资源成本观念，建立精干、有效的服务系统。坚决压缩非生产性编制，提高服务质量与技能。在接待服务工作上率先与国际接轨，加强外事公共关系工作的重量，加强政策法规的理解协调能力。

管理中最难的是成本控制。没有科学合理的成本控制方法，企业就处在生死关头。全体员工都要动员起来，优化管理，要减人、增产、涨工资。从管理中要效益，只有在管理上进步了，我们才可能实现机关干部与研究、市场同工同酬。

作为一家拥有 5 万多名员工，业务范围遍布全球的集团化企业，控制成本对华为来说，极其重要。摊子大了，管理难以细化、到位，浪费就会发生。因此，实施海外战略以来，华为都在抓效率，提升海外赢利能力，同时降低海外运营成本，杜绝浪费。

从 2002 年开始，华为严格控制海外人员的人力成本。当年 3 月，所有华为海外员工被告知，从当月开始，每日补贴下调将近 1/4，从 75 美元降至 60 美元。此后，员工又多次接到降薪的通知，至 2003 年年末，每日补贴已经下调至 40 美元。

华为有专门的成本核算机构，这个机构由人力资源管理、财务核算、研发等各个部门的相关人员组成，对公司各方面的成本实施监控。

任正非说：

节约每一个铜板，为着前线。逐步理清服务的职能，分工明晰，覆盖合理，减少重叠。大力推行职业化的培训与管理，加强服务功能的程序设计，用科学的管理代替人工管理。后勤工作将逐步走向社会化，减小公司管理的压力。

节俭是任正非的一大特点，也是华为在国内和国外市场能够成功的一大法宝。任正非的节俭是与其生活经历以及父母的教导密切相关的。即使在任正非带领华为公司取得了巨大的成功之后，他的父母还依然保持着异常勤俭的作风，并以身作则地教育任正非要继续节俭。对此，任正非曾在回忆文章里动情地说：

父母一生勤俭，而且不断以身作则来教育我，让我不要大手大脚。其实我一生都是非常节俭的，她只不过用过去过的苦日子作坐标来度量。

∽∽∽　∽∽∽　∽∽∽

我的青少年时代就是在贫困、饥饿、父母逼着学中走过来的。没有他们在困难中看见光明，指导并逼迫我们努力，就不会有我的今天。

少年和青年时代艰苦的生活以及父母的教诲，在任正非的心里打上了深深的烙印，让他养成了勤俭节约的好习惯，并把这个习惯带到了华为。于是，我们看到了一个奇特的现象，在某些方面，华为绝对大方，甚至可谓一掷千金，但在某些方面，又十分节俭，决不容忍浪费。

有段时间，成本核算系统发现，华为地区部部分代表处存在人力资源浪费的现象。按照华为的逻辑，这是对公司资源最大的浪费，公司总部很快提出了整改要求。

人力是有成本的，而有些华为主管头脑中却没有“人力成本”的概念。在欧洲，人力成本往往占运营成本的48%。因此，很多公司在碰到财务危机的时候，首先考虑的是裁员。欧洲的人力成本是中国国内的5倍多，如果沿用过去的粗放式管理，成本就会很高。很多欧洲企业在招聘的时候，都有职位薪酬预算的概念，即这个职位的工资范围是多少。这个薪酬范围就能决定这个职位能够找到具有什么经验和技能的人。

华为从2006年开始也加强了人力预算的审核，从对人力总数的控制转向对人力总成本的控制。如果只控制人数，一些管理者就不会去考虑人才结构，招一些高级人才做简单的事，或者给资历低的人比较高的工资。

华为地区部层面对各项专项费用，包括通讯费用、差旅费用等排名前20位的个人和排名前10位的代表处，采用张榜公布的方法，同时对其进行审计，对于审计中发现的问题进行及时处理和处罚。对效益排在后面的代表处也进行审计，以加强财务和审计的杠杆作用。

碳元素平行排列，形成石墨；正三角形排列，形成金刚石。

任正非最为推崇这种稳固的三角形结构。他认为，计划、统计、审计的三角形循环管理组织、流程体系是华为大发展的基础。任正非说：

> 廉政建设关乎华为公司生死，因此，华为在管理上坚定不移地推行内部审计，华为坚决提倡廉洁奉公的作风，任何部门及高位的领导都必须支持年度审计。

华为在人力资源管理部建立了荣誉部，在人力资源委员会建立了纪律检查领导小组。一批最有培养前途的干部和现职主管参加纪律检查，以检验高中级干部是否敢于坚持原则、敢于管理。

华为从1997年开始加大生产装备投入，两年时间建成了一个现代化的加工基地。之后，持续加强工艺、质量研究，制定多种规范，开展生产管理国际接轨的各项活动。华为对生产管理系统实施改革，在利用共同资源上，建立统一的、分专业的加工中心，如板件加工中心、机架加工中心。板件加工中心，将集采购、元器件库、机械生产线、测试线为一体。机架加工中心，将用招标的方式引进全套先进生产设备，以机柜为主的机架、塑胶、加工及外协组织管理为中心，共同为华为所有的产品服务，避免重复低水平建设。分产品建立产品部，产品部集总装总测、半成品库为一体。生产总部的服务机构在专业化、职能化分工的基础上，加强了对高中级管理人员的储备与考核，为跨国经营做准备。

除了控制内部成本外，华为更加强了对外部成本的控制。华为继续深化采购认证、滚动采购、进出口专业分工与协作，建立集中统一的采购认证，逐步把滚动采购与计划分散到事业部去，使控制有效而又灵活的供应体系促进企业的进步。

任正非总结说：

> 采购方面，我们请了IBM刚退休的资深采购总裁，年薪60万美元，聘他当我公司采购部总裁，当了两年，整个采购体系从小农的采购全部转变成了现代的采购体系。在当时IT泡沫最困难的时候，我们能每年降低采购成本20几个亿。因为在采购体系上，我们已经达到了国际水平，与绝大多数国家的大公司是电子商务的，中间没有采购人员，直接是电子对接。

2003年，华为所有下游产品零部件采购首次实行网上即时招标，采购成本一举降低了近30%。这一年,华为全球市场销售317亿元,海外销售达10.5亿美元,所占比例上升到27%,增长约80%,名列中国电子信息百强企业第七名,利润名列第一。

我们要活下去,就一定要提高效率和控制成本。我们每个部门和每个员工都要时刻想到如何为公司全流程节省成本作出贡献,时刻想到如何能提高效率,这样我们才能在激烈的市场竞争中生存下来。

找一个合适的机会上市

华为从注册资金2万元发展到现在的销售额220亿元,对于华为的上市问题,任正非早就说过:

我们不是不上市,而是在找一个合适的机会。

华为凭借价格优势,占领了发展中国家;而对于那些欧美发达国家来说,价格优势就不行了,华为面临提高海外知名度的挑战。作为一家民营企业,华为已经走到了一个极限,而上市无疑将成为华为上升的一个台阶。

在任正非看来,上市能通过公开化,让华为得到更多的监督,避免个人掌权的独断错误。

无论如何,上市是必然的,华为在等待时机,选择上市的方式,权衡利弊。其实,华为的打算无非是希望上市后还能够保证公司的稳定与传承。

1995年6月18日,华为在上海召开电话信息技术和业务管理研讨会。闭幕式上,任正非在致谢词中明确提出了华为的上市问题。

我们要把企业内部办好,同时还要开放自己。如果内部是一盘散沙,我们就不能对外开放。现在,我们的员工团结,经得起任何考验。因此,公司下阶段将"切块上市",把一部分产品公司转成上市的公众公司,以募集到更多的发展资金,建立现代化的生产线,像自动印钞机一样,大规模地复制技术,产生利润,降低成本。

1996年,任正非又计划先将莫贝克股份公司转化为上市公司,然后,清理华为公司内部产权,让社会资金进入,再将华为公司扩充成08集团,在运行稳定后,同样转化为上市公司。据任正非讲,成立08集团的事,中央及地方政府十分关注。他表示,华为仍一如既往地欢迎广大的邮电部门、工厂、三产职工投资,在利益均沾的基础上合作。但由于种种原因,任正非的这个计划没有实现。

自从那次华为上市之事搁浅后,上市就一直成为国内外业界密切关注的问题。从2003年以来,华为准备上市的消息再次流传。2004年,华为成功分拆,剥离了"华为移动"、"华为投资"等多家公司,"华为技术"的股权结构被逐步理清。这让一些媒体记者预言"这是华为上市的前奏,最迟不会超过2005"。在众多观察家看来,"华为技术"将是华为第一家上市的公司,而且很可能是赴海外资本市场上市。数年来,不断有世界知名的投资基金和财团希望协助华为上市。面对外界众多猜测,任正非至今尚没有正式回应过上市问题。

华为在筹备上市之前,就已经在内部进行分拆。尽管面对外界的揣测,华为的高层对于事件没有作出正面回应,但是在这个敏感时期,外界很容易把华为的分拆与它今后的上市联想到一起。无论是否为了上市,分拆都是华为必经的阶段。对于华为而言,分拆不仅可以理顺它原本复杂的股权,同时分拆后的模块化经营还可以使公司业务更加清晰。有业内人士指出:"华为上市有两大关系必须理清,除了股权,还有历史形成的各方利益体的平衡。"

华为内部人士透露,在部门分拆没有完全解决之前,华为是不可能上市的。而业界也有人士断定,在部门分拆之后,华为至少要到2008年年中才能正式上市。由于华为收入及费用支出未必经得起透明化的会计审核,同时,过分复杂的股权结构也可能隐含了不合适的股份安排,这些可能会导致上市的法律障碍,华为对此相当慎重。

而华为分拆除了加快其上市之外,也是对华为内部复杂的利益格局的重新界定。在分拆以前,华为技术的市场反映能力非常迟钝。比如说在小灵通方面,由于市场反应能力不够快,华为并没有迅速抓住中国市场的机会,而等到其他厂商赚得钵满盆满时才介入,这不得不说是华为的遗憾。

如果当时就已经成立了华为移动公司专门负责移动通信领域,凭借其对市场的敏感度,或许华为就能很好地把握住小灵通的市场机会。由此可见,分拆将在一定程度上提升华为的市场反应能力,促使其开发出更符合市场需求的产品,为客户提供更有竞争力的服务,从而使华为获得更大的发展。

事实上,历史上的产权遗留问题一直是华为上市最大的障碍。据华为的老员工介绍,华为早期为大举开拓市场,与各地用户组建了很多合资公司,这些合资公司自诞生起就是个空壳。合资公司有当地运营商和政府的股份,公司没有任何实体的运作，只用于销售回款，但是他们的年分红比例却高达投资额的60%到70%。当地运营商和政府投资合资公司的钱，甚至可以先由华为支付。这在当年既促进了华为的销售，解决了回款问题，又疏通了长期的客户关系。

但是，当年的明智之举也为华为后来的上市之路埋下隐患。包括2001年任正非强制推行的期权改革在内，华为近几年从未间断过对历史产权关系的清理。而此次的调整很有成效，这将意味着困扰华为上市的最大难题已被扫除。

目前所进行的重大调整，正是华为上市前最关键的铺垫。应该说，华为此次内部分拆执行得相当彻底，分拆出来的8家公司基本上都能够维持独立运营的态势。割除历史遗留关系，这对于加大在企业运作方面的透明度是有好处的。解决好了上市前最主要的障碍，华为的最终上市只是时间问题了。

现在的华为，国际化战略已经做到了一定高度。可以说，在国内IT企业中，华为是为数不多的真正走出去的企业之一。从摸索、进入到走出困境形成良性循环，华为只不过用了两年的时间。经过多年市场拓展，华为已在美国等40多个国家设立了代表处和分支机构，产品也已进入40多个国家和地区。但从地域上看，进军发展中国家相对比较顺利，凭借价格优势就能轻松切入市场。而发达国家则情况各异，欧洲市场比较容易一些，而北美市场则是华为步履维艰的地方。思科在北美市场的垄断地位短时间不可能撼动，而且与其纷纷扰扰的官司到现在仍然没有彻底解决。

而貌似辉煌的跨国版图，也存在着隐忧。在很多国家的公开招标中，华为都是以价格优势夺得订单，在技术上与思科等网络设备商还有明显的差距。一旦印度和欧洲一些网络设备商也加入竞争，提出比华为更优惠的报价，华为的生存空间会越来越小。

正因为如此，华为希望获得资本市场的支持，通过在国际性的资本市场上市来提高自己的知名度，提升华为的国际品牌，尤其是在北美地区的影响力。在国内市场发展缓慢的情况下，华为上市后将把更多的精力投放在海外市场，这不仅仅包括市场的开拓，还包括在海外建立研发和生产基地。

事实上，近几年来，全球通信设备制造商之间的竞争除了品牌、技术、质量、价格、服务的竞争之外，还包括融资条件的竞争。应该说，华为的国际市场销售额虽然处于上升阶段，但由于居高不下的营销费用，其净利润水平非常低，海外业务从整体来看仍然处于亏损状态。尽管华为没有透露确切的数字，但是很明显它承受了一定的资本压力。

另外,与 3Com 成立华为—3Com 公司,与西门子成立 TD—SCDMA 合资公司,这需要大量的现金流作为保证。虽然华为与中国进出口银行有 6 亿美元的出口信贷框架协议,暂时缓解了现金流压力,但是考虑到华为在未来可能的一系列收购,只有上市才是一劳永逸的办法。

唯有解决了资本的压力,摆脱了现金流的束缚,华为在今后的国际市场上才会有更大的升值空间。

稳健推行负债经营

任正非从来都不反对负债经营,电信行业的特点决定了华为不可能没有负债。在 1996 年之前,华为想从银行贷款是很难的,但 2000 年以后,随着华为的迅速壮大,以及国家领导人的重视,华为逐步成为各大银行行长的座上宾。

虽然华为取得贷款相对容易了,但华为会采取多种措施将负债率维持在一定的合理水平内。曾一度有传言,华为负债太重,已成为未来隐患,银行已不愿再向华为贷款。但是来自华为内部的消息说,他们现在并不缺钱——华为对外宣布的负债率在 45%至 50%左右,低于国际电信行业的平均负债水平。

《华为公司基本法》第三十六条规定:我们努力使筹资方式多样化,继续稳健地推行负债经营。开辟资金来源,控制资金成本,加快资金周转,逐步形成支撑公司长期发展需求的筹资合作关系,确保公司战略规划的实现。

在投资战略上,华为坚持中短期投资仍以产品投资为主,最大限度地集中资源,迅速增强公司的技术实力、市场地位和管理能力。华为在制定重大投资决策时,不一定追逐今天的高利润项目,同时关注有巨大潜力的新兴市场和新产品的成长机会。华为不从事任何分散公司资源和高层管理精力的非相关多元化经营。

虽然,任正非曾经一度排斥资本市场,但他并不反对华为进行资本经营:

> 我们在产品领域经营成功的基础上探索资本经营,利用产权机制更大规模地调动资源。实践表明,实现这种转变取决于我们的技术实力、营销实力、管理实力和时机。外延的扩张依赖于内涵的做实,机会的捕捉取决于事先的准备。

港湾网络失败的重要原因之一是由于投机资本的短期行为。投资于港湾的国际资本希望能在最短的时间内获得最高的回报，回报的方式可以是把港湾推到国际资本市场，也可以是出让股份。按照预定计划，港湾要在境外上市，但上市计划流产后，投资资本唯恐自己被套牢，已经无心恋战，赶快找个下家脱身了事。因此，港湾最后被卖，被卖给谁，其实不是由总裁李一男说了算的，而是资本在说话。

一直对资本的投机行为有着高度戒备的任正非，从港湾的教训中更是看清了投资资本未来可能给华为带来的风险。

虽然，任正非反对投机性的投资公司，但他并不反对对华为确实能起到积极作用的投资者。

从2001年开始，华为先后与IBM、摩托罗拉、英特尔、马可尼、NEC等国际大企业接触，华为计划出让25％至30％的股份，同时吸收5家至6家企业投资入股，成为华为的战略合作伙伴。

2001年5月，华为董事长孙亚芳和具体负责引资工作的高级副总裁徐文伟专程飞赴美国会见了IBM首席财务官约翰·乔依斯(John R. Joyce)，向IBM发出了作为战略投资者入资华为的邀请。2001年7月13日，IBM指派亚太区企业发展部总监黎广强和中国区副总裁范宇来到华为深圳总部商谈具体细节。

而对于走向资本市场获得来自资本市场的资金支持，任正非并非如外界所言那样厌恶以至拒绝，关于将华为分拆上市的计划早在10年前就构想过了。

1998年，任正非对华为高级干部们说：

> 下个世纪，我们要在国际市场实现资本经营。

他的用意很明显，届时，华为已经基本完成了与国际接轨，海外市场销售量至少已经占据了华为的半壁江山，华为成为一个真正国际化的企业，在各个领域与跨国竞争对手展开正面较量。此时的华为，无论是从治理结构的规范化、市场战略，还是从国际影响力上讲，都需要进入国际资本平台，而经过10年的内部管理架构调整，华为也完全有条件接受国际资本市场的挑战了。

应当指出的是，由于华为已经成为一个市场高度国际化的企业，华为所需要的资金应该是美元等外汇，而不是人民币；而华为要想在国际市场上获得更大的影响力，也应该在国外资本市场上市。因此，华为如果上市，最可能去的地方只有两个:伦敦证券交易所和纽约证券交易所。原因很简单,一是这两个交易所盘子足够大,华为去那里可以募集到足够的资金量;二是两家都是最国际化的证券交易所,位于世界金融中心,同时又位于华为最难啃的美洲与欧洲市场,在这两个地方同时上市,对华为在当地提升知名度和品牌非常有帮助,对华为的国际化战略非常有利;三是华为开拓全球市场需要的是美元,而在国内市场上市只能获得人民币。华为在伦敦证交所上市的可能性最大,因为华为在欧洲的业务开展得不错,已经为众多欧洲运营商和券商熟知,而华为的欧洲总部又设在伦敦,在那里上市具备天时、地利。

2006 年,华为的海外销售已经占到了华为销售总额的一半,2007 年以后,海外销售额超过国内销售额,成为华为利润的主要来源。在管理基本与国际接轨后,华为有必要进入国际资本市场,在更高层面提升自己的管理水平,完成从中国本土公司向世界公司转变的最后一跳。

根据华为 2008 年前后要完成与国际接轨的计划推算,华为应该在 2008 年前后开赴国际资本市场。

第十章　唯有文化生生不息

——任正非论华为的企业文化

华为不单需要高层次、高素质的人才，同时还必须有一个能被这些人认同的价值体系，这就要建立一个共同拥有的企业文化。物质资源终会枯竭，唯有文化生生不息。

——任正非

有人曾经问任正非，华为的文化是什么？任正非说：

华为文化什么也不是，5000年的中国文化也没有具体到什么，你的外婆一个字都不认识，她却天天在向你灌输中华文化。文化不是什么东西，但文化处处都在。

在任正非看来，华为是一个功利集团，华为的一切都是围绕商业利益的。因此，华为的文化叫企业文化，而不是其他文化或政治。因此，华为文化的特征就是服务文化，因为只有服务才能换来商业利益。

任正非对华为的企业文化建设是十分重视的。他经常有意识地传播、修正华为的企业文化，以优秀的企业文化感召华为人、统一华为人的思想。因此，华为的成功，企业文化的作用功不可没。

在任正非身上，我们可以清晰地看到中国传统文化的影子，比如说他要求华为人要孝敬父母、尊长爱幼，这使得华为的企业文化不可避免地带有传统思想的色彩。

任正非曾经说：

资源是会枯竭的，唯有文化生生不息。

这句名言已经成为众多企业家的座右铭。任正非在这里所说的企业文化，绝非狭隘的企业文化概念，并不仅仅是指企业的价值观、员工所应遵守的做事原则和方法，而是包括华为人的智慧在内的"泛文化"概念。任正非认为：

有形的物质资源始终是有限的，而人类的创造力是无穷的，只有保持良好的创新精神，才能克服资源匮乏的困难，创造出一个个奇迹。

可以说，大量高科技人才和产品构成了华为的身躯，而丰富的企业文化内涵赋予了华为灵魂。华为公司能有今天的成就，与其先进的企业文化是分不开的。与其说是华为创造了企业文化，还不如说是企业文化成就了华为。

文化其实就是一种管理，是管理的高级形式。

∽∽∽ ∽∽∽ ∽∽∽

10 多年来,华为的成功更多的是经营上、文化上和机制上的成功,很难说是管理上的成功。

在任正非看来,企业文化说到底是为管理服务的,不能脱离管理的目的。文化是理念和思想层次上的管理。企业文化的发展必然遵从管理者的思想脉络而生生不息。管理者的管理思想通过文化这种形式,与下属员工沟通和交流,产生凝聚力和向心力,从而实现企业家的精神和抱负。

任正非一直试图将模糊的企业文化,变成制度性的企业文化。因此,华为企业文化的形成过程就是制度性建设的过程,华为企业文化的移植是价值准则的移植,是制度的移植。

任正非曾说:

> 文化与管理的关系犹如土壤与庄稼的关系。文化为华为公司的发展提供土壤,文化的使命是使土壤更肥沃、更疏松;管理是种庄稼,其使命是多打粮食。

任正非认为,民主是产生在独裁基础之上的,没有独裁,民主不可能生长,民主不可能在无政府主义状态下生成。华为要实现民主管理,必须先经历长官管理阶段。如果说长官管理代表独裁与"人治",制度管理代表"法治",那么文化管理则代表民主管理。当一个企业只需要通过文化进行管理的时候,这个企业距离"无为而治"就不远了。

但是,当企业还没有达到文化管理层次的时候,企业文化只能解决人们思想意识和行为上的统一问题,不能解决组织建设和业务流程之间的关系和基本规律问题。在这个阶段,企业文化对管理起到的是推进作用。

正确处理文化与管理的关系,进一步运用文化构建华为的管理机制,以推动华为管理的改进与提高,使华为文化在继承与创新的基础上生生不息,是华为二次创业迫切需要解决的问题。

华为文化的主要来源有:国内外著名企业的先进管理经验;中国传统文化的精华;现有华为企业家创造性思维所产生的管理思想。其中,华为企业家群体的管理思想是华为文化的主流,它不断创新,使得华为文化"生生不息"。

任正非把华为文化归纳为三种:奋斗文化、服务文化和诚信文化。

除了艰苦奋斗还是艰苦奋斗

面对我们所处的产品过剩时代，华为人除了艰苦奋斗还是艰苦奋斗。从来就没有什么救世主，也不靠神仙皇帝，要创造我们的幸福，全靠我们自己。

∽∽∽　∽∽∽　∽∽∽

我们必须长期坚持艰苦奋斗，否则就会走向消亡。

任正非警示员工，华为走到今天，在很多人眼里看来规模已经很大了、成功了。有人认为创业时期形成的“床垫文化”、奋斗文化已经不合适了，可以放松一些，可以按部就班，这是危险的。

华为人经历20世纪90年代初艰难的日子，在资金技术各方面都匮乏的条件下，咬牙把鸡蛋放在一个篮子里，紧紧依靠集体奋斗，群策群力，日夜攻关，利用压强原则，重点投入，重点突破，终于研制出了第一台通讯设备——数字程控交换机。

华为创业之初没有资金，是创业者们把自己的工资、奖金投入到公司，每个人只能拿到很微薄的报酬，发工资经常打白条，绝大部分干部、员工长年租住在农民房，用有限的资金购买原材料、购买实验测试用的示波器，正是老一代华为人“先生产，后生活”的奉献，才挺过了公司最困难的岁月，支撑了公司的生存、发展，才有了今天的华为。一直到2001年，华为才拿出了所获得的利润的一部分来改善华为员工的生活，让华为的部分员工解除了基本生活的后顾之忧。

1998年，交换机用户板因为设计不合理，导致对全网100多万块用户板进行整改。

2000年，光网络设备因为电源问题，为了对客户负责和诚信，华为从网上回收、替换了20多万块板子，这些板子在仓库里堆积如山，造成损失十几亿；西欧某运营商，由于华为对于客户的需求理解偏差大，造成无法及时交付，只能按合同赔偿；亚太的一个移动运营商，选择华为的彩铃系统，由于工期极其紧张，导致工程质量低，造成诸如鸳鸯线等低级错误，给客户造成很大影响；VPN系统由于没有考虑逃生设计，局部故障导致系统中断，客户无法使用业务；系统操作、管理权限不是基于使用者而是基于角色设计的，由于权限过大，错误操作导致整个系统瘫痪等。

正是因为这种年轻和幼稚，所以华为人必须也只能付出更多的代价，系统的设计和研发要推倒重来，过去的工作等于是白做了。为了还能够赶得上市场的节奏，为了还能够从市场上获得竞争先机，华为人只能付出比别人更多的精力来工作，加班累了，就在办公室铺下垫子睡一觉，醒了就继续干；思路没了，就在办公室铺下垫子睡一觉，有了思路就继续干，这也造就了华为公司传承至今的垫子文化。

2001年开始的网络泡沫，使市场急剧下滑和萎缩，尤其是2002年，华为深深地感受到了严冬的寒冷彻骨。那一年，华为的销售是负增长，公司很多员工因为暂时的不利处境，纷纷离开公司；使华为公司雪上加霜的是，不少离开公司的员工在离开的时候带走了华为公司的源程序、设计原理图等核心商业机密信息，在外面或自己开公司或有偿泄漏给同业者进行仿制，这种零成本、无投入的仿制，在市场上全面形成了对华为的正面竞争，几乎造成华为公司的灭顶之灾。

由于对市场形势和发展判断失误，华为错失了很多可以获得收益和利润的市场机会；由于没有准确判断泡沫带来的低谷，对局部市场和产品盲目乐观，造成了5亿元的器件库存和积压；NGN至今亏损超过10亿元，3G至今亏损超过40亿元。

华为一度以高薪著称，任正非明确提出，要以最优厚的待遇吸引最优秀的人才。多年的高速增长，让华为人也获得了巨大的经济收益。那个曾经为了维持最低生活水准而奔波、劳碌的时代已经过去了，华为人进入了相对安逸的生活、工作状态。

为应对发展中的困难，华为制定了自动降薪等制度，削减成本开支，从机制上保证了经营的灵活性。

《华为公司基本法》第七十条规定：公司在经济不景气时期，以及事业成长暂时受挫阶段，或根据事业发展需要，启用自动降薪制度，避免过度裁员与人才流失，确保公司渡过难关。

任正非并不反对物质享受，他甚至提倡并鼓励华为人尽情享受自己创造的物质幸福。华为已经有这个能力给员工提供优厚的待遇。但是，任正非担心这种优越的生活会磨灭华为人艰苦奋斗的精神。

在这个世界上除了懒汉、二流子之外，90%的人都在身体力行艰苦奋斗，吃大苦耐大劳是人们容易理解的。但什么人在思想上艰苦奋斗呢？并不为多数人所理解。科学家、企业家、政治家、种田能手、养猪状元、善于经营的个体户、小业主、优秀的工人……他们有些人也许生活比较富裕，但并不意味着他们不艰苦奋斗。他们不断地总结经验，不断地向他人学习，无论何时何地都自我修正与自我批评，每日三省吾身，从中找到适合他前进的思想、方法，从而有所发明、有所创造、有所前进。

显然，任正非所谓的思想上的艰苦奋斗就是要求华为员工永远保持一颗积极向上的心，在工作上永不满足，不断地提高工作效率、工作质量。尤其是应该向日本人学习，即使在经济不景气的时候，也不怨天尤人，而是信心百倍地以高度热情投入到工作中去。

正是通过一点一滴、锲而不舍的艰苦努力，华为用了10余年时间，终于在2005年，销售收入首次突破了50亿美元，但与通信巨头的差距仍很大。但在2006年，业界的几次大兼并，一下子使原本已经缩小的差距又陡然拉大了。

我们始终认为华为还没有成功，华为离成功还很远，华为的国际市场刚刚有了起色，所面临的外部环境比以往更严峻。海外很多市场刚爬上滩涂，随时会被赶回海里；产业和市场风云变幻，刚刚积累的一些技术和经验又一次面临自我否定。在这关键时刻，我们不能分心，不能动摇甚至背弃自己的根本，无论现在还是将来，我们除了艰苦奋斗还是艰苦奋斗。

在任正非看来，信息产业正逐步转变为低毛利率、规模化的传统产业，电信设备厂商已进行和将进行的兼并、整合正是为了应对这种挑战。目前华为相对还很弱小，面临更艰难的困境，为了生存和发展，只能用别人看来很"傻"的办法，就是艰苦奋斗。

2001年春天，任正非抱着"学习度过冬天的经验"的目的，到日本考察。

战后日本第13次经济周期于2000年10月达到景气上升过程的顶峰，随后陷入新一轮经济衰退期，多项重要经济指标均创战后最坏纪录。经济出现战后最严重的负增长，失业率屡创新高，一度高达10%以上。日元对美元汇率2000年10月为1美元兑108日元左右，一年后贬至132日元左右。工业生产总值则跌到13年来的最低点，企业还在不断紧缩开支与裁员。由于日本在经济滑坡之前积聚了大量财富，经济衰退的全部影响应该在几年后才可以感受得到，但一些日本居民在2000年年末就已经感受到了生活的艰难。

任正非就是在这个时候到达日本的。他惊讶地发现，在战后最严重的经济衰退中挣扎的日本人民并没有被困难压倒。经历10年经济低迷后的日本，绝大多数企业已经连续8年没有增加过工资，但社会依旧宁静、祥和、舒适，人们依旧兢兢业业地工作，任劳任怨地为日本振兴作出自己的贡献。任正非被日本人民不屈不挠、艰苦奋斗的精神震撼了。在《北国之春》一文中，任正非记述了自己的所见所感：

> 从偏远的农村，到繁华的大城市，街道还是那样整洁，所到之处还是那样井然有序；人还是那样慈祥、和善、彬彬有礼，脚步还是那样匆匆；从拉面店的服务员，到乡村小旅馆的老太太，从大公司的上班族，到……所有人都这么平和、乐观和敬业。他们是如此的珍惜自己的工作，如此的珍惜为他人服务的机会，工作似乎是他们最高的享受，没有任何躁动、不满与怨气。

从精诚团结、同舟共济，努力改善经济增长困境的日本人身上，任正非看到了大和民族的高度凝聚力和吃苦耐劳精神。他认为，日本一旦重新起飞，一定会再次一飞冲天。面对这样一个强大的民族，任正非联想到了华为，他问自己，华为若连续遭遇两个冬天，不知道华为人是否还会平静沉着应对，克服困难，期盼春天。

任正非真切地提醒华为人，过去的成功经验或许成为华为进一步发展的最大阻碍，华为人的过分自信可能导致最大的失败。要清醒地认识到华为与优秀的跨国公司的差距，持续保持积极进取的精神。

任正非深知创业难，守业更难的道理，他忠告华为人，繁荣的背后，处处充满危机，华为必须保持艰苦奋斗的传统。

> 艰苦奋斗必然带来繁荣，繁荣以后不再艰苦奋斗，必然丢失繁荣。千古兴亡多少事？悠悠，不尽长江滚滚来。历史是一面镜子，它给了我们多么深刻的启示。忘却过去的艰苦奋斗，就意味着背弃了华为文化。

任正非教育华为员工，必须要有长期在思想上艰苦奋斗的准备。持续不断地与困难斗争之后，会是一场迅猛的发展。发展迅猛、规模扩大过于快速，有可能导致华为的管理断裂，有可能导致意得志满的华为人手忙脚乱，不能冷静系统地处理重大问题，从而导致华为公司的灭亡。

任正非进一步透露，目前，华为正在推行人力资源变革，希望“建立一支宏大的，能英勇奋斗，不畏艰难困苦，能创造成功的干部员工队伍”。华为还将推行“以岗定级、以级定薪、人岗匹配、易岗易薪”的工资制度改革，实行基于岗位责任和贡献的报酬体系，为更多新人的成长创造空间。

任正非强调，任何员工，无论新老，都需奋斗。从高层管理团队到每个基层员工，只有保持继续奋斗、不懈怠的状态，华为才能活着走向明天。

服务的华为

“为客户服务是华为存在的唯一理由”，围绕以客户为中心的战略，华为人一直在为客户服务着。

有专家指出，华为是通信制造业里最好的服务导向型企业。据第三方公司的客户满意度的调查显示，华为服务的各项指标连续几年在业界排名第一。华为服务的进步，正是快速把握客户需求、不断进行服务创新的结果。

1998年《华为公司基本法》中明确规定，华为要“在电子信息领域实现顾客的梦想”，从战略上为服务指明了方向。2000年，华为提出“服务的华为，增值的网络”的口号，指引服务向网络增值方向创新。2001年，华为又提出了“双赢”的服务新思维，标志着与客户共建服务链的战略思想正逐步形成。在2003年年初，结合网络服务需求以及《华为公司基本法》，最终将“专业、快捷和热诚”6个字确定为华为服务的核心价值观。

华为经过十几年的积累，已经成功建立起一张覆盖国内31个省区市的300多个地区、海外40多个国家和地区的立体服务网络，为用户提供端到端、全网络、全方位的服务。通过与客户的充分交流，深入挖掘客户需求，同时凭借自身对现有网络的深刻理解，华为为客户提供客户化的全面解决方案。在网络安装方面，华为采用项目管理的方式，提供质量保障体系和专业化的集成服务。华为的“整体服务解决方案”是网络正常运营的重要保障。“整体服务解决方案”分为白金、金、银三个等级，满足不同客户的需求，充分体现服务的标准化、专业化和差异化。在网络发展方面，华为与客户共同致力于现有网络的业务开发及拓展，服务覆盖了管理咨询、OSS、TCO、网络演进评估等各个方面，并开发出一系列面向客户及网络的专项服务产品。

华为恪守“立足用户，突出实效”的培训宗旨，面向全球客户提供从网络规划、网络运营到网络管理的全方位的培训服务，目前已有37种、近300个不同级别的培训课程，涵盖了华为所有技术和产品，同时满足每月600人的培训需求。2001年年初，华为在国内首次正式推出适应国际规范的“华为认证培训体系”。华为认证培训量已累计达6000余人次，已有2000余人通过认证并获得证书。

华为致力于构建巩固的服务链，追求与运营商、最终用户的多赢，为此，华为从来没有放松过对自身的服务体系的建设，因为这是整个服务链的保障平台。

2002年，华为成功通过TL9000管理质量认证，管理水平达到国际标准。为了提高服务效率，华为全面推行IPD模式，走集成产品开发的路线，同时将全部成本拥有(TCO)的概念用于服务之中，实现总体服务成本的最优，促使多赢局面的形成。

华为还拥有先进、开放、共享的信息平台，为客户需求管理提供有力支撑。华为始终坚持以“高标准、严要求”来建设服务队伍，目前共有3400余名服务人员，100%具有大学本科以上的学历。正是这样一支正规化、职业化的服务队伍，让华为的服务呈现不断贴近客户的良好发展势头，华为也才能不断推出客户化的、全方位的服务解决方案。

诚信，从我做起

诚信对于企业是至关重要的，诚信是企业存在与发展的基础。对一个企业来说，诚信可划分为内部诚信和外部诚信。外部诚信是企业所处市场经济环境中的诚信，是企业诚信；内部诚信则存在于员工与其工作岗位、员工与员工以及员工与管理层之间，是员工诚信。

> 如果我们企业内部不能够依靠诚信制度建立起一种互相信任的关系，企业就不可能有好的发展。

《第五代管理》的作者查尔斯·萨维奇曾说过：“怀疑和不信任是真正的成本之源。”管理者与员工之间级别上的差异、心理上的距离以及互不信任直接导致了员工压抑的心理；除此之外，怀疑和不信任还打击了员工的积极性，阻碍了创新。毫无疑问，信任能增强员工对企业的责任感和使命感，能促使员工自觉采取行动，与企业同呼吸，共命运。

小胜靠智，大胜在德

任正非一直提倡“小胜靠智，大胜在德”。

> 在华为公司，物质文明和精神文明是并存的。企业的发展不能以利益来驱动，君子取之以道，小人趋之于利，以物质利益为基准，是建立不起强大队伍的，也是不能长久的。

企业越大，成员越多，相互协作越重要。协作不但是在本职工作中，还包括日常生活细节。再具体的规章制度，也难以全部囊括员工所有的工作，员工工作是否尽心、协作是否积极，不是规章所能解决的，而要靠员工的自觉性。因此，提高员工的道德修养，培养员工无私奉献、不计名利的高尚情操就成为一家成功企业的必修课。

正是在这种无私奉献精神的感召下，当工作和家庭不能同时兼顾的时候，很多华为人自觉地选择了工作，将家庭事务暂放一边。

为公司的事业无私奉献、不斤斤计较，是华为提出的小胜靠智，大胜在德精神的内涵之一。

这里的"智"主要是指技术、营销等具体的操作层面的因素；这里的"德"是指思想意识等精神层面的东西。显然，技术、营销策略等"有形"的东西，通过学习很容易掌握，但道德修养却是要靠细致的思想工作，靠员工个人品行的修炼，经过长期磨炼、积累形成的，很难一蹴而就。

任正非要让华为人知道，靠要小聪明、小智慧，可能工作会有一点小成绩，也许会得到领导的重视和赏识。但是长远来看，只有真正严谨地对待工作，诚实努力、踏踏实实，才可能做出真正的成绩，才可能从平凡的工作中找到乐趣，最大化地实现自己的人生价值。

自私等负面特质是人的天性，只不过有时候没有表现出来而已。在华为创业初期，在特定的历史条件下，员工们同甘共苦、同舟共济，发扬了"胜则举杯相庆，败则拼死相救"的集体主义精神，创造了一个个奇迹。在那个时期，华为员工内心里的自私、封闭，都被高涨的奉献精神掩盖了。但是，当华为具备了上万人规模，发展进入一个平稳时期，已经有大量创业元老沉淀后，自私自利等负面特质逐渐显露，成为影响工作效率的负面因素。

因此，任正非希望华为的干部们在华为的事业发展处于低谷的时候，用自己生命的火花，照亮前进的道路，实际上就是希望华为的干部们具备无私奉献、吃苦在前、享受在后的精神。

任正非说：

> 我们要注重干部思想品德的进步，注重干部综合素质的成长，注重团队建设。创造一个好的环境，让员工的聪明才智围绕在客户需求服务上，得到更大、更宽松、更自由的发展，为公司的长远发展作出贡献。

但华为的"德"还有更深层的意义。

农民革命、个体户、小公司的一些经营行为都是以单纯的利益为驱动，所以都是不能长久的。管理者必须使员工的目标远大化，使员工感到他与祖国的前途、民族的命运是紧密连在一起的，自己所从事的工作是伟大而崇高的，在某些时候，即使物质利益不能满足，也会继续矢志不渝地为之奋斗。

因此，华为公司提倡华为人应为伟大祖国的繁荣昌盛，为中华民族的振兴，为自己与家人的幸福而努力奋斗。

《华为公司基本法》第四条规定：爱祖国、爱人民、爱事业和爱生活是我们凝聚力的源泉。

特殊的历史场景给华为巨大的压力、危机，也给了华为难得的机遇。

1994年6月，华为的C&C08数字程控交换机取得了月销售额突破12万线的好成绩，在全国多个市场上，各省管局都较大幅度地接纳了C&C08，6月份的市场上升了10%。当年6月，华为在广东省成功开通了多个母局带模块局的试验，成为第一家较大规模地进入广东市场的国产交换机企业。华为回收货款的状况因此也有了较大改善。

此时，华为已经从一个小公司逐渐变为一家有实力的大公司。但是，此时的国内交换机市场外患内乱，不正当的竞争几乎把国内的交换机厂家逼到临近破产。任正非大声疾呼：处在民族通信工业生死存亡的关头，华为要竭尽努力，在公平竞争中生存发展，决不退步、低头。华为一定能生存下去，为中华民族的通信产业发出光和热。

> 马克思在100多年前就告诉我们一条真理，我们要深刻地去理解它。“从来就没有什么救世主，也没有神仙皇帝，中国要富强，必须靠自己。”我们从事的事业，是为了祖国的利益、人民的利益、民族的利益。相信我们的事业一定会胜利，一定能胜利。

任正非将华为的事业与民族工业的振兴结合起来，极大地激发了华为人的拼搏精神。

华为提倡精神文明，并用物质文明去巩固，不让员工感到精神追求是遥不可及的。如华为明确提出，不让雷锋吃亏，让奉献者得到相应的回报。这就是任正非所说的驱动华为发展的两部发动机：一部为国家，一部为自己。

虽然，任正非希望提高员工们的整体道德水准，但是，现实的情况是，员工们的思想认识、道德修养是参差不齐的。因此，在“德”的问题上，任正非对华为人有不同的要求，员工级别不同，要求也不同。对一般员工，任正非只要求他们能够根据自己付出的劳动，获取相应报酬。但是，任正非会从普通员工中发现那些愿意为华为的事业献身的员工，将他们培养成华为的干部。员工的职位越高，任正非的要求也越高。他要求，在职的华为干部必须要有敬业精神、献身精神、责任心、使命感。

不准在公司加班过夜

2006年5月28日晚，广州市中山大学附属第三医院，25岁的胡新宇因病毒性脑炎被诊断死亡。

据知情人士介绍，2006年4月28日，胡新宇在公司上班的时候，感到身体不适。5月2日，胡新宇住进医院的呼吸科治疗，连续打了5天的吊针。5月7日晚上，当地医院主任做了检查，没有见好。5月8日下午，正式确诊为脑炎、中枢神经系统感染，接下来转该医院神经内科治疗。5月14日，胡新宇转到广州市中山附属三院，深度昏迷10多天后，于5月28日不治逝世。多天的抢救仍无法挽回胡新宇的年轻生命，他的全身多个器官在过去的一个月中不断衰竭，直至最后一刻。

毕业于四川大学1997级无线电系二班的胡新宇，2002年考上成都电子科技大学继续攻读硕士，2005年毕业以后直接到深圳华为公司从事研发工作。在4月底住进医院以前，他从事封闭研发的工作项目，经常在公司加班加点，并住宿在办公室，第二天早上8点钟起床。

华为新闻发言人傅军表示，虽然过度劳累与胡新宇死亡不构成直接的因果关系，但确实也有相关性，华为高层已经高度重视对此事的处理，华为也重申了加班政策，晚上10点以后加班要经过批准，不准在公司打地铺过夜。

胡新宇的死亡，在华为员工中间引发了较大规模的争论。

有人认为，胡新宇没有处理好工作与休息的关系，没有量力而行，造成这个结果有他个人的原因。有人提出疑问："公司是家吗？为了公司这样不要命地加班，图什么呀？""我们要知道，我们所做的一切，只是为了提高生活质量，像他这种以健康换来的所谓华为考评A有什么意义？"有人表示无法理解，一个25岁的正常人，竟然经常性在办公室加班到半夜2点，而周围竟然没有人劝解。也有部分员工认为华为对胡新宇的死负有一定责任，并质疑华为不合理的加班制度，甚至质疑华为的绩效考评和企业文化。一些华为的员工通过邮件等各种形式向记者反映华为内部的相关情况，其中抱怨居多。一位华为研发部的员工表示，华为把员工的加班算作绩效考核的一部分，整个公司的文化就是鼓励加班。

创业时的华为留下了一个传统，叫做“床垫文化”。华为的加班是大面积和普遍的，华为员工的办公桌下都有一个床垫用于休息。华为已经把“床垫文化”带到了全球业务所在的每个角落。

虽然我们在销售额上每年都会新上一个台阶，但利润越来越低。除了显性竞争外，时常有隐性竞争让人防不胜防。面对如此严酷的环境，我们的队伍却越来越新，多种意识和声音混杂在我们的团队中，分散了我们的注意力；我们的规模也越来越庞大，管理难度和跨度大大增加，当年的小分队运作方式已不再适应我们现今的队列操作……但逆水行舟，不进则退，是生存还是毁灭，看起来很悬的问题已经实实在在地摆在我们的面前。我们怎么办才能在新形势下摆脱困境求得生存？唯有保持艰苦奋斗的精神，做到自我清零，再次开始新的长征，才能让我们获得继续生存的可能。

华为凭借超常的发展，成为中国企业创业、创新和国际化的标杆。华为2005年实现销售收入453亿元，上缴地税及各项海关关税、增值税共40亿元，拥有上万人的庞大研发团队，其中有本科学历的员工占1/3以上，业务遍布全球。

上述事件发生后，华为对加班进行了限制，要加班必须向主管领导申请，即使加班到再晚，也不允许在办公室过夜。

针对这些问题，任正非强调，要在竞争中敢干，巧干。

在通信市场的博弈中，敢于竞争、巧于竞争是艰苦奋斗的方法，重点在于前端的策划和发力。但是，经过长期的攻坚，有些人已经开始麻痹，单纯地认为如今是合纵连横的时代，在竞争中变得胆怯和麻木，让我们丧失了一些先机。不过亡羊补牢，为时不晚，需要我们猛醒、打起精神、全力投入、抓住剩下的不多的机会，不然就很难挣得生存的空间。

当前，公司处于一个关键的发展时期，确立一种全体员工都能持续奋斗、高效产出、乐于奉献的价值导向，是公司继续发展的强大力量。

“‘床垫文化’还得继续，不然华为如何与海内外竞争对手拼？”一位华为员工表示，这是国内企业需要正视的，只是希望公司能更多地关注员工的生活和工作状态，尤其要注意公平。

不要对生活失去信心

2006年以来，有关华为员工自杀与自残，患忧郁症、焦虑症持续增多的传闻不断出现。对此，任正非本人也十分担心和不解。他在给华为党委成员的一封信中，这样写道：

华为不断地有员工自杀与自残，而且员工中患忧郁症、焦虑症的不断增多，令人十分担心。有什么办法可以让员工积极、开放、正派地面对人生？我思考再三，不得其解。

2006年，某个在海外工作多年的华为员工，回国后发现女友已经背叛了他，而他一直不受女友家人尊重，因为女友家庭条件较好。作为一名华为人，他的收入已经不低，且很有上进心，发展空间很大。但是，女友家人认为他还是没有什么大的成就。这导致他的压力一直很大，加上女友的背叛，他感到生活无望。在一个风和日丽的下午，他走到自家的阳台上，茫然地环顾了一下不远处熙熙攘攘的街区，然后纵身跃下。他瘦弱的身躯在空中划了一段沉重的抛物线，年轻的生命便戛然而止。

2007年7月18日下午，年仅26岁的华为员工张锐，在深圳梅林某小区的楼道内自缢身亡。时隔不久，2007年8月11日，华为再出自杀事件，长春办事处一名赵姓员工跳楼自杀。2007年2月26日中午，华为成都研究所一名员工跳楼自杀身亡。

很多人将这些问题的出现完全归结于华为的“狼性”文化，甚至由此认为华为的企业文化出现了重大问题。在一直被认为是中国最优秀的企业——华为，出现这样的问题显然是让人惊讶的，这也是这类事件迅速传播，并成为重要话题的原因之一。

华为1997年开始强制实施国际化的管理模式，经过10年的磨合，在制度、流程等硬件层面上基本落实了国际化的管理模式，但是，大多数华为人的思维模式还是基于传统的东方文化。这种文化背景与西方管理模式之间必然发生冲撞，出现各种各样的问题也就不奇怪了。

华为是国内发展得最快、走得最远的企业之一，代表了一类国内企业的发展方向。华为今天遭遇到的问题，若干年以后，国内其他企业也许会同样遭遇到，华为之所以提前遇到，在很大程度上是因为走得太快，太超前。

出现这些问题，在一定程度上说明了华为在国际化过程中某些工作没有做好，比如说对员工的心理素质缺乏考察和辅导。另一方面，员工自身的心理素质也存在问题。有的员工是忍受不了爱情的背叛，有的员工是承受不了病痛的打击等，以致采取了极端措施。

其实，任正非本人也曾经是一个严重的忧郁症、焦虑症患者，后来，在医生的帮助下，加上他自己的乐观，病完全治好了。任正非在信件中，公开承认自己的这段历史，以自己的亲身经历，鼓励华为人要走出这个暂时的低谷。

作为华为的缔造者，任正非也深刻地理解并亲尝了创业者的艰辛。任正非对父母非常孝敬，父母对任正非更是关爱有加，远在云南的妈妈，经常给任正非邮寄去他最喜欢吃的鱼腥草、山野菜、辣肠……但是，为了华为的事业，任正非没有更多时间照顾父母，为此任正非一直非常内疚和痛苦。他曾经说：

我把全部精力献给了工作，忘了父母的安危，实际上是一个不称职的儿子。

2001年，任正非到日本考察，在日本一个偏僻乡村的小居酒屋，巧遇一群旅游的日本退休老人，他们为任正非一行热情地演唱了《拉网小调》。日本老人的乐观、热情、无忧无虑，感染了任正非，任正非也情不自禁地与他们同唱北海道民歌《北国之春》。《北国之春》本来是歌颂创业者和奋斗者的歌曲，说的是一个青年为了事业，背井离乡。但是，无论他走多远，妈妈都无时无刻地关怀着他，在春天已经来临时，妈妈还给他邮去棉衣御严冬。但这首写给创业者的颂歌，后来被误读成了一首情歌。

听到《北国之春》，任正非想到，每一个人的成功，都来自亲人的无私奉献，华为人生活、工作和事业的原动力，首先来自妈妈御寒的冬衣，来自沉默寡言的父兄，故乡的水车、小屋、独木桥，还有曾经爱过你但已分别的姑娘……父母亲人用自己的脊梁，为儿女搭起了人生和事业的第一个台阶。华为的成功也离不开无数华为人家人的默默支持和奉献。为此，任正非呼吁华为人，千万别忘记了报答家人和所有支持华为的人。

作为华为的领袖，任正非自己也曾经犹豫过、怀疑过。任正非曾数百次倾听《北国之春》，每一次都热泪盈眶，为其朴实无华的歌词所震撼。一个人离家奋斗是为了获得美好的生活，爱情又是美好生活中最重要的部分，离家已经5年，在残雪消融、溪流淙淙的时候，面对自横的独木桥，心爱的姑娘可安在。任正非忽然感受到了一种惆怅、失落和迷茫，他问自己，放弃了爱情和亲情，事业成功了又能怎么样？

但是，任正非毕竟是任正非，这种迷茫转瞬即逝。因为他很清楚，只有舍弃一时的家庭幸福，生活的温馨，不懈奋斗，华为才能持续发展，才能在国际市场纵横驰骋。

他希望员工：

> 任何时候，任何处境都不要对生活失去信心。唯有艰苦奋斗才会有益于社会。

闲情偶寄于高雅

任正非认真分析了员工出问题的原因，他认为主要有以下几个方面：一是部分员工有暴发户心态，稍微有点钱，就只知道挥霍、享受，心里空虚；二是有的员工有了钱后有守财奴心态，舍不得用于高雅活动的消费；三是不懂得知足常乐；四是缺乏继续奋斗的动力。

> 一部分员工，不知道是自己的祖坟埋得好，还是碰到了什么神仙，突然富有后，就不知所措了。有些人表现得奢侈、张狂，在小区及社会上表现得咄咄逼人，自己的家人也趾高气扬……
>
> 一部分人对社会充满了怀疑的眼光，紧紧地捂着自己的钱袋子，认为谁都在打他的主意，对谁都不信任……这些，都不是华为精神，这些人员不适合担任行政管理的职位，不管高低都不合适。他们所领导的团队一定会萎靡不振。

华为的辅导老师陈珠芳也分析了部分华为员工出现这种问题的原因，她在给某个华为员工的一封信中认为，经济全球化，各行各业竞争空前惨烈，尤其是IT产业，从CEO到工程师，都被压得喘不过气来，心理承受能力如果不强的话，抑郁症就会悄然上身。在大环境面前，个人或企业都是很渺小的，唯有改变自我，以适应环境才是生存之道。人生问题，大多出自对整体的态度，对他人、社会、自然和宇宙的态度，而态度又取决于我们的认知，认知偏差，心态会失衡，态度则不正。

因此，闲情偶寄于高雅，有利于高尚的审美潜能的开发，从而使得心胸开阔，心灵获得自由，就会从多维、多层、多元的角度看待万事万物，就会用包容和欣赏的态度看待一切，会重新解释我们所看到的世界，认知能力从而得到发展。闲情偶寄于高雅还是低俗，不取决于你拥有多少财富。并不是富人才能有高雅的精神生活，并不是所有富人的精神生活都高雅；也并不是穷人就不可能有高雅的精神生活。庄子因为生活贫困，造就了其精神境界的高雅，他是“道”的先师，他活在道的层面，活在人生的最高境界。其实，在现实生活中，只要你心中有好奇心、有爱心，你的精神生活就会是高雅的、幸福快乐的。

任正非提倡要引导员工理解、欣赏和接受高雅的生活习惯与文化活动，使员工从身心上自己解放自己。

> 员工不能成为守财奴，不能成为金钱的奴隶，丰厚的薪酬是为了通过优裕、高雅的生活，激发人们更加努力地去工作、有效的奋斗而服务的，不是使我们的精神自闭、自锁。

他还告诉员工，人是有差距的，要承认差距存在；一个人对自己所处的环境，要有满足感，不要盲目地攀比。例如，有人少壮不努力，有人十年寒窗苦；有人读书万卷活学活用，有人死记硬背，一部活字典；有人清晨起早锻炼，身体好，有人老睡懒觉，体质差；有人把精力集中在工作上，脑子无论何时何地都像车轱辘一样地转，而有人没有做到这样……

> 待遇和处境能一样吗？你们没有对自己付出的努力有一种满足感，就会不断地折磨自己并痛苦着，真是生在福中不知福。这不是宿命，宿命是人知道差距后，而不努力去改变。

在任正非看来，华为员工有一定的经济基础，有条件比国人先走一步，做一个乐观、开放、自律、正派的人，给周边的人做个表率。他要求华为管理层引导员工懂得高雅的文化与生活，积极、开放、正派地面对人生。人生苦短，不必自己折磨自己。不以物喜，不以己悲。同时也要牢记，唯有奋斗才会有益于社会。人生是美好的，美好并非洁白无瑕。在任何时候、任何处境都不要对生活失去信心。

唯有文化生生不息

企业文化表现为企业的一系列基本价值判断和价值主张，企业文化不是宣传口号，它必须根植于企业的组织、流程、制度、政策、员工的思维模式和行为模式之中。多年来，任正非一直强调：一切工业产品都是人类智慧创造的。

资源是会枯竭的，唯有文化生生不息。

作为一个商业机构，企业文化主要是为其商业利益服务的。在《华为公司基本法》起草者之一吴春波教授看来："过去华为讲奉献，讲床垫文化，讲营销，讲狼文化，讲内部，讲服务文化，所有的这些表现，最后都会找到一个企业文化的核心，这个核心就是高绩效文化。"他认为，每一种文化就好比一个墙角，都有一个墙面，对着的都是高绩效。高绩效能够支撑企业的持续发展，给客户带来价值，给企业带来利润，给员工带来好处。

> 华为文化的特征是全心全意为客户服务的高绩效文化，高绩效是华为内部自身评估的标准；全心全意地服务则是华为面对用户的评估标准。

管理机制是由组织、岗位职责及其管理制度和规范等构成的，脱胎于企业文化，同时又构建在企业文化的基础之上，靠企业文化来推动和润滑使其运转。华为的管理机制是靠文化来推动的，文化是华为公司管理机制产生效率的润滑剂。各项管理者都必须认同华为企业文化，并科学灵活地运用文化建设来推动、改善华为管理。

任正非认为，当一个管理者，尤其是中高层管理者，只精通业务，而不懂得如何抓组织建设、制度建设和文化建设，就无法实施管理，实际上他不适合做管理者；当一个中高层管理者，只抓组织建设、制度建设，而不搞文化建设时，他的组织职能难以发挥，组织制度难以实施，这样的管理者是不称职的管理者。

> 当一个中高层管理者，脱离华为文化背景去抓组织建设、制度建设和文化建设时，就是搞山头主义，在华为管理机制中形成逆向反馈，妨碍华为事业的发展。
>
> 当一个中高层管理者，以华为公司核心价值观去营造部门文化，去抓组织建设和制度建设，就能推动华为事业的发展，这样的管理者就是焦裕禄式的合格的管理者。

∽∽∽　∽∽∽　∽∽∽

> 不认同华为价值评价体系、没有责任心、劳动态度不好的员工，将不能在华为公司工作。
>
> 欢迎员工在深刻理解的基础上，创造性地发展与丰富我们的企业文化，科学地、准确地、更加细致地完善我们的价值评价体系。

在任正非看来，是否认同华为文化，是区别华为普通员工与领导的一大原则。任正非有句很经典的话，只有高度认同华为企业文化的人，才是华为的同路人，才能被提拔为华为的高级干部；不认同华为企业文化的人，华为也可以招用，但不能委以重任。

> 无论从事技术、管理、业务……我们都是一个目的。因此，华为文化是我们认同的基础。一个不认同华为文化的员工，是很难在华为工作的，处处评价都受挫。

华为的管理制度和规范是在华为文化中酝酿而成的，任何管理制度和规范的制定都不能脱离华为的文化背景。企业的管理制度和规范不可能千篇一律，也不可能照搬其他企业制度。《华为公司基本法》的起草、讨论、定稿方式，反映了任正非等华为高管管理思想、认识水平的升华。

华为企业文化是华为经营管理实践经验的总结，而华为的管理制度和规范是华为企业文化中相对稳定的，符合华为公司核心价值观的，并可再次通过实践检验为正确的东西。这些东西用条文的形式加以固定，通过试行在员工中达成共识后，经过正式签发和颁布，为员工共同遵守。

实际上，只有与华为人的文化背景相适应的管理制度和规范，才能与华为的实际相符合，才具有执行力。华为公司的管理制度和规范已摆脱了生搬硬套的形而上学管理模式，走上了在自身文化氛围中借鉴成功企业先进经验，来酝酿和构建具有华为特色的管理模式和管理制度规范的道路。

华为全球化发展的形势和挑战，要求华为的干部首先要具备好的品德，具有高度的责任心、使命感与敬业精神，认同并有效实践华为的核心价值观与企业文化。这对于一个企业的稳定和发展极其重要，也是在企业发展最关键的时候，大家会不会同心同德、众志成城的保证。

> 只有选择了一批同路人并成为公司价值观与文化的传承者和发展者，华为才可以保持自己的凝聚力和战斗力。

文化要落实在奉献

任正非一直承认，华为是功利集团，一切都是围绕着商业利益，不带着这个明确目标去交流，是没有实际意义的，这就是搬石头与修教堂的关系。

> 华为的文化叫企业文化，而不是其他文化或政治。华为文化的特征就是服务文化，因为只有服务才能换来商业利益。

华为所说的服务的含义是很广的，不仅仅指售后服务，从产品的研究、生产到产品生命终结前的优化升级，员工的思想意识、家庭生活……因此，华为以服务来认定队伍建设的宗旨。只有用优良的服务去争取用户的信任，创造资源，这种信任的力量是无穷的，是华为取之不尽、用之不完的源泉。任正非警告华为人，有一天华为不用服务了，就是要关门、破产了。因此，服务贯穿于华为公司及个人生命的始终。

《华为公司基本法》出来后，社会上掀起了学习热潮，众多专家学者争相研究，认为华为创造出了一个新理论——“知本论”。对于外界总结的华为的“知本论”，任正非并不感兴趣，他对员工说：

> 你愿意用业余时间的热情去研究、宣传，它也不能掩盖你工作上的失败。因为你不是政治家、社会活动家、历史学家。华为的目的是实现公司的发展，因此，要把“论”留给社会学家，他们有时间去研究就去研究吧，把“知本”留给华为自己好好研究相互之间的关系，以指导华为解决现实问题。

∽∽∽　　∽∽∽　　∽∽∽

> 基本法不是为了包装自己而产生的华而不实的东西，而是为了规范和发展内部动力机制，促进核动力、电动力、油动力、煤动力、沼气动力等一起上，沿着共同的目标，是使华为可持续发展的一种认同的记录。因此，各部门不必向外去宣传基本法，革命是不能输出的。只有人家需要了解，我们才可以交流。

任正非就是这样一个“现实”的人。

更重要的是，任正非对基本法有着清醒的认识。他明确告诉华为人，基本法不是万应良药，当运用基本法去解决问题的时候，碰到的是矛盾的两个方面，对立又统一，这是痛苦的。比如说分配，在原则上你拥护，当你是部门一把手时，你会非常痛苦，怎么去拉开差距。每个部门是否有勇气把后进员工，以及工作能力不适应在本部门工作的员工交给人力资源部重新分配。

> 每个员工都要以绝大部分精力学好自己的专业，学好技术，学好业务。业精于勤。这是你服务与进步的重要工具。学习企业文化就是使你的重要工具发挥较大的作用。华为不存在空头理论家。文化要落实在奉献上，没有本领就无法实现奉献。

静水潜流

任正非说：

世界上我最佩服的勇士是蜘蛛，不管狂风暴雨，不畏任何艰难困苦，不管网破碎多少次，蜘蛛仍孜孜不倦地用它纤细的丝织补。数千年来没有人去赞美蜘蛛，它们仍然勤奋，不屈不挠，生生不息。我最欣赏的是蜜蜂，由于它给人们蜂蜜，尽管它多螯，人们都对它赞不绝口。不管你如何称赞，蜜蜂仍孜孜不倦地酿蜜，天天埋头苦干，并不因为赞美而产蜜少一些。

蜘蛛和蜜蜂身上体现的胜不骄、败不馁的精神，是任正非极其推崇的。他希望华为人都能学习这种精神：

在荣誉与失败面前，平静得像湖水，这就是华为应具有的心胸与内涵。

多年来，华为一直强调：资源是会枯竭的，唯有文化生生不息。这里的文化，不仅包含了知识、技术、管理、情操……也包含了一切促进生产力发展的无形因素。

一切工业产品都是人类智慧创造的。华为没有可以依存的自然资源，唯有在人的头脑中挖掘出大油田、大森林、大煤矿……精神是可以转化为物质的，物质文明有利于巩固精神文明。华为坚持以精神文明促进物质文明。

华为文化是基于客户需求导向的、高绩效的、静水潜流的企业文化。华为的企业文化承载了华为的核心价值观，使得华为的客户需求导向的战略能够层层分解并融入所有员工的每项工作之中，不断强化“为客户服务是华为生存的唯一理由”，提升了员工的客户服务意识，并深入人心。

通过强化以责任结果为导向的价值评价体系和良好的激励机制，使华为所有的目标都以客户需求为导向，通过一系列的流程化的组织结构和规范化的操作规程来保证满足客户需求。由此形成了静水潜流的基于客户导向的高绩效企业文化。华为文化的特征就是服务文化，全心全意为客户服务的文化。

附录一　华为辞典

◆ **狼文化**

嗜血，对市场信息的敏感性；耐寒，百折不挠的进取精神和不畏艰难的意志；结群，团队合作的精神。

◆ **床垫文化**

“床垫文化”是华为精神的象征。几乎每个华为开发人员都有一张床垫。午休时，席地而卧；加班晚了不回家，与垫相伴；累了睡，醒了爬起来再干，一张床垫相当于半个家。

“床垫文化”是华为早期创业者留下的，一直激励着华为人。华为当年第一代创业者就像当年美国硅谷的创业者们一样，经常挑灯夜战，甚至在公司过夜，这对当时处于创业期的华为来说是必要的。

◆ **工号文化**

华为在成立初期为了给予员工长期激励，建立了股权激励计划，员工根据工作时间长短可以获得一定的内部股，由于股权与工作时间以及员工的工号间接相连，这就形成了华为独特的“工号文化”。

随着时间的发展，“工号文化”的弊端也开始显现，部分老员工单凭内部股票就可以每年获得不错的收益，与新员工的收入形成明显对比，严重打击了员工的积极性。

附录二　任正非精妙言论

1. 王小二卖豆浆，能卖一块钱一碗，为什么要卖五毛钱？我们产品的毛利，要限定在一定水平，太高或太低都不合适。

注解：有时，自己给自己的优势产品降价，不要等竞争对手进入后再降价，用抬高进入的门槛来阻止新的竞争者进入，反而能够获得长远的竞争优势。

2. 2001年，杨元庆来华为参观时，表示联想要加大研发投入，做高科技的联想，任正非以一位长者的口吻对他说："开发可不是一件容易的事，你要做好投入几十个亿，几年不冒泡的准备。"

注解：研发作为一种战略性投资，其利益与风险同时存在。

3. 时光不能倒流，如果人能够从80岁开始倒过来活的话，人生一定会更加精彩。

注解：年轻人不要光从书本上学习，一定要学会从实践中学习，从经历的失败和磨难中学习。

4. 1999年，内地某副市长来华为考察参观。在欢迎晚宴上，副市长问任正非："为了促进企业的发展，政府究竟应该干些什么？"任正非笑着回答道："政府什么也不要干，政府只要把道路修好、把城市绿化好，就是对企业最大的帮助。"

注解：政府在转变职能的过程中，可以多听听来自企业的意见。

5. 我们的战略规划办是研究公司3年至5年的发展战略，不是研究公司10年、20年之后的发展战略。

注解：在迅速变化的市场环境中，规划和预测5年的发展，已经非常的困难，预测20年的人，可以成为未来学家，但绝不是在企业里。

6. 在华为的员工大会上，任正非提问："2000年后，华为最大的问题是什么？"大家回答："不知道。"任正非告诉大家："是钱多得不知道如何花，你们家买房子的时候，客厅可以小一点、卧室可以小一点，但是阳台一定要大一点，还要买一个大耙子，天气好的时候，别忘了经常在阳台上晒钱，否则你的钱就全发霉了。"

注解：钱多未必就是好事，不懂得如何合理利用资金的话，再多的钱也会发霉。

7. 华为没有成功，只是在成长。

注解：华为才发展了十几年，绝不能算作成功，能够长期持续地存活，成就百年基业，也许才是成功。

8. 任正非在一次高层会议上提问："我的水平为什么比你们高？"大家回答："不知道。"任正非说："因为我从每一件事情（成功或失败）中，都能比你们多体悟一点点东西，事情做多了，水平自然就提高了。"

注解：勤于思考，注重在实践中积累和学习。

9. 华为没有院士，只有院土。要想成为院士，就不要来华为。

注解："院土"，即任正非所说的"工程商人"。企业搞产品研发，不是搞发明创造，不是要破解哥德巴赫猜想，而是要对产品的市场成功（商业成功）负责。

10. 华为的一位新员工，刚到华为时，就公司的经营战略问题，写了一封"万言书"给任正非，任正非批复："此人如果有精神病，建议送医院治疗；如果没病，建议辞退。"

注解："小改进大奖励；大建议只鼓励。"员工最重要的还是要做好本职工作，不要把主要精力放在构思"宏伟蓝图"、做"天下大事"上面。作为一名新员工，对企业没有任何的理解，怎么可能提出合乎实际的建议。

11. 任正非在一次董事会上说："将来董事会的官方语言是英语，我自己58岁还在学外语，你们这些常务副总裁就自己看着办吧。"

注解：言外之意，华为必须走向国际化。

12. 任正非批复《华为公司基本法》提纲时说:"要在动力基础上健全约束机制,否则企业内部会形成布朗运动。"

注解:有规则、无动力,企业就会死水一潭;有动力、无规则,企业就会发散成无序的布朗运动,难以形成核心能力。

13. 有一次,任正非对财务总监说:"你最近进步很大,从很差进步到了比较差。"

注解:质量管理大师戴明博士从日本回美国后,遭到美国企业界抨击,指责戴明教会了日本人,增强了日本企业同美国的竞争能力。戴明博士解释说:"我并没有教日本企业任何东西,只是告诉他们一个道理,就是每天进步1%。"

14. 在新员工座谈会上,新员工问:"任正非总裁,您对我们新员工最想说的是什么?"任正非回答:"自我批判、脱胎换骨、重新做人,做个踏踏实实的人。"

注解:校园文化与企业文化是不同的。校园文化没有明确的商业目的,只是教会学生如何做人。企业文化有明确的商业目的,一切要以商业利益为中心。企业需要的是工程商人,刚从学校毕业的学生需要完成从校园人向企业人或工程商人的转变。

15. 茶壶里煮饺子,倒不出来就不算饺子。

注解:能力再强,需要工作绩效来体现。绩效考核考评的是工作中表现出来的过程行为和最终结果,而不是能力。

16. 进了华为就是进了坟墓。

注解:马克思也曾经说过:"科学的入口处就是地狱的入口处",任正非意在勉励研发人员树立刻苦献身的工作态度。有一篇文章叫《硅谷:生机盎然的坟场》,讲的是美国硅谷创业者们的故事。硅谷正是靠不断"埋葬"一代又一代的优秀人才,才构建了今天的繁荣。

17. 1996年,任正非听取完生产计划和销售计划工作汇报后,送给生产

计划主管和销售计划主管每人一双工作靴，让他们走与工农兵相结合的道路。

注解：深入实际，了解基层和上下游业务部门的需求，才能够发现问题、解决问题。

18. 任正非指着华为常务副总裁郑宝用说："郑宝用，一个人能顶1万个。"然后又指着另外一位副总裁说："你，1万个才能顶一个。"

注解：同在华为屋檐下，人与人的差距咋这么大呢？

附录三　任正非管理思想十大要点

一、寻求主流价值观认同

任正非曾经多次反思父母在“文化大革命”期间的不幸遭遇，他发现，父母的遭遇固然与当时的社会大背景有关，但是，从父母个人来讲，没有与当时的主流思想保持一致、没有被主流思想所认同也是最主要的原因之一。他得出结论：一个人再有本事，也得通过所在社会的主流价值认同，才能有机会。这样的人生教训影响了任正非的一生。他后来选择当兵、积极申请入党都是追求主流价值观认可的努力。

作为一个没有任何政治背景的商人，任正非一直努力寻求官方的认可和政府的支持。他认为，华为主要是对政府负责。他要求员工要坚定不移地保持安静，听党的话，跟政府走。他把华为企业文化的根基确定为国家文化。

二、企业成长动力来自于矛盾

任正非在讲解《华为公司基本法》时说：真实的世界永远都是矛盾的，有矛盾才能在打破平衡中不断发展，华为公司正是在不断解决矛盾的过程中前进的。因此，他认为：企业成长的动力首先来自于矛盾。任正非的企业管理思想的基础，是毛泽东的唯物辩证法。而对于辩证法的核心——对立统一法则，即矛盾法则，任正非有着深刻的理解，并灵活运用于认识企业这一客观事物的原则和方法，提供了在企业实践中运用和发展毛泽东思想的范例。

三、聚力与扩张力的辩证关系

任正非从比利时物理学家普利高津教授的耗散结构理论，引申出企业的凝聚力必须不停地转换为扩张力的思想。他说，企业凝聚力强，不一定有动力，不一定有效益。要扩张，扩张就是一种耗散，就会产生矛盾，实现矛盾的有效转化，企业就有生命力。

四、压强原则

在成功的关键因素和选定的战略生长点上，以超过主要竞争对手的强度配置资源，要么不做，要做，就极大地集中人力、物力和财力，实现重点突破。这一思想被写进《华为公司基本法》。它来自于毛泽东的军事思想中的运动战。但是，任正非并不主张其他企业都来学习，因为每个企业的发展历史不同，一旦形成模式，改起来很难。

五、群众运动

任正非搞群众运动，为现代许多人所不齿。但群众运动的根本思想在于走群众路线。群众路线思想是中国共产党长时期在敌我力量悬殊的艰难环境里进行革命活动的历史经验的总结，而任正非游刃有余地将其运用于企业管理当中。其核心意义是：一切为了群众，一切依靠群众，从群众中来，到群众中去。领导群众进行一切实际工作时，要取得正确的领导意见，必须从群众中来、到群众中去，实行领导与群众相结合，一般号召与个别指导相结合。也就是说，把群众的意见集中起来，化为系统的意见，又在群众中坚持下去，在群众的行动中考验这些意见是否正确。如此循环往复，使领导的认识更正确、更生动、更丰富。从现代企业管理的角度看，群众路线是一种问题发现机制和意见检验机制。

六、普遍客户原则

小公司在开拓市场时，只搞最关键的关系，这样做成本最低。但是大公司就不能这样做，因为客户关系中任何一个人投了反对票，就可能产生巨大的影响。为什么会有这么大影响呢？因为是大公司，摔不起跟头。

七、企业分权的前提是认同核心价值观

任正非认为，在所有的权力中，最重要的是用人权。为了实行对人的有效控制，任正非提出：只有企业的员工真正认为自己是企业的主人，分权才有了基础；没有这样的基础，权力分下去就会乱。所以，文化是权力分化的基础，没有认同感，就不能实行分权。在企业接班人问题上，任正非也强调认同价值观。

八、跟着外交路线打入国际市场

任正非说：中国的外交路线是成功的，在世界上赢得了更多的朋友。华为公司的跨国营销是跟着我国外交路线走的，相信也会成功的。一个国家的企

业在世界企业界范围内的实力对比,决定了国家综合实力的强弱,而国家综合实力是外交路线和策略的决定因素。所以,政治外交越来越注重以经济外交作为基础和先导。那么,作为企业来说,华为依照外交路线设计营销路线,也是非常自然的选择。这样做,有两点好处:一是可以在国家外交的背景下,长期稳定海外发展方向;二是在为经济外交作出贡献的同时,可以优先获得政府的支持。

九、英雄与领袖

让有个人成就欲望者成为英雄,让有社会责任者(指员工对组织目标有强烈的责任心和使命感)成为领袖。基层不能没有英雄,没有英雄就没有动力,但不能将其提拔为高层管理者。为下属服务好,使他成为英雄,就是领袖。

十、从必然王国走向自由王国

任正非对管理的理解,是在企业中形成思想权力,实现思想统治,使华为脱离对人才、技术、资金的依赖,从必然王国走向自由王国,达到从心所欲不逾矩的境界。

由港台明星刘若英和S.H.E代言的品牌是谁？
“喜欢自己，表现到底，Just be yourself”是谁的精神？
她是时尚、流行、娱乐的代名词
她是中国女鞋第一品牌
——达芙妮 DAPHNEDAPHNE

- 首次全面揭示达芙妮高速成长之谜
- 鞋业第一本营销管理专著
- 中小企业的连锁专卖成功标杆——达芙妮公司的成长史

达芙妮，中国女鞋第一品牌；达芙妮，连锁专卖事业的佼佼者；达芙妮，中小企业的成功标杆。达芙妮高速成长的驱动力在哪里？支撑她快速、稳健成长的根基是什么？她是如何在内忧外困中脱颖而出，特立独行，奠定自己在行业中的标杆地位的？在她的发展中，又遵循了哪些基本规律和路径？……一言以蔽之，达芙妮的发展对中小企业的成长突破可以提供哪些有意义的借鉴和经验？

本书以故事的形式娓娓道来，深入浅出地解剖了连锁零售旗帜——达芙妮。全书通过对达芙妮经营管理体系的全方位剖析，从战略到组织，从管理到文化，从营销到物流，从渠道到零售；力求用活生生的事件，用浅显风趣的语言，揭示达芙妮成功转型为连锁零售企业的内幕；总结零售品牌高速成长的经验，并针对中小企业发展过程中存在的管理的共性问题做了系统性的梳理和总结。

CCTV《对话》总策划、《赢在中国》总编辑、《我们》总策划

畅销书《海尔中国造》、《张瑞敏如是说》、《张瑞敏谈管理》作者

———海尔研究权威胡泳最新推出

- 中国领袖企业海尔的最新变革实践
- 海尔经验:"中国制造到中国创造"的学习样本

国内第一本系统反映中国本土企业先行者海尔管理革命最新成果的作品,全面客观记录海尔对全球化路径、信息化再造、产权改制、治疗"大企业病"等诸多难题的探求,独家披露张瑞敏"在没有道路的地方开出道路"的真实心声,首次详尽解读外界对海尔和张瑞敏的众多非议背后的是非曲直。这也是中国本土企业管理革命的"圣经"。

○ 信息化再造:中国企业界的"下一个大事件"?
○ 全球化路径:是义无反顾执著于海外建厂,还是一改初衷走跨国并购之路?
○ 海尔的庞大资产如何界定?企业家的价值和贡献该不该承认?
○ 何以不凭控制,却能自如驾驭越来越大的海尔?

图书在版编目(CIP)数据

任正非如是说：中国最杰出CEO的管理智慧/程东升，朱月容著.—杭州：浙江人民出版社，2008.4
（信天翁财经丛书）
ISBN 978-7-213-03748-1

Ⅰ.任… Ⅱ.①程…②朱… Ⅲ.通信—邮电企业—企业管理—研究—深圳市 Ⅳ.F632.765.3

中国版本图书馆CIP数据核字(2008)第037610号

书名	任正非如是说
作者	程东升　朱月容　著
出版发行	浙江人民出版社
	杭州市体育场路347号
	市场部电话：(0571)85061682　85176516
责任编辑	虞文军　李　雯
责任校对	朱晓阳
电脑制版	杭州大漠照排印刷有限公司
印刷	浙江新华印刷技术有限公司
开本	710×1000毫米　1/16
印张	15.5
字数	23.5万
插页	2
版次	2008年4月第1版·第1次印刷
书号	**ISBN 978-7-213-03748-1**
定价	32.00元